# QU'EST-CE QUE
# LA LITTÉRATURE
# COMPARÉE?

P. Brunel, Cl. Pichois, A.-M. Rousseau

# QU'EST-CE QUE LA LITTÉRATURE COMPARÉE?

Armand Colin

103, bd Saint-Michel, Paris (V$^e$)

© Armand Colin Éditeur, Paris, 1983.
ISBN 2-200-31193-1

*Ce livre reste dédié à
monsieur René Pintard
qui en fut le parrain*

# INTRODUCTION

« L'un des meilleurs moyens pour introduire un mot nouveau, écrivait Jean-Paul, est de le mettre sur la page de titre. » Inscrite sur la couverture de ce livre, l'expression « littérature comparée » trouverait par là même sa justification. Mais le mot n'est pas nouveau : il est une création du XIXᵉ siècle. Le moyen n'est pas nouveau non plus : depuis l'ouvrage de Posnett, *Comparative Literature,* en 1886, jusqu'à la sixième édition, remaniée, de *La Littérature comparée* de Marius-François Guyard, en 1978, les manuels se sont multipliés sous ce titre. Le nôtre ne fait pas exception à la règle. Après *La Littérature comparée* (1931) de Paul Van Tieghem et *La Littérature comparée* (1967) de Claude Pichois et André-Michel Rousseau, publiés chez le même éditeur, et en reprenant de nombreux éléments de ce dernier livre, il tente de répondre à la question « Qu'est-ce que la littérature comparée? »

A cette question, les livres précédents avaient tenté de répondre, comme veut le faire celui-ci. Mais depuis 1931, et surtout depuis 1967, les études de littérature comparée sont allées en s'obscurcissant. Est-ce, comme le prétendait en 1971 un de ses adversaires, parce qu'elle « possède la particularité d'être, dans la division des lettres, la discipline où règne le plus grand confusionnisme [1] »? Est-ce parce qu'elle veut trop étreindre : toutes les littératures de toutes les langues dans tous les pays du monde, et même toutes les formes d'expression infra ou paralittéraires? Est-ce parce que, depuis quinze ans, elle a eu tendance à évoluer vers ce qu'on appelle la « littérature générale »? Après 1968, les chaires de « littérature générale et comparée » succèdent aux vieilles chaires de « littérature comparée » ou de « littératures modernes comparées ». En 1974, Étiemble, professeur à la Sorbonne nouvelle (Paris III), veut contribuer à une « littérature (vraiment) générale ». Comme si, là comme ailleurs, on croyait devoir se mettre à l'heure américaine, et comme si c'était un moyen de mettre un terme à une querelle entre les comparatistes des deux côtés de l'Atlantique, la « general Literature » fait irruption, s'associant à la littérature comparée, parfois pour l'épauler, parfois pour la supplanter.

7

Qu'on nous entende bien. Ce ne sont pas là propos de conservateurs venus défendre un ancien livre, qui fut considéré comme nouveau en son temps, ou des traditions de moins d'un siècle. L'expérience a prouvé au cours de ces dernières années que, grâce à la littérature générale, la littérature comparée avait conquis du terrain, ou plutôt du public en France, et que, lorsqu'elle voulait dialoguer, ce n'était plus un dialogue de sourds. Mais son extension oblige plus que jamais à extraire du titre sobre d'autrefois, *La Littérature comparée,* la question implicite qu'il contenait. L'exemple vient de Jean-Paul Sartre, bien sûr, de *Qu'est-ce que la littérature?* dans *Situations II* (1947). Il vient aussi des États-Unis et du livre de S. S. Prawer, *Comparative Literary Studies* (Harper & Row, 1973), qui était organisé en une synthèse pour répondre à la question initiale : « What is Comparative Literature? » Modestement, ce livre était sous-titré *An Introduction.* De même, celui de Hugo Dyserinck, *Komparatistik : Eine Einführung* (Bonn, Bouvier Verlag, 1977). Le temps des traités semble bien passé.

Qu'entend-on par littérature comparée? L'amateur cultivé qui demanderait aux répertoires courants la réponse à une aussi élémentaire question serait bien déçu. Ne parlons pas du *Petit Larousse illustré.* Malgré ses six forts volumes, le classique *Larousse du XX^e siècle,* tout en consacrant (à l'article « Comparé ») quelques lignes de définitions à divers types de connaissances comparées, ne souffle mot de ce qui nous intéresse. Même silence dans presque tous les autres dictionnaires ou encyclopédies, tant français qu'étrangers. Le *Grand Larousse encyclopédique* en dix volumes, outre une définition sommaire, mais acceptable (toujours à l'article « Comparé », 1962), consacre au comparatisme une bonne demi-colonne à la fin de l'article « Littérature », avec assez d'enthousiasme pour le présenter comme l'aboutissement, presque le couronnement, de toute étude de la littérature en général. L'*Encyclopædia universalis* (volume X, 1971) propose une notice substantielle et riche d'aperçus divers, où Étiemble se voit pourtant contraint d'avouer son embarras en présence des diverses appellations. Il en conclut que « les incertitudes langagières expriment en l'espèce les scrupules et les doutes légitimes qui travaillent plus d'un comparatiste contemporain », et il opte pour un emploi provisoire de l'expression consacrée.

Après quatre-vingts ans de pratique officielle et régulière (si nous négligeons de longs préliminaires), l'entente ne s'est pas encore faite sur une définition simple et définitive. On croyait la tenir à la veille de la dernière guerre, mais de vives controverses remirent tout en question. Le calme est revenu. Ne doit-on pas, cependant, s'interroger sur une telle instabilité, en rechercher les causes, tenter d'y mettre fin?

En 1951, nous avons la première surprise d'une comparaison négative. Préfaçant la première édition du « Que sais-je? » de M.-F. Guyard, Jean-Marie Carré, professeur à la Sorbonne et maître incontesté de la discipline à l'époque, écrivait que « la littérature comparée n'est pas la comparaison littéraire ». Et il ajoutait : « Il ne s'agit pas de transposer simplement sur le plan des littératures étrangères les parallèles des anciennes rhétoriques entre Corneille et Racine, Voltaire et Rousseau, etc. Nous n'aimons pas beaucoup à nous attarder aux ressemblances entre Tennyson et Musset, Dickens et Daudet, etc. » Étrange littérature comparée qui ne compare pas! Le dogme était sans doute trop contraignant. Si « comparaison n'est pas raison », comme l'a rappelé à son tour Étiemble dans un pamphlet célèbre en 1963 (rééd. 1977), si elle n'est pas même la raison d'être de la littérature comparée, du moins fournit-elle une matière dont il faudra user à bon escient. Parmi beaucoup de rapprochements fallacieux, il s'en trouvera un qui conduira à la découverte d'une influence ou qui éclairera le champ de l'imaginaire. La comparaison peut avoir une fonction heuristique en littérature comparée. C'est ainsi que Michel Van Helleputte a constaté, en comparant onze *Judith* différentes, que, chaque fois que Giraudoux s'écarte de la tradition biblique dans sa *Judith,* c'est à la suite de Friedrich Hebbel et de lui seul [2]. Et, conduite d'une manière rigoureuse, la comparaison peut être le fondement même d'une étude de littérature comparée : Julien Hervier l'a bien prouvé avec son *Drieu La Rochelle et Jünger. — Deux individus contre l'Histoire* (1978), ainsi que Jean Weisgerber, auteur d'un *Faulkner et Dostoïevski. — Confluences et Influences* (1968).

Les développements récents de la littérature comparée (ou prétendue telle) nous valent une autre surprise. Tel ne jure que par la bande dessinée, tel autre étend son enquête du côté des timbres-poste, tel autre encore invente la sémiologie des pochettes de disques microsillons. La littérature comparée veut bien comparer, mais elle ne veut plus être littéraire. Ou plutôt elle se méfie et choisit la marginalité. Peut-être, à dire vrai, manque-t-elle surtout de confiance en elle-même et, laissant aux « spécialistes » les sommets, *La Divine Comédie, Don Quichotte* ou *A la recherche du temps perdu,* elle pense devoir faire sa pâture des œuvres réputées mineures. Il est hors de doute que ces vastes domaines moins explorés méritent de l'être par le comparatiste. Mais quand René Guise a consacré une thèse monumentale au roman-feuilleton, quand en 1982 il fondait à l'université de Nancy II un centre de recherche sur le roman populaire, il ne perdait pas de vue son cher Balzac et savait bien que c'était une autre manière de le replacer dans la production littéraire de son temps et de le mieux mettre en valeur.

La littérature comparée reste littérature, et il ne lui est pas interdit de comparer. Voilà deux truismes apparents, deux vérités premières qu'il est bon pourtant de rappeler car un abandon aux séductions du paradoxe pourrait les faire oublier.

Nous aimerions pourtant prendre un autre départ, chercher, avant toute entreprise comparatiste, quelle peut être la vocation de la littérature comparée et ce qui la rend nécessaire.

« Les univers littéraires sont murés », constatait Claude-Edmonde Magny [3]; ils « communiqu[e]nt aussi peu entre eux que le font les consciences dans les philosophies pessimistes, et qui doutent de l'homme. Recluses elles-mêmes, les œuvres tendent à reclure aussi leur « consommateur » s'il ne se fait lui-même critique, en les recréant dans leur singularité, *perçue comme telle.* » Le critique pourra l'y aider, et c'est pourquoi la critique littéraire peut être définie comme « une vaste entreprise de « déréclusion » de la littérature ». Mais on est en droit de penser qu'il existe une autre tâche de « déréclusion », de la critique littéraire cette fois. La littérature comparée est l'un des efforts accomplis en ce sens.

Le 16 février 1980, dans son avant-dernier cours au Collège de France, Roland Barthes expliquait qu'un écrivain d'aujourd'hui n'est plus entraîné par des *leaders,* comme le furent entre les deux guerres Gide, Valéry ou Claudel, et encore Malraux à une date plus récente. La fin du temps du *leadership* correspondrait à la crise de la littérature.

Même s'il choisissait, pour s'exprimer, ce franglais que dénonça Étiemble, Barthes semblait négliger ce fait essentiel : le problème du *leadership* ne peut plus se poser dans l'espace clos d'une aire nationale ou linguistique donnée. C'est vers Jorge Luis Borges, par exemple, que se tournera l'amoureux de littérature. L'apprenti-conteur y trouvera une incitation constante à créer du fantastique. Le poète verra en lui, comme l'a dit Alain Bosquet, « un Góngora ou un Valéry d'aujourd'hui ». Le sémiologue considérera son œuvre comme « un jeu qui pervertit systématiquement l'économie classique de l'écriture [4] ». Et l'un de ceux qui s'efforcèrent de l'introduire en Italie, Leonardo Sciascia, n'hésitera pas à reconnaître en lui « le théologien de notre temps, un théologien athée, c'est-à-dire le signe le plus haut de la contradiction dans laquelle nous vivons ». Que Borges soit un « nobélisable » sans prix Nobel, qu'on ait parfois considéré en Amérique du Sud que les pays d'Europe avaient construit son « mythe » ne change rien à l'affaire : son prestige est bien ce qu'on est déjà en droit d'appeler un fait comparatiste.

L'exemple est d'autant plus frappant qu'il n'est probablement pas d'écrivain qui ait été plus ouvert que Borges aux littératures étrangères. Professeur d'anglais comme son père (la première nouvelle du *Livre de sable* le montre encore au bord du fleuve Charles, à Cambridge, Massachusetts, au temps où il était titulaire de la chaire Charles Eliot Norton de poésie à l'université Harvard), il s'est senti enfermé dans les mêmes labyrinthes que Joyce et attiré par l'art d'écrire de G. K. Chesterton. Il a composé, en collaboration, un essai sur les anciennes littératures germaniques. Il a été le traducteur de Wilde (*The Happy Prince,* dès 1905) et de Kafka (*Die Verwandlung,* 1943). Et c'est à bon droit que, de son vivant même, une thèse de littérature comparée, celle de Michel Berveiller, a pu être consacrée à l'étude de son cosmopolitisme, terme que récuse d'ailleurs cet Argentin convaincu.

En invitant les écrivains futurs, surtout s'ils n'écrivent pas assez ou s'ils écrivent trop, à suivre le conseil de Julio Cortázar : commencer par traduire, Barthes, le même jour, rencontrait un autre fait comparatiste. Les meilleurs poètes de ce temps sont des traducteurs de grand talent : c'est le cas d'Yves Bonnefoy qui, pour la première fois peut-être, a donné des versions satisfaisantes de Shakespeare en français, c'est le cas de Philippe Jaccottet, à propos de qui Jean Starobinski a parlé de « médiation inventive ». « Qu'est-ce que traduire, ajoutait-il, sinon se faire accueil, n'être d'abord rien qu'une oreille attentive à une voix étrangère, puis donner à cette voix, avec les ressources de notre langue, un corps en qui survive l'inflexion première ? Toute traduction vraiment accomplie instaure une transparence, invente un nouveau langage capable de véhiculer un sens antécédent : ainsi en va-t-il de Musil, d'Ungaretti, de Novalis, de Hölderlin, de Rilke, lorsque Philippe Jaccottet les rapproche de nous. » Les actes du *Colloque sur la traduction poétique* (publiés en 1978) organisé par Étiemble à la Sorbonne nouvelle en décembre 1972, dans le cadre de l'U.E.R. de littérature générale et comparée, montrent bien l'importance du problème pour les comparatistes, l'ampleur du domaine (hongrois, arabe, malgache, hébreu, turc, persan, bengali, chinois, japonais) et les résultats auxquels peut aboutir une équipe de chercheurs quand elle est animée par un meneur de jeu qui a la foi.

La littérature comparée naît d'abord d'une pratique empirique de la littérature, et d'une culture littéraire. Le mot peut paraître désuet aujourd'hui, et prétexte à dissertations. La chose, heureusement, existe encore. Quand Roland Barthes, dans le cours auquel il a déjà été fait référence, se mit à citer les *Lettres à un jeune poète* de Rilke et le *Journal* de Kafka aussi bien que les essais de Maurice Blanchot pour illustrer l'obscur, le torturant désir de l'œuvre, il fit encore du comparatisme sans le savoir. C'était reconnaître en effet que, même si l'on écrit dans une langue donnée, l'expérience acquise par les créateurs en langue étrangère peut être partagée. Henry Miller reconnaît qu'il s'est inspiré dans *Tropic of the Cancer* de l'emploi que Céline faisait du langage parlé dans *Voyage au bout de la nuit*. Lors même qu'il a très largement commencé la rédaction de *Berlin Alexanderplatz*, Alfred Döblin découvre Joyce et trouve dans *Ulysses* « un bon vent pour [s]es voiles ».

Le fait de culture, fondateur, dans les deux cas cités, d'une influence littéraire, permettra au comparatiste de mener son enquête s'il est bien, comme l'écrivait plaisamment Simon Jeune, ce « douanier de la littérature qui surveille aux frontières le passage des livres » et suit le « jeu des influences, directes, indirectes, réciproques [5] ». Mais il a bien souvent à démêler des écheveaux d'associations, l'auteur étudié étant le premier comparant. Le narrateur d'*A la recherche du temps perdu* ne se contente pas de passer de la *Sonate* de Vinteuil à la partition de *Tristan und Isolde* quand il attend, avec une angoisse dissimulée, Albertine qui est sortie pour aller à la matinée du Trocadéro. Il s'interroge, à partir de là, sur « ce caractère d'être — bien que merveilleusement — toujours incomplètes, qui est le caractère de toutes les grandes œuvres du XIXᵉ siècle » : *La Comédie humaine, La Légende des siècles,* la *Bible de l'humanité,* la *Tétralogie* ou

*Tristan*[6]. Mais n'est-ce pas, ne sera-ce pas (les éditeurs de Proust le savent) le cas de l'œuvre même qu'il projette d'écrire et pour laquelle il lui faudra cent, mille, mille et une nuits? Nouvelle Schéhérazade, il noue les fils de son récit chaque jour interrompu, mais tisse aussi de nouvelles associations :

> « Et je vivrais dans l'anxiété de ne pas savoir si le Maître de ma destinée, moins indulgent que le sultan Sheriar, le matin quand j'interrompais mon récit, voudrait bien surseoir à mon arrêt de mort et me permettrait de reprendre la suite le prochain soir. Non pas que je prétendisse refaire, en quoi que ce fût, les *Mille et Une Nuits,* pas plus que les *Mémoires* de Saint-Simon, écrits eux aussi la nuit, pas plus qu'aucun des livres que j'avais aimés, dans ma naïveté d'enfant, superstitieusement attaché à eux comme à mes amours, ne pouvant sans horreur imaginer une œuvre qui serait différente d'eux. Mais, comme Elstir Chardin, on ne peut refaire ce qu'on aime qu'en le renonçant. Ce serait un livre aussi long que les *Mille et Une Nuits* peut-être, mais tout autre[7]. »

Le critique, lui aussi, se trouve pris dans le réseau de semblables associations. Il multiplie les rapprochements pour mieux cerner son objet. Marcel Ray, dans la lettre qu'il adresse à Valery Larbaud le 6 septembre 1910, suggère que « Barnabooth pourrait être un des grands mythes littéraires comme Don Quichotte, Gulliver, Gargantua, etc.[8] ». Larbaud lui-même, bon connaisseur, on le sait, des littératures étrangères, place *The Portrait of the Artist as a Young Man* de Joyce « dans la lignée de *L'Éducation sentimentale* et de la trilogie de Vallès. C'est l'histoire de l'effort de l'esprit pour se dépasser, pour dépasser son milieu social, son éducation et même sa nationalité[9] ». Étiemble, qui veut que le comparatiste soit un homme de culture et de goût, « *amateur* de poèmes, de théâtre et de romans », se plaît à rapprocher les contes et romans chinois du vᵉ au xviiiᵉ siècle du picaresque espagnol, du libertinage du *Décaméron,* de *Gil Blas,* de *Tom Jones* ou de *Moll Flanders*[10].

On pourrait dire de la littérature comparée ce que Sartre a dit de l'existentialisme : qu'elle est un « nouvel humanisme ». Étiemble l'a affirmé dans une formule-titre[11] qui a fait école. Mais le mot, qui est, comme l'a rappelé opportunément Harry Levin, une création du xixᵉ siècle appliquée à une époque très largement antérieure[12], ne laisse pas d'être ambigu. Le comparatiste sera-t-il un Pic de la Mirandole des temps modernes? Ou s'efforcera-t-il, en se plaçant au-dessus de la mêlée des conflits internationaux, de préserver les valeurs qui font la grandeur de l'homme? De douanier il deviendrait alors diplomate et sa tâche, que S. S. Prawer déclare « vitale[13] », serait de nous orienter dans un concert de voix discordantes.

Un écrivain-diplomate, Paul Claudel, a voulu croire que « du cœur d'une nation à celui d'une autre, en dépit des différences de langues et de traditions, une route peut être trouvée, qui ne saurait être foulée par des canons et des régiments en marche ». Le comparatisme d'avant et d'après la seconde guerre mondiale est animé (comme l'existentialisme de Sartre) d'un noble sentiment de bonne volonté. Mais ce n'est pas avec de bons sentiments non plus qu'on fait de la bonne littérature comparée. Et c'est peut-être la principale difficulté qu'elle rencontre et qu'on rencontre quand on veut la situer. Bien accueillie comme instrument de culture générale, la littérature comparée cherche encore en France son programme de haute recherche scientifique. Les institutions ne l'ont guère favorisée. Elle-même, elle semble osciller entre ses deux vocations essentielles : d'une part, une large initiation à l'humanisme sous toutes ses formes, de l'autre, une science.

La réunion de ces deux vocations peut se faire, à notre avis, sous le concept de méthode. « Aujourd'hui, écrivaient R. Wellek et A. Warren, ce dont ont grandement besoin les études littéraires, c'est [...] d'un *organon* de méthodes [14]. » C'est toujours vrai. Mais la mise en garde de Boris Eikhenbaum au moment des attaques contre le formalisme mérite d'être rappelée :

> « L'idée de « méthode » a connu ces dernières années une extension inepte — on s'est mis à tout appeler « méthode ». (La « méthode formelle » est une combinaison de mots aussi dépourvue de sens que l'expression absurde de « méthode matérialiste historique ».) On est parvenu à ce que « la méthodologie avale la science elle-même » — voilà l'impasse où l'ancienne histoire de la littérature nous a conduits. Il faut rendre au mot « méthode » son premier et humble sens de forme de recherche sur tel ou tel problème concret [15]. »

Il n'est pas sûr que ce soit « l'ancienne histoire de la littérature » qui conduise à l'impasse de la méthodomanie, comme tendait à le suggérer Eikhenbaum il y a plus de cinquante ans. C'est bien plutôt, selon nous, l'état d'indécision permanent où se complaisent aujourd'hui trop d'esprits toujours prêts à tout remettre en question, y compris eux-mêmes. On ne peut en rester éternellement au stade des « tâtonnements préscientifiques [16] ». Cette indécision va d'ailleurs de pair avec un nouveau dogmatisme qui s'abrite volontiers sous le jargon, comme les médecins de Molière sous leurs chapeaux et leur latin de cuisine.

Dans ces pages il sera plus modestement question de méthode au sens où Descartes employait le terme dans son fameux *Discours* : la « vraie méthode », celle qui doit permettre de « parvenir à la connaissance de toutes les choses dont [un] esprit serait capable ». Nous nous garderons de tout terrorisme. Nous n'entendons nullement présenter ici le faire-part de décès du « défunt comparatisme » ou dénoncer ses « faux remèdes » comme le fit le rédacteur de l'avant-propos du premier numéro de la revue *Poétique* en 1970. Mais nous ne croyons pas non plus qu'on puisse s'improviser comparatiste en introduisant dans un ensemble d'études et de réflexions sur la littérature une pincée de Henry James et un zeste de Vélimir Khlebnikov.

Notre intention est de décrire une discipline qui n'en est plus à ses débuts, et dont le développement dans les deux dernières décennies est particulièrement remarquable. Il a même été si rapide qu'on peut éprouver l'impression d'un certain foisonnement. D'où le souci taxinomique qui sera constamment le nôtre : nous sommes à la recherche d'un ordre, mais nullement désireux de procéder à une quelconque remise en ordre. Enfin on voudra bien éviter de considérer ce livre comme une apologie de la littérature comparée. L'*illustration* passera ici avant la *défense*.

# NOTES

1. Didier Naud, dans la revue d'inspiration marxiste *Littérature/Science/Idéologie, Programme d'analyses*, 2, p. 42-48, « Littérature comparée 1) Sur quelques contradictions d'un manuel d'orientation ».

2. Voir Jacques Body : *Giraudoux et l'Allemagne*, Didier, coll. « Études de littérature étrangère et comparée », 1975, p. 335.

3. *Littérature et critique*, Payot, 1971, p. 436.

4. Antoine Compagnon : *La Seconde Main ou le travail de la citation*, Le Seuil, 1979, p. 370.

5. *Littérature générale et Littérature comparée. Essai d'orientation*, Lettres modernes, 1968, coll. « Situation » n° 17, p. 39 et 36.

6. *La Prisonnière*, dans *A la recherche du temps perdu*, « Bibliothèque de la Pléiade », Gallimard, 1954, t. III, p. 100-162.

7. *Le Temps retrouvé*, éd. cit., t. III, p. 1043. Contre-épreuve : dans une page symphonique de Vinteuil, le narrateur découvre « toutes les pierreries des *Mille et Une Nuits* » (*La Prisonnière*, p. 254).

8. Valery Larbaud-Marcel Ray : *Correspondance 1899-1937*, éd. Françoise Lioure, Gallimard, tome II, 1980.

9. Frédéric Lefèvre : *Une heure avec*, 2e série, N.R.F., 1924, p. 222.

10. *Comparaison n'est pas raison*, Gallimard, 1963, coll. « Les Essais », p. 84, 90-99.

11. *Ibid.*, p. 20, « La Littérature comparée, c'est l'humanisme ».

12. *Grounds for Comparison*, Harvard University Press, 1972, p. 30.

13. *Comparative Literary Studies : an Introduction*, New York, Barnes & Noble, 1973, p. 169.

14. *Theory of Literature*. Trad. J.-P. Audigier et J. Gattégno : *La Théorie littéraire*, éd. du Seuil, 1971, p. 22.

15. *Les Formalistes en question*, texte liminaire d'un débat sur la méthode formelle publié dans *Pietchat' i Revoloutsia (Presse et Révolution)*, 1924, numéro 5. Trad. G. Conio dans *Le Formalisme et le Futurisme russes devant le marxisme*, Lausanne, éd. L'Age d'homme, 1975, p. 24.

16. A.-J. Greimas, *Sémantique structurale*, Larousse, 1966, p. 7.

# Chapitre 1

# NAISSANCE ET DÉVELOPPEMENT

## L'HISTOIRE

### La chose et le mot

« *Littérature comparée* » est une expression à la fois aussi vicieuse et aussi nécessaire qu'« histoire littéraire » et « économie politique ». « Quelles littératures comparez-vous? », entend-on souvent demander, puisque l'expression est spontanément comprise au pluriel, plus logique à première vue, et d'ailleurs en usage dans quelques universités françaises. Au mépris de cette logique et de la grammaire, le singulier reflète un autre point de vue, qui exige toutefois — c'est l'objet de ce livre — des explications nombreuses. Du reste, au singulier comme au pluriel, « littérature(s) comparée(s) » définit un aspect durable de l'esprit humain, appliqué à l'étude des lettres, un besoin bien antérieur à la création de ce petit monstre lexicologique.

Expression vicieuse, parce qu'elle est ambiguë, — mais nécessaire, vu que son emploi est séculaire —, pourrait-elle céder la place à un vocable moins déconcertant et mystérieux? Cependant, tous les substituts proposés, trop longs ou trop abstraits, ne se sont pas imposés. Et beaucoup de langues connaissent la même difficulté, ayant elles-mêmes imité le français : *letteratura comparata* (italien), *literatura comparada* (espagnol), *hikaku bungaku* (japonais). L'anglais a *comparative literature* (« littérature comparative », c'est la formule qu'eût souhaitée Littré) et l'allemand, encore plus explicite : *vergleichende Literaturwissenschaft* (« science comparante de la littérature », où le participe présent souligne l'acte, c'est-à-dire la méthode, au détriment de l'objet passif; notons au passage la variante *vergleichende Literaturge-*

*schichte,* « histoire littéraire comparante », propre à la fin du XIXᵉ siècle); le hollandais *vergelijkende literaturwetenschap* est calqué sur l'allemand. Il n'y faut plus revenir : l'expression a reçu droit de cité.

« L'avènement du nom, écrivait Marc Bloch, est toujours un grand fait, même si la chose avait précédé; car il marque l'époque décisive de la prise de conscience. » Cela n'est pas entièrement vrai de la littérature comparée, qui a vécu dans les limbes des parallèles littéraires avant d'être baptisée et qui, après son baptême, a connu pendant quelques décennies une adolescence colorée de dilettantisme et exempte d'une réelle prise de conscience.

La préhistoire de la littérature comparée risquerait fort de se confondre avec la préhistoire tout court : dès que deux littératures ont concurremment existé, on les compara pour en apprécier les mérites respectifs : la grecque et la latine, la française et l'anglaise aux XVIIIᵉ et XIXᵉ siècles. Affirmation ou refus d'une primauté nationale, la littérature comparée, dans l'âge positiviste et même scientifique, n'a pas toujours oublié ses origines. La revendication nationaliste est condamnable, d'autant que, politique, elle s'accompagne souvent de prétentions à des supériorités ethniques : le mépris porté à l'« art décadent » par les nazis répond à la destruction systématique des juifs allemands et européens. Contre cette attitude anti-humaniste se dressent ceux qui ont révélé à leurs compatriotes des ressources étrangères destinées à régénérer la littérature et à accroître le trésor d'idées de leur propre nation : Du Bellay mettant au pillage la Grèce, Rome, l'Italie de la Renaissance; Voltaire montrant qu'en Angleterre se développe l'idée de tolérance et proposant en Shakespeare, quoique avec des réserves parfois vétilleuses, un vigoureux moteur destiné à pousser la tragédie classique hors de l'ornière où elle cahotait; Lessing, en appelant à ce même Shakespeare de la gallomanie écrasante où se complaisaient les Allemands en 1760; Mᵐᵉ de Staël offrant les richesses d'outre-Rhin aux sujets de Napoléon Iᵉʳ et s'entendant répondre par le ministre de la police, qui ordonnait la destruction de *l'Allemagne :* « Nous n'en sommes pas encore réduits à chercher des modèles dans les peuples que vous admirez. » Ce qui prouve qu'il n'est pas sans péril de proposer à ses compatriotes de s'enrichir.

Exercice académique moins dangereux et analogue aux parallèles, la littérature comparée fut d'abord un moyen scolaire, sinon scolastique, d'apprécier l'originalité de chaque littérature. Elle méritait alors le nom d'« étude comparée des littératures nationales », expression que reprend Etiemble, faute de mieux, dans sa notice de l'*Encyclopædia universalis.* Certes, comparer des littératures, ce n'est pas faire de la littérature comparée. Il reste toutefois que c'est se préparer à en faire et que peut-être il faut aussi aboutir à cette comparaison, si l'on veut déterminer l'apport irremplaçable de chaque littérature nationale au fonds commun de la Littérature, à cette *Weltliteratur,* mot auquel depuis Goethe on a prêté beaucoup de sens et qui peut recevoir celui de vivant Panthéon où se multiplient les contrastes.

Pour que naquît l'expression de « littérature comparée », il ne suffisait pas que régnât un esprit que l'on pourrait déjà qualifier d'européen, un esprit de cosmopolitisme, de libéralisme, de générosité, niant tout exclusivisme, tout « isolationnisme », cet esprit qui a soufflé en Voltaire, en Rousseau, en Diderot, plus fortement en Goethe, cet esprit qui a réuni à Coppet, autour de M$^{me}$ de Staël, des Suisses, des Français, des Allemands, des Anglais, attachés à d'incessantes confrontations. Il a fallu aussi que les Français cessassent de proclamer la supériorité du goût classique et d'imposer ce goût à l'Europe; il a fallu que fût reconnue l'existence des goûts et leur relativité — conséquence de la querelle des Anciens et des Modernes comme de la théorie des climats, chère à l'abbé Du Bos et à Montesquieu dont M$^{me}$ de Staël est à cet égard la disciple — et qu'on s'efforçât plutôt de comprendre que de juger, louer ou condamner, en bref, qu'on pût dire avec Benjamin Constant : « Sentir les beautés partout où elles se trouvent n'est pas une délicatesse de moins, mais une faculté de plus » (préface de *Wallstein,* 1809). Il a fallu surtout que le siècle des nationalismes, exaltant le sens de l'histoire, les traditions, le folklore, et rappelant à la vie des littératures qui se mouraient, obligeât chaque peuple, chaque groupe ethnique, à prendre conscience de son unicité dans le cadre de l'humaine communauté. Pensons à Herder, aux frères Grimm, aux frères Schlegel, à Fichte, à Hegel, et même à Bouterwek *(Geschichte der Poesie und Beredsamkeit seit dem Ende des 13. Jahrhunderts,* 1801-1819). Enfin, un exemple était nécessaire : le développement du comparatisme dans les sciences naturelles.

Comparer des structures ou des phénomènes analogues, distraits sous certains rapports de l'ensemble ou du groupe auxquels ils appartiennent, pour mettre en évidence des caractères communs et en dégager des lois — « Si les animaux n'existaient pas, l'homme serait moins connu » (Buffon) —, cet effort est ancien. L'Anglais N. Grew publie en 1675 *The Comparative Anatomy of Truncks,* première attestation de l'existence de cette science nouvelle que Marco Aurelio Severino (1580-1656) avait déjà pratiquée sans la nommer. C'est Cuvier qui lui a donné sa vraie méthode avec le traité d'*Anatomie comparée* (1800-1805). Sous la même impulsion se développent la physiologie comparée (1833) et l'embryologie comparée. Ces progrès sont suivis avec attention par de grands écrivains (Goethe, Balzac), soucieux de ne rien laisser hors du champ de l'humanisme ou de reconstituer, suivant en cela les préceptes des Illuminés, l'unité du monde par l'analogie. François Raynouard, dès 1821, publie une *Grammaire comparée des langues de l'Europe latine dans leurs rapports avec la langue des troubadours* (tome VI de son *Choix de poésies originales des troubadours*). Certes, son patriotisme provençal l'égare, en lui faisant croire que l'ancienne « langue des troubadours », née du latin de la décadence, serait la mère de toutes les langues romanes; cependant, c'est à lui que revient l'« idée vraiment géniale » selon laquelle « la méthode comparative devait renouveler l'étude historique des langues » (Alfred Jeanroy). Le stemme réel de l'évolution romane sera dessiné en 1836 par Friedrich Diez, créateur de cette branche de la philologie, à qui Goethe avait signalé les travaux de Raynouard et qui conserva toujours une admiration sincère pour l'initiateur de la romanistique. La mythologie comparée, l'histoire comparée (l'*Essai sur les révolutions* sera qualifié par Chateaubriand dans les *Mémoires d'outre-tombe* d'« ouvrage sur les révolutions comparées »), la géographie comparée (à partir de 1817, Carl Ritter publie son monumental ouvrage : *Die Erdkunde, im Verhältnis zur Natur und zur Geschichte des Menschen, oder allgemeine vergleichende Geographie,* dont une partie est traduite en 1835-1836 par Eugène Buret et Édouard Desor sous le titre de *Géographie générale comparée*) ont déjà pris leur essor.

*Cours de littérature comparée* : tel est le titre général d'une collection de morceaux choisis destinés aux écoliers par François Noël et ses collaborateurs (1816-1825); pavillon trompeur : ce cours se contente de juxtaposer des *Leçons françaises, latines, anglaises, italiennes.* En revanche, au même moment, un Hollandais, Willem de Clercq, publie d'authentiques travaux comparatistes.

En France, les vrais initiateurs de la littérature comparée sont Abel Villemain, Jean-Jacques Ampère et Philarète Chasles.

## Les pionniers

Villemain a donné à la Sorbonne durant le semestre d'été de 1828 et pendant le semestre suivant un *Cours de littérature française* dont une partie sera publiée en 1828 et 1829 sur des sténographies revisées : il y traite de l'influence que l'Angleterre et la France ont exercée l'une sur l'autre et de l'influence française en Italie au XVIII$^e$ siècle. L'« Avis des éditeurs », en tête du deuxième volume, indique que l'orientation nouvelle des écrivains au XVIII$^e$ siècle favorisait « cette étude comparée des littératures, qui est la philosophie de la critique ». Le quatrième volume, contenant la première partie du cours, ne paraîtra qu'en 1838 : Villemain emploie dans la préface l'expression « littérature comparée »; dans le cours lui-même, professé en 1828, il disait qu'il voulait montrer « par un tableau comparé ce que l'esprit français avait reçu des littératures étrangères, et ce qu'il leur rendit ». Il avait laissé de côté l'Allemagne, parce qu'il en ignorait la langue et parce que M$^{me}$ de Staël en avait déjà exploré les ressources.

Après Paris, — Marseille, où, à la fin de la Restauration, se fonde un Athénée, à l'imitation de celui qui dans la capitale avait pris la succession du vieux Lycée de la Harpe, — c'est-à-dire une sorte de faculté libre, une chaire à prêcher les idées libérales, sous le couvert des lettres et des sciences. Jean-Jacques Ampère (le fils du grand savant), familier et *patito* de M$^{me}$ Récamier, héritier lui aussi du cosmopolitisme de Coppet, et qui, dès 1826, voulait se consacrer à la « littérature comparée de toutes les poésies » (lettre du 26 octobre à V. Cousin), y prononce, le 12 mars 1830, sa leçon inaugurale, avant de disserter sur la poésie du Nord depuis l'*Edda* jusqu'à Shakespeare. Si la littérature est une science, déclare-t-il, elle appartient et à l'histoire et à la philosophie. Il est encore prématuré de se livrer à la philosophie de la littérature et des arts qui étudiera la nature du beau (le mot « esthétique », un germanisme, pénètre lentement en France). Priorité, donc, à l'histoire : « C'est de l'histoire comparative des arts et de la littérature chez tous les peuples que doit sortir la philosophie de la littérature et des arts. » Appelé deux ans plus tard à la Sorbonne, Ampère s'y écriait, à la fin de son discours d'ouverture intitulé « De la littérature française dans ses rapports avec les littératures étrangères au Moyen Age » : « Nous la ferons, messieurs, cette étude comparative, sans laquelle l'histoire littéraire n'est pas complète; et si, dans la suite des rapprochements où elle nous engagera, nous trouvons qu'une littérature étrangère l'emporte sur nous en quelque point, nous reconnaîtrons, nous proclamerons équitablement cet avantage; nous sommes trop riches en gloire pour être tentés de celle de personne, nous sommes trop fiers pour ne pas être justes. »

Remarquons que la création de notre discipline est due à des libéraux, au sens de ce mot en politique intérieure comme dans l'acception généreuse que devaient lui attribuer des esprits soumis au rayonnement de Coppet, directement ou par l'intermédiaire de Chateaubriand. Enfin, que la littérature comparée à sa naissance ne se croyait pas obligée de choisir entre le Moyen Age et l'époque moderne; il est vrai qu'alors la culture et l'éloquence dispensaient trop souvent des précisions et des vérifications nécessaires.

Sainte-Beuve, dans ses articles de la *Revue des deux mondes* des 15 février 1840 et 1er septembre 1868, rapporte tout le mérite de la fondation de l'« histoire littéraire comparée » (1840) à Ampère, qu'il loue d'avoir été un grand voyageur, un esprit plein de générosité. C'est être injuste, non seulement à l'égard de Villemain, mais aussi de Chasles, qui a tout autant voyagé dans les livres et qui a su résumer les aspirations de la « littérature étrangère comparée » en des formules saisissantes, à l'occasion de sa leçon d'ouverture prononcée le 17 janvier 1835 à l'Athénée de Paris et publiée le même mois dans la *Revue de Paris :* « Rien ne vit isolé; le véritable isolement, c'est la mort. » « Tout le monde emprunte à tout le monde : ce grand travail de sympathies est universel et constant. » Chasles proposait de ne pas séparer l'histoire de la littérature de l'histoire de la philosophie et de celle de la politique. En un mot, il voulait faire l'histoire de la pensée et montrer les « nations agissant et réagissant les unes sur les autres », tâche qu'il accomplira avec plus de brio que de sérieux dans ses cours du Collège de France (1841-1873), où il voisina quelque temps avec Edgar Quinet. A celui-ci étaient échues les littératures du Midi; à Chasles, celles du Nord. On a reconnu la distinction chère à Mme de Staël.

« Tout peuple — avait également déclaré Chasles dans sa leçon inaugurale de 1835 — tout peuple sans commerce intellectuel avec les autres n'est qu'une maille rompue du grand filet. » Cette dernière phrase figure, la même année, en épigraphe, dans la *Revue du Nord,* fondée sous son égide, et elle sera citée, le 15 novembre 1847, dans la *Revue des deux mondes* par Ch. Louandre, qui triomphe : « Aujourd'hui nous avons proclamé le libre échange », ajoutant : « L'étude comparée des littératures a mis en circulation une foule d'idées nouvelles. » Dès le 1er mars 1844 *(Revue des deux mondes)* Blaze de Bury, un pionnier lui aussi, avait ironisé sur « ces conversations de littérature comparée assez à la mode aujourd'hui ». Autour de 1840, l'existence de la littérature comparée est donc bien attestée : à preuve l'*Histoire comparée des littératures espagnole et française* d'Adolphe de Puibusque (1843), l'*Histoire des lettres* d'Amédée Duquesnel qui porta pour sous-titre d'abord *Cours de littérature* (1836-1844), puis, dans une réédition partielle, *Cours de littératures comparées* (1845), et que gâte malheureusement un dessein avoué d'apologétique; plus tard, l'ouvrage de E. J. B. Rathery, *Influence de l'Italie sur les lettres françaises, depuis le XIIIe siècle jusqu'au règne de Louis XIV* (1853), en attendant le *Corneille, Shakespeare et Goethe* de W. Reymond (1864, préfacé par Sainte-Beuve). L'ère des grandes constructions se clôt alors en France, où l'on va commencer à se pencher sur le détail des emprunts, en suivant la leçon de Sainte-Beuve. Toute science commence ainsi par d'ambitieuses synthèses avant de s'apercevoir de la nécessité préalable de patientes analyses. L'Université française n'avait d'ailleurs pas reconnu par des créations de chaires l'existence de la jeune science et se contentait de faire enseigner les « littératures étrangères ». Tel est l'intitulé des chaires qu'occupèrent Edgar Quinet à Lyon (1838), avant de rejoindre Chasles au Collège de France, et Xavier Marmier à Rennes (1839). Certaines furent d'ailleurs confiées à des étrangers naturalisés : celle de Caen, en 1867, à Alexandre Büchner, frère de l'auteur de *La Mort de Danton.*

## Premières conquêtes

Le centre de gravité se déplaça vers la Suisse romande; ce fut un retour aux sources qui avaient vu naître *De l'Allemagne* et l'ouvrage de Sismondi, *De la littérature du midi de l'Europe* (1813; 2e éd., 1819; 3e éd., 1829). A l'académie de Lausanne, Joseph Hornung, historien comparatiste du droit, est appelé en 1850 à faire un cours de littérature comparée. A l'université de Genève, un enseignement analogue est donné, à partir de 1858, par Albert Richard, l'ami d'Amiel, dans sa chaire de littérature moderne, avant qu'on ne crée pour lui (1865) une chaire de littérature moderne comparée, dans laquelle lui succéda, en 1871, Marc Monnier, qui eut lui-même, pour successeur Édouard Rod (1886-1895). La chaire fut ensuite supprimée. Mais Genève avait ainsi assuré la survie d'une discipline encore fragile.

Au tour de l'Italie. De Sanctis est nommé professeur de littérature comparée à Naples dès 1863. Il abandonne sa chaire en 1865, afin de se consacrer à la vie politique, mais il la reprend de 1871 à 1877, dispensant un enseignement généreux, surtout dirigé vers la littérature italienne. Dans les années 70, Emilio Teza donna à l'université de Pise des cours sous le titre : « Lingue et letterature comparate », en mettant l'accent sur la philologie germanique. Un peu plus tard, à Turin, Arturo Graf inaugura un comparatisme plus positif sans s'interdire les parallèles audacieux. Ces noms dispensent d'insister sur le contenu de l'ouvrage de Serafino Pucci, *Principii di Letteratura Generale italiana e comparata* (1879) : titre trompeur, principes surannés.

La première revue parut en Hongrie le 15 janvier 1877 par les soins de Hugo Meltzl, professeur d'origine germanique à l'université de Kolozsvár, ami de Petöfi et de Nietzsche, et en collaboration avec Samuel Brassai. Rédigé en six, puis en dix langues, ce *Journal de littérature comparée* fut relayé en 1882, et jusqu'en 1888, par les *Acta comparationis litterarum universarum*. Ne pourrait-on pas aussi qualifier de première rencontre comparatiste le Congrès international des lettres qui se tint à Paris le 16 juin 1878? Victor Hugo présidait. Tourguéniev prit la parole. Mais il ne s'agissait encore que d'une fraternité d'écrivains vivants, analogue à notre actuel Pen-Club. L'idée, néanmoins, est révélatrice.

C'est au cours de ces années-là que la littérature comparée prend conscience d'elle-même comme science en Angleterre et en Allemagne. Matthew Arnold, qui avait traduit en 1848 l'expression française, lutta contre une insularité néfaste en usant de la littérature comparée comme d'une arme; ses héritiers (Morley, Saintsbury, Gosse, Lee) constitueront une prestigieuse génération d'historiens et de critiques, inégalée en son temps. Mais c'est à l'*Introduction to the Literature of Europe in the 15th, 16th and 17th Centuries* de Henry Hallam (1837) — un ouvrage comparable aux grandes constructions de Guizot — qu'il faut remonter pour comprendre l'intention de Hutcheson M. Posnett, professeur à l'université d'Auckland, publiant à Londres en 1886 sa *Comparative Literature,* essai historique sur l'origine et le développement des littératures du monde entier, qui use de la méthode analogique afin de dégager les lois génétiques des genres littéraires tels qu'ils sont déterminés par des structures sociales. Ce déterminisme est bien de l'âge positiviste, comme est de l'âge du libéralisme le but assigné à l'évolution : la différenciation des œuvres par l'épanouissement des individus affranchis des contraintes que leur impose la collectivité. Il est intéressant de remarquer que Posnett, malgré sa préférence pour la civilisation gréco-romaine, va souvent chercher ses éléments de comparaison loin de l'Europe, jusque dans le Mexique des Aztèques, et qu'il reconnaît aux littératures de l'Inde et de la Chine le statut de « world literature ». Cette légitime hardiesse sera oubliée dans d'autres synthèses où s'élabore, au-dessus des histoires particulières des littératures nationales, l'histoire globale des littératures occidentales, programme qui sera réalisé au début du XXe siècle par la collection *Periods of European Literature,* publiée à Édimbourg sous la direction de G. Saintsbury, en attendant l'*Histoire littéraire de l'Europe et de l'Amérique de la Renaissance à nos jours* de Paul Van Tieghem (1941).

En même temps que Posnett ouvrait la voie à l'histoire littéraire générale, Moritz Carrière consacrait à Munich une série de cours et de conférences à l'évolution de la poésie, études qu'il reprit en 1884 (puis dans ses *Œuvres complètes,* 1886-1894) sous le titre : *Die Poesie, ihr Wesen und ihre Formen mit Grundzügen der vergleichenden Literaturgeschichte,* et par lesquelles il cherchait à intégrer la littérature comparée dans l'histoire générale de la civilisation.

Il précédait de peu Th. Süpfle dont la *Geschichte des Deutschen Kultureinflusses auf Frankreich mit besonderer Berücksichtigung der litterarischen Einwirkung* (Gotha, 1886-1890), reste un ouvrage de base; l'idée, transformée, élargie, sera reprise par un Suisse, Virgile Rossel, confirmant ainsi la vocation naturelle de son pays *(Histoire des relations littéraires entre la France et l'Allemagne,* 1897). En même temps que la littérature comparée se définissait par l'étude des influences, elle couvrait le large domaine des thèmes et motifs *(Stoffgeschichte),* un domaine particulièrement exploré par les Allemands depuis 1850 environ.

## La littérature comparée comme science

Ces deux orientations de recherches sont bien représentées dans la *Zeitschrift für vergleichende Literaturgeschichte* que Max Koch fonde en 1886 — la première revue importante, qu'accompagnera la collection des « Studien zur vergleichenden Literaturgeschichte » (1901-1909) et qui cessera sa publication en 1910.

En 1895 paraissent deux thèses dont les vertus sont grandes encore, celle de Louis Paul Betz (né à New York de parents allemands, étudiant à Zurich), *Heine in Frankreich,* et celle de Joseph Texte, *J.-J. Rousseau et les origines du cosmopolitisme littéraire.* L'année suivante, l'un et l'autre sont nommés professeurs de littérature comparée à Zurich et à Lyon (première chaire française). Texte mourra prématurément en 1900. L'Alsacien Fernand Baldensperger *(Goethe en France,* 1904) fut son successeur, avant de gagner la Sorbonne où une chaire fut créée en 1910. Mort lui aussi trop tôt (1903), Betz avait publié en 1897 la première bibliographie de littérature comparée, qui eut plusieurs éditions; la dernière (1904, 6 000 titres) fut terminée par Baldensperger. Frédéric Loliée, chroniqueur des fastes et des galanteries du Second Empire, dévoila la jeune science au grand public *(L'Évolution historique des littératures, histoire des littératures comparées, des origines au XXe siècle,* 1904; traduction en langue anglaise, Londres et New York, 1906, sous un titre plus explicite : *A Short History of Comparative Literature).*

En Russie, l'un des premiers comparatistes fut Alexandre Veslovski, spécialiste des thèmes folkloriques dans les années 70, qui eut, comme toute son époque, le défaut de vouloir tirer des lois organiques d'observations dispersées et de faire de l'art de la comparaison une science trop rigoureuse. Son nom provoque encore la discorde.

Au tournant du siècle, les États-Unis connaissent déjà la littérature comparée : des Departments of Comparative Literature sont créés à Columbia (1899), à Harvard (1904), puis à Dartmouth College (1908). George E. Woodberry fonde en 1903 à Columbia le *Journal of Comparative Literature,* qui n'eut que trois numéros. Irving Babbitt exercera une influence décisive par sa personnalité et ses travaux : on se rappelle ses *Masters of French Criticism* (1913), son *Rousseau and Romanticism* (1919), ainsi que le volume de 1940, *Spanish Character and Other Essays,* qui contient une bibliographie de ses ouvrages. Après la pause de la première guerre mondiale, l'élan reprit. Furent successivement créées les chaires de North Carolina (1923), Southern California (1925), Wisconsin (1927), les deux premières animées par Baldensperger entre les deux guerres.

A la première étape de son développement scientifique, la littérature comparée avait donc acquis, grâce en particulier aux hommes des « marches », dans l'Europe occidentale et centrale de même qu'en Amérique, ses lettres de noblesse : elle disposait d'un enseignement régulier dans quelques universités, d'une revue, d'une bibliographie. Et l'on vit de grands historiens des littératures nationales seconder les efforts des spécialistes, au point que la littérature comparée apparaissait alors comme une branche de l'histoire littéraire. A l'École normale supérieure, Brunetière professa en 1890-1891 un cours de littérature comparée; au Congrès international d'histoire comparée qui se tint à Paris lors de l'Exposition universelle de 1900, il fut élu président de la section d'histoire comparée des littératures (président d'honneur : Gaston Paris). Il voulait qu'on écrivît l'histoire des grands mouvements littéraires dans le monde occidental, sentant bien l'insuffisance des histoires littéraires nationales devant maintes questions qui se posent à elles; s'adonne-t-on à la politique intérieure sans se préoccuper des incidences de la politique étrangère sur les affaires du pays? — Lanson, au cours des mêmes années, s'intéresse en connaisseur à l'influence de la littérature espagnole sur les lettres françaises classiques. Plus tard, son édition des *Lettres philosophiques,* dont une mise à jour en 1964 attestait la durable valeur, est, par ses commentaires, l'œuvre d'un maître comparatiste. Dans ce sillage, nombreux sont les professeurs de littérature française de qui la nécessité et la sympathie à la fois font d'excellents comparatistes; on peut graver en lettres d'or sur plusieurs chaires de français ce mot de Jean Fabre : « La littérature comparée est une discipline de couronnement. » A Brunetière et à Lanson, on joindra E. Faguet, directeur de la *Revue latine,* publiée de 1902 à 1908, et qui malgré son titre restrictif obéissait au même état d'esprit, marqué par le sous-titre : *Journal de littérature comparée.*

Au lendemain de la première guerre mondiale quelques Français, animés d'une volonté d'irénisme et de cosmopolitisme, considérèrent que la littérature comparée était l'une des disciplines les plus propres à ouvrir les frontières et, au moment où à la *Nouvelle Revue française* on renouait, autour de Gide, le dialogue avec l'Allemagne d'Ernst Robert Curtius et de Thomas Mann, où Robert de Traz lançait la lucide et pacifique *Revue de Genève,* Fernand Baldensperger et Paul Hazard fondaient la *Revue de littérature comparée* (1921), laquelle s'adjoignit une collection, la « Bibliothèque de la *Revue de littérature comparée* » qui, en 1939, comptait plus de cent vingt volumes. Strasbourg, fait symbolique, avait reçu de la France, dès 1919, une chaire de littérature comparée, s'ajoutant à celles de Lyon et de Paris que J.-M. Carré occupa successivement.

Les nouvelles nations issues des traités de Versailles se sont adonnées avec ardeur au comparatisme à partir de 1930, y voyant le signe et le privilège d'une « majorité » culturelle longuement et douloureusement attendue. Tout en façonnant les traits encore flous de chaque littérature nationale, on s'efforçait de définir parentés et influences, de s'intégrer aux grands courants extérieurs.

En Union soviétique, la littérature comparée connut de 1917 à 1929 une tolérance relative, que suivit l'âge d'or du formalisme jusqu'en 1945.

A Oslo, en 1928, au sixième congrès des sciences historiques et sur l'initiative de Paul Van Tieghem, avait été fondée la Commission internationale d'histoire littéraire moderne, et projetée la rédaction collective d'ouvrages de références; un seul vit le jour — mais combien utile! — le *Répertoire chronologique des littératures modernes* (1937) publié sous la direction du promoteur par des historiens appartenant à plus de vingt-cinq nations. Avant-dernière manifestation d'un œcuménisme auquel la seconde guerre manqua de porter un coup fatal. La dernière fut la réunion à Lyon, en 1939, de la Commission précitée, qui avait entre temps tenu des congrès à Budapest (1931) et à Amsterdam (1935).

En 1939, la littérature comparée pouvait s'honorer d'un bilan largement bénéficiaire : histoire des échanges littéraires internationaux, et particulièrement recherche des sources et des influences, individuelles ou générales, étude des thèmes et motifs, histoire générale de la littérature occidentale, de ses grandes époques et de ses genres littéraires, telles sont les principales rubriques de ce bilan. Le bien-fondé de ces acquisitions a été mis en cause depuis une vingtaine d'années; on a reproché aux comparatistes de sacrifier l'esthétique aux principes d'un positivisme désuet. Ce reproche est partiellement justifié. Mais ce qui a été fait et bien fait mérite de rester. Les acquisitions plus récentes sont largement redevables aux efforts et aux réussites des premiers chercheurs. La demeure s'est agrandie; ce n'est pas une raison pour en condamner les parties plus anciennes.

D'autant que les plus récentes n'apparaissent parfois telles qu'à la faveur d'un effet d'optique. L'œuvre de Benedetto Croce est bien antérieure à la seconde guerre; et de même les débuts de Lukács. Mais la critique de Croce, contemporaine des premiers travaux de Texte et de Lanson, n'a réellement troublé les comparatistes, hors d'Italie du moins, que quarante ans plus tard, et les travaux de Lukács furent loin, après 1920, de provoquer le bruit qui, depuis 1945, entoure son nom et son œuvre : entre ces deux époques, au reste, il avait renversé son système. Enfin, si le formalisme russe des années 20 est venu jusqu'à nous, ce fut en partie grâce au relais que constitua le *New Criticism* américain.

Sans oublier la date à laquelle s'inscrivent ces tentatives, il importe donc d'en tenir compte surtout pour le bilan du présent. La même remarque s'applique aux recherches nationales autant qu'aux vues d'ensemble théoriques. La Pologne, la Roumanie, la Yougoslavie ont pratiqué le comparatisme entre les deux guerres, mais il a fallu le recul actuel pour dégager leur originalité.

## LE PRÉSENT

### L'essor de l'après-guerre

Entre le moment où nous écrivons ces lignes et celui où le public les lira, des changements, sans doute, se seront déjà produits, tant évolue vite un type de recherches foncièrement dynamique. Ce chapitre ne prétend donc à rien de plus qu'à saisir au vol, très provisoirement, l'image d'une situation mouvante.

Internationale, universelle même, par définition et par vocation, la littérature comparée ne tient réellement ses promesses que depuis une trentaine d'années. Si ses fondateurs, français principalement [1], revenaient ici-bas, ils constateraient que les générations suivantes, partant d'une formule et de quelques travaux exemplaires, ont institué un enseignement complet, formé des disciples à leur tour qui essaimèrent sur toute la surface du globe, et regroupé leurs forces en associations vivantes. A une lente maturation a succédé une belle expansion.

Pour abolir en fait les isolements et les ignorances mutuelles que la littérature comparée n'abolissait qu'en théorie à la fin du siècle dernier, il ne fallait pas moins que les progrès d'un enseignement généralisé des langues vivantes, l'usage devenu banal de l'aviation commerciale doublé par de grandes facilités de voyages, le développement des procédés techniques de reproduction et d'enregistrement, la création d'organismes culturels internationaux permanents, d'offices de traduction et de diffusion à grande échelle, d'équipements pour l'informatique, bref toutes les réalisations récentes qui ont réduit la planète à la taille de l'homme. Après cinquante ans de lutte héroïque contre des conditions matérielles hostiles, les comparatistes disposent enfin d'instruments presque égaux à leurs ambitions. S'ils n'en tirent pas toujours le meilleur parti, la faute en revient aux obstacles moraux, qui ne se laissent pas toujours aussi facilement franchir.

## L'ère des congrès internationaux

Après une interruption due aux événements politiques, l'activité reprit avec le quatrième congrès de la Commission internationale d'histoire littéraire tenu à Paris en 1948. Pour la première fois y prenait part un délégué américain.

Au cinquième congrès (Florence, 1951), cette commission, devenue désuète, cédait la place à la Fédération internationale des langues et littératures modernes (F.I.L.L.M.), qui groupait alors une douzaine d'associations scientifiques internationales d'études littéraires, et n'a depuis cessé de croître. Rattachée au Conseil international de la philosophie et des sciences humaines (C.I.P.S.H.), la F.I.L.L.M. a tenu régulièrement ses congrès triennaux depuis celui d'Oxford (1954) jusqu'à celui de Phoenix, Arizona (1981).

Les thèmes choisis pour ces rencontres témoignèrent, dès l'origine, du souci de traiter les grands problèmes littéraires dans leur plus haute généralité : méthodes, style, critiques, relations avec les autres formes d'expression, etc. Le point de vue comparatiste s'y inscrivit spontanément, mais non exclusivement. D'où naquit le désir d'une section spécialisée située à un même niveau d'universalité, dont les grandes lignes furent esquissées en marge du congrès d'Oxford, sous l'impulsion de Charles Dédéyan, et les statuts adoptés en 1955 à Venise, lieu du premier congrès de la toute jeune Association internationale de littérature comparée (A.I.L.C.). Les congrès suivants, de celui de Chapel Hill en 1958 à celui de New York en 1982, ont prouvé le bien-fondé de l'entreprise et la vigueur de l'idée.

C'est donc un très long chemin qui a été parcouru depuis la tentative sans lendemain de l'année 1900. Sans doute, à notre époque, un congrès international n'a-t-il plus rien d'extraordinaire. Toutes les professions, même les plus saugrenues, en tiennent avec zèle. Le courant politique et culturel de notre siècle va dans ce sens. Mais, plus que toute autre forme de pensée ou d'action, la littérature comparée en éprouve un besoin vital. Privée d'échanges, enfermée dans le vase clos du nationalisme, elle végète ou se fige en académisme. Se faire carrefour, dira-t-on, ne va pas sans une certaine trivialité, au sens étymologique du mot. Tel reste, pourtant, le prix inévitable de tout commerce intellectuel fécond.

## Le développement des associations nationales

L'A.I.L.C. ne se contente pas de regrouper des membres isolés. Ses fondateurs l'avaient chargée d'« encourager la création d'associations nationales ».

En 1954 était fondée la Société française de littérature comparée qui, en 1973, a été dotée de nouveaux statuts et est devenue la Société française de littérature générale et comparée (S.F.L.G.C.). Elle publie un *Bulletin* et des

*Cahiers.* Elle organise des congrès nationaux qui jusqu'ici se sont tenus dans des villes de province.

Aux États-Unis, où conférences et colloques se multiplient, se constitua à titre privé en 1945, à titre officiel en 1947, une section comparatiste de la Modern Language Association, à laquelle vint s'ajouter le Comparative Literature Committee du National Council of Teachers of English. En 1960, naissait l'American Comparative Literature Association (A.C.L.A.) qui tint son premier congrès triennal en septembre 1962. Les États-Unis publient trois des quatre périodiques comparatistes de diffusion internationale.

En 1948 était fondée la Société nationale japonaise de littérature comparée, la première du genre. Ainsi se manifestait la vitalité du comparatisme japonais qui a pris son essor à partir de 1945 et avait été préparé par les relations nouvelles du Japon moderne avec l'Occident au cours de l'ère Meiji (1868-1912). Ce courant cosmopolite et internationaliste a permis la publication d'un très grand nombre de traductions.

Aujourd'hui d'autres pays possèdent une association nationale : l'Allemagne, le Luxembourg, la Suisse, la Grande-Bretagne, le Canada, l'Australie et la Nouvelle-Zélande, la Hongrie, la Pologne, la Hollande, la Belgique, le Maroc, le Nigeria, l'Afrique du Sud, l'Espagne, le Portugal, la Chine populaire, Hong-Kong, Taiwan, la Corée du Sud, l'Inde.

## La politique des centres de recherche

Préoccupées par des problèmes comparatistes, les associations nationales ne sauraient tenir lieu de centres de recherche. Une structure d'un autre type était donc indispensable au développement de la littérature comparée. Elle existe dans de nombreux pays. La France, là, était un peu en retard. Mais dans les dernières années plusieurs centres se sont créés à Paris et en province. Tantôt il se sont spécialisés dans l'étude des relations avec une aire linguistique (domaine hispanique et portugais pour le centre de Daniel Pageaux à Paris III, domaine slave pour le centre dirigé par Michel Cadot dans la même université, domaine germanique pour le centre fondé par Victor Hell à Strasbourg II). Tantôt ils se sont organisés autour d'un genre (centre de Jean Bessière à l'université de Picardie sur le roman et le romanesque; centre de René Guise à Nancy II sur le roman populaire), ou d'un problème (centre de Jacques Body à Tours sur « Littérature et Nation », centre de Jean-Marie Grassin à Limoges sur l'émergence de nouvelles littératures), ou d'une méthode appliquée à une période (Centre de recherches d'histoire littéraire comparée animé par Jacques Voisine).

Plus ambitieux, le Centre de recherche en littérature comparée fondé en 1981 à Paris IV par Pierre Brunel se veut résolument inter-universitaire et pluridisciplinaire. Il n'accueille pas seulement des comparatistes de profession, mais des professeurs de littérature française, des spécialistes de langues anciennes et modernes, des philosophes, des historiens. Il fédère plusieurs équipes regroupées en quatre sections (1. Relations littéraires internationales; 2. Modes d'expression; 3. Typologie et sémiotique comparatistes; 4. Méthodes).

## École « française » et École « américaine »

Il y a eu une querelle du Comparatisme comme il y a eu une querelle de la Nouvelle Critique. L'École « française » a longtemps passé pour farouchement attachée à l'histoire littéraire, à l'étude des influences, à la recherche du fait. En réaction tantôt hardie et tantôt mesurée contre une pondération qui a pu paraître pesanteur, une tradition considérée comme routine, un positivisme devenu scientisme, la littérature comparée d'Outre-Atlantique a voulu s'appuyer sur deux principes. Le principe moral reflète l'attitude d'une nation grande ouverte sur l'univers, soucieuse d'accorder à chaque culture étrangère une sympathie démocratique, mais, en même temps, plus consciente de ses racines occidentales. Le principe intellectuel permet aux Américains de prendre le recul nécessaire aux vastes panoramas, depuis l'Antiquité jusqu'au XXe siècle, de préserver jalousement les valeurs esthétiques et humaines de la littérature encore sentie comme une exaltante conquête spirituelle, de se lancer dans les expériences de méthode et d'interprétation les plus éclectiques sans crainte de se fourvoyer.

Le comparatisme américain est remarquable par sa richesse, sa diversité et d'abord par l'origine même de ses enseignants ou chercheurs. Les plus influents sont des Tchèques comme René Wellek (à Yale), des Allemands comme Horst Frenz (Indiana), des Italiens comme Gian Orsini (Wisconsin), des Polonais comme Zbigniew K. Fokjowski (Pennsylvanie), des Russes comme Gleb Struve (Berkeley), des Suisses comme Werner Friederich ou, plus récemment, François Jost.

La notion même de littérature comparée a été passée au crible par les Américains durant les dernières années. En témoigne par exemple le livre de Robert J. Clements, *Comparative Literature as Academic Discipline: A Statement of Principles, Praxis and Standards* (1978), qui s'efforce de mettre un peu d'ordre dans le développement enthousiaste mais parfois un peu anarchique de la littérature comparée dans les universités américaines. Tantôt on insiste sur la nécessité de la pratique de plusieurs langues, tantôt, au contraire, on fait la part belle à la théorie de la littérature. C'est peut-être entre cette technicité et cette réflexion générale qu'oscille en effet la littérature comparée.

Depuis 1968 la France n'ignore pas ce dilemme. C'est pourquoi sans doute la littérature dite « générale » a conquis du terrain sur la littérature comparée orthodoxe. Le coup d'envoi a peut-être été donné par la création de l'agrégation de Lettres modernes en 1960, avec deux épreuves de littérature comparée (ou plutôt de « Français II ») portant sur des textes français et traduits en français. L'organisation des enseignements universitaires de premier cycle (D.U.E.L., puis D.E.U.G.) a fait place aussi à des unités de valeur plus « généralistes » que proprement « comparatistes ». Quelquefois un certificat spécialisé pour la licence — ou même une licence spécialisée —, les séminaires de maîtrise et de troisième cycle maintiennent l'étude des textes en langue originale. Cela ne veut pas dire qu'à ce niveau le positivisme reprenne nécessairement ses droits.

Est-ce pourtant rester tributaire de la tradition française que d'avouer le besoin d'un garde-fou — l'histoire littéraire — dans un fourmillement d'expériences pédagogiques passionnantes mais inégalement heureuses, dans un annexionnisme parfois tentaculaire? Pour que la littérature comparée ne soit pas tout et n'importe quoi, il faut encore partir à la recherche d'une définition et revenir à la question initiale.

## Progrès passés et futurs

Longtemps spécialité rare, ésotérique même, parfois considérée avec méfiance ou ironie, la littérature comparée cesse désormais d'être le privilège de quelques universités d'avant-garde. Partout elle est entrée, ou entre en ce moment, dans les mœurs académiques.

Le nombre de ceux qui portent officiellement l'étiquette de « comparatistes » progresse rapidement. Ce qui vaut encore beaucoup mieux, l'idée comparatiste attire de plus en plus de spécialistes de toutes disciplines. Ces professionnels et ces amateurs (deux types d'esprit nécessaires, les seconds au moins autant que les premiers) s'associent librement, sans souci des frontières intellectuelles ou politiques. De plus, en France et aux États-Unis, l'avenir est garanti par une foule croissante d'étudiants à tous les niveaux, pépinière de futurs chercheurs ou sympathisants. A cette réelle popularité, nous voyons une raison très simple : la littérature comparée n'est pas une technique appliquée à un domaine restreint et précis. Vaste et diverse, elle reflète un état d'esprit fait de curiosité, de goût de la synthèse, d'ouverture à tout phénomène littéraire, quels qu'en soient le temps et le lieu. Il est bon, il est même indispensable qu'à un moment quelconque de ses études, tout étudiant en lettres ou en langue connaisse et partage cet état d'esprit.

Obéissant à son principe et à sa nature, couvrant enfin aujourd'hui toute la surface du globe, la littérature comparée s'est diversifiée suivant les terroirs. Les traditions intellectuelles nationales, les besoins locaux, les civilisations différentes modèlent ses physionomies. Française à l'origine, la voici devenue universelle. Pour être juste, toute épithète de nationalité ne devrait avoir de sens que si elle désignait purement et simplement la langue dans laquelle sont rédigés les travaux, langue qui n'est même pas toujours la langue maternelle de l'auteur.

Tâche paradoxale, en effet, que d'exorciser peu à peu le nationalisme littéraire, sans lequel l'idée n'aurait pas pris naissance. Littérature, langue, nation, trois entités longtemps indépendantes, ont convergé au cours du

XVIII^e siècle et surtout au début du XIX^e, jusqu'à former une seule entité en trois notions. Contre ces cellules cloisonnées d'un type nouveau, la littérature comparée peu à peu s'est dressée. Dans les pays d'antique tradition universitaire, assagis par un humanisme tolérant, elle pénétra d'abord plus aisément que chez les nations plus jeunes ou plus petites où l'enseignement supérieur et la recherche, après les premiers tâtonnements, se penchèrent sans tarder, avec une louable piété, sur le patrimoine autochtone. Aux yeux de celles-ci, qui se durcissent et se ferment pour mieux se connaître, la vieille Europe et sa hauteur quelque peu désabusée passeraient aisément pour décadentes.

De ce nationalisme « primaire », auquel succède parfois une vague de cosmopolitisme niveleur, la littérature comparée tire un nationalisme « secondaire » : diversité dans l'unité, conscience apaisée des ressemblances et des différences, des liens et des ruptures. Quel progrès peut-on ensuite espérer ? Nul n'est prophète, même en dehors de son pays. Sous une forme ou l'autre, ce mouvement perpétuel de systole-diastole se poursuivra, principe élémentaire de toute vie littéraire.

Dernier trait de la littérature comparée à l'échelle du monde : ce phénomène intellectuel se lie à une évolution psychologique. Occupation technique d'une poignée de savants, sans doute, mais aussi reflet d'un travail spirituel souterrain. Elle appartient non seulement à la vie de l'esprit, mais à la vie tout court, avec ses complexités, ses aveugles instincts, ses élans généreux et son mouvement incessant. Dans le microcosme comparatiste, comme le prouve l'histoire de l'Europe de l'Est, se lisent les craintes et les espérances, les haines et les amours des peuples, les soubresauts politiques, et même les élans religieux des États et des civilisations. Comme l'astronautique ou la physique nucléaire, mais plus intimement encore, la littérature comparée a son sort lié aux passions des hommes. C'est pourquoi nul ne peut dire de quoi demain sera fait.

# NOTE

1. Il est curieux de constater le retard qui existe dans l'information, en Chine populaire par exemple. Un article intitulé « La littérature comparée : les écoles françaises et américaines » paru dans la revue trimestrielle *Les Recherches de la littérature étrangère*, n° 3, 1981, nomme Paul Van Tieghem, J.-M. Carré et M.-F. Guyard comme les seuls représentants contemporains de l'École « française ».

# Chapitre 2

# LES ÉCHANGES LITTÉRAIRES INTERNATIONAUX

Première par l'ancienneté, majoritaire par le nombre des publications, l'étude des échanges littéraires internationaux conserve actuellement une place importante. L'initiation des comparatistes doit passer par elle, sous peine de naufrage dans les nuages. Mais les résultats incontestables obtenus en ce domaine ne masqueront pas la complexité mal résolue de quelques problèmes fondamentaux, — ce sont également ceux des littératures nationales — enclos ès mots « fortune », « succès », « influence », ou, dans un autre registre, « originalité » et « imitation ».

On peut grouper sous le titre d'« Échanges littéraires internationaux », d'une part, les véhicules qui transportent de nation à nation des idées et des genres littéraires, des thèmes et des images, des œuvres intégrales ou fragmentaires; d'autre part, les objets mêmes que les nations échangent entre elles. « Commerce » se dit aussi bien des « things of beauty » que des marchandises. Ces transferts sont une distribution qui se situe entre la production (la création littéraire justiciable de la génétique et de l'esthétique) et la consommation (le public actif et passif qu'étudie la sociologie de la littérature). Depuis Paul Van Tieghem, on a donné aux courtiers qui les favorisent le nom d'intermédiaires, — l'écrivain ou le pays producteur ayant reçu le nom d'émetteur, l'écrivain ou le pays consommateur, celui de récepteur.

Offrir des œuvres et des idées à des étrangers, cela exige d'abord que l'on se comprenne. Le troc peut s'accompagner d'une gesticulation très simple; la littérature veut plus de nuances.

31

## LA CONNAISSANCE DES LANGUES

Cette question fondamentale est l'une des moins bien élucidées, sans doute parce qu'elle est l'une des plus obscures. Elle exige pour être bien traitée un long travail de sondages et de nombreuses monographies. Il est donc souhaitable que soient multipliées les enquêtes du genre de celles d'Eric Partridge (*The French Romantics' Knowledge of English Literature (1820-1848) According to Contemporary French Memoirs, Letters and Periodicals,* 1924) et de Paul Lévy (*La Langue allemande en France, Pénétration et diffusion des origines à nos jours,* 1952).

Les sondages doivent porter sur l'ensemble de la population et, notamment, sur les classes sociales où se recrutent de préférence les écrivains, sur les programmes scolaires, sur les précepteurs étrangers (on a pu dire que la diffusion de la langue française dans le monde était fort redevable aux institutrices recrutées pendant deux siècles par les familles de l'aristocratie et de la bourgeoisie évoluée du monde entier), sur les instituts où l'on enseigne les langues, sur la présence d'étrangers dans le pays (voir la section suivante), sur l'accueil fait par la langue aux expressions étrangères. Les auteurs de monographies se demanderont quelle connaissance un écrivain ou un groupe d'écrivains a eue de l'anglais ou de l'allemand. Il ne faut pas se fier aux apparences : Proust a pu traduire Ruskin en n'ayant de l'anglais qu'une connaissance rudimentaire et Edmond Jaloux a parlé fort intelligemment des romantiques allemands tout en se contentant de deviner leur langue et en utilisant des traductions.

Les conditions changent de pays à pays. Par exemple, le Français n'est pas seulement un monsieur décoré qui ignore la géographie, c'est aussi un monsieur qui a le plus grand mal à apprendre les langues étrangères et qui volontiers s'exclamerait, à l'instar du petit valet de Mᵐᵉ de Staël, arrivant dans une des premières auberges allemandes : « Enfin, Madame, je ne leur ai demandé *que du lait, que du lait,* et ils ne m'ont pas compris! » L'Anglais a-t-il reçu le don des langues? On en peut douter. L'un et l'autre ont obligé l'Europe, puis le monde à parler le français et l'anglais. L'Europe française est une réalité des XVIIIᵉ et XIXᵉ siècles, du moins au niveau des classes sociales les plus élevées, et l'on doit savoir que Frédéric II est un auteur français. Le monde anglo-américain est une réalité du XXᵉ siècle, en attendant que la planète jargonne le russe ou le chinois.

La Russie, d'ailleurs, et l'Allemagne ont une bien plus grande plasticité linguistique : leurs idiomes reçoivent volontiers des vocables étrangers, au contraire du français très rapidement saturé. La Suisse, qui admet officiellement quatre langues nationales, constitue un cas privilégié, qui serait aussi celui de la Belgique, si le bilinguisme n'y était empoisonné par des rivalités politiques, religieuses et sociales.

Les minorités linguistiques (Hollande, pays scandinaves, petits États de l'Europe centrale et orientale) sont généralement les nations qui connaissent le plus grand nombre de langues. Hollandais et Scandinaves ne peuvent se passer de l'anglais et de l'allemand. Les Polonais, partagés entre le russe et l'allemand, sont traditionnellement attachés au latin et au français. Les Tchèques ont pris contact avec la poésie hongroise, les Hongrois avec la poésie serbe, etc., par l'intermédiaire de la littérature allemande. En Afrique se sont constitués deux grands blocs, l'un anglophone, l'autre francophone.

Bien entendu, les langues véhiculaires ont tendance à se transformer ou au contraire à se figer (accent et rythme, vocabulaire et syntaxe) dans la bouche de ceux qui les utilisent; que l'on pense au français de l'Afrique occidentale, devenu langue littéraire, ou encore au français tel qu'on le parle au Canada. Mais lire Racine dans l'original, n'est-ce pas se donner toutes les chances de le comprendre et de l'apprécier? Si Shakespeare est resté longtemps bizarre aux yeux des Français, si la poésie de Pouchkine leur était, hier encore [1], lettre morte, c'est qu'ils avaient été obligés de recourir à de médiocres traductions.

Pour remédier à la confusion des langues, des esprits aussi généreux que chimériques ont forgé de toutes pièces des idiomes universels (esperanto, volapuk). Toutefois, outre que ces idiomes n'ont été illustrés par aucune œuvre éclatante, ils sont sujets, comme le latin, à des différences de prononciation qui tendent à les fragmenter en autant de dialectes. Le « basic English », le chinois réduit à ses idéogrammes élémentaires constituent sans doute, pour ne pas parler du « pidgin » ou du « sabir », des véhicules plus efficaces. Dépourvus de ressources littéraires, ils demeureront pourtant des instruments de communication utilitaires. Et, malgré de louables efforts, le latin ne retrouvera plus la situation privilégiée qui fut la sienne au Moyen Age et pendant la Renaissance, où l'on vit éclore en Italie et en France de nombreux poètes néo-latins. Du Bellay lui-même, qui avait condamné le recours au latin dans la *Deffence et Illustration,* écrivit ensuite des *Poemata :* palinodie qui atteste la puissante vitalité de la langue de Virgile, d'Horace et d'Ovide, laquelle est encore manifeste à l'époque de la Contre-Réforme, notamment dans les Flandres et en Pologne. Depuis lors, le latin s'est réfugié dans les collèges, où il finit en pensum.

Il faut donc se résoudre à apprendre les langues de ceux dont on veut connaître les littératures, ce qui, grâce aux méthodes audiovisuelles et à la multiplication des contacts, devient une tâche moins redoutable que par le passé. Faute de disposer des connaissances nécessaires ou de pouvoir séjourner à l'étranger, nos ancêtres et même nos contemporains s'en sont remis à des intermédiaires du soin de les informer. Ces intermédiaires sont ou des agents (personnes et milieux humains) ou des instruments (œuvres littéraires et artistiques).

33

# LES HOMMES ET LEURS TÉMOIGNAGES

## Les voyageurs

Tous les hommes attentifs ressemblent à l'hirondelle de La Fontaine, et le premier qui, s'en étant allé chez ses voisins, rapporta quelque friand récit de mœurs nouvelles fut le premier intermédiaire.

Il y a deux catégories de voyageurs quant à la nationalité : ainsi, les Français qui vont en Allemagne et les Allemands qui viennent en France contribuent les uns et les autres à faire connaître l'Allemagne aux Français, et inversement. Il y a même des voyageurs immobiles; ceux qui, comme le Des Esseintes de Huysmans, rêvent sur l'indicateur Chaix, ceux qui, comme Xavier de Maistre, font le tour de leur chambre, ceux qui, comme Colette, lisent sur un radeau immobile la collection du « Tour du Monde »; ce ne sont pas les moins ardents.

Du XVI<sup>e</sup> au XIX<sup>e</sup> siècle, l'âge d'or des voyages, on ne rencontre pas seulement sur les routes d'Europe les « pícaros » poussés par la faim, mais aussi tous ceux qu'y jette la soif d'apprendre et de contempler les merveilles de l'Antiquité. Rome est la terre promise des humanistes qui n'ont pas eu la chance de naître Italiens; Rabelais et Du Bellay s'y rendent avec un enthousiasme religieux; Montaigne en curieux; puis beaucoup de poètes de la première moitié du XVII<sup>e</sup> siècle : Saint-Amant, Maynard, Scarron, — sans parler de Tallemant des Réaux et du futur cardinal de Retz. C'est sous Louis XIV seulement que s'interrompra la tradition. Les peintres, avant, pendant, après la Renaissance, ne croient pas leur formation achevée qu'ils n'aient contemplé les trésors de la Ville éternelle : Flamands aux XV<sup>e</sup> et XVI<sup>e</sup> siècles; au XVII<sup>e</sup>, Nicolas Poussin, en attendant les artistes qui, prix de Rome, séjournent à la Villa Médicis, dont Ingres fut l'un des directeurs. Overbeck et Cornelius y créent l'école nazaréenne en revenant à Raphaël avant les préraphaélites anglais. Le sculpteur danois Thorwaldsen s'y établit et ne rentre à Copenhague que pour y mourir. Inigo Jones, au XVII<sup>e</sup> siècle, a rapporté en Angleterre le style palladien.

Dans la bonne société anglaise, on juge que l'éducation d'un jeune homme doit être couronnée par le « grand tour » qui, au XVIII<sup>e</sup> siècle, lui fait parcourir pendant de longs mois la France, la Suisse et l'Italie, plus rarement l'Espagne et le Portugal (Beckford). Ils sont nombreux, adolescents ou hommes mûrs, les Anglais que l'on rencontre sur le continent : Thomas Gray, Edward Young, Samuel Roger, Gibbon, Wordsworth; Shelley meurt en Italie (comme au XVII<sup>e</sup> siècle, le poète « métaphysicien » Crashaw, qui s'est converti au catholicisme). L'Italie — son soleil, ses femmes et ses monuments — a exercé sur l'Angleterre un prodigieux envoûtement, et l'on citerait plusieurs sujets de Sa Majesté britannique qui préférèrent la vie outre-monts aux brumes de leur pays (Walter Savage Landor). Même attirance sur les Allemands saisis de « Wanderlust » et sur les Nordiques : Goethe, après Winckelmann, découvre en Italie les vertus du classicisme, Zacharias Werner les attraits du catholicisme. Et un Français indépendant, Stendhal, voudra être dit « Milanese ».

Au XVIIIᵉ siècle, Paris, capitale de l'Europe, draine aussi les étrangers. Les salons s'y enorgueillissent tous de quelques hôtes exotiques. Certains s'installent à demeure : Grimm, Galiani. D'autres parcourent villes et campagnes avec des yeux que n'offusque pas l'accoutumance, tel Arthur Young qui nous a laissé le meilleur tableau de la France à la veille de la Révolution. Les Français ne sont pas casaniers non plus : l'abbé Prévost et Voltaire séjournent en Angleterre; Montesquieu y voyage, ainsi qu'en Italie; Falconet et Diderot vont jusqu'en Russie, terre inconnue; quant au Genevois Jean-Jacques Rousseau, il ne cesse de mener une existence errante.

Au XIXᵉ siècle, le rayon d'action s'accroît. Astolphe de Custine décrit sur place *La Russie en 1839* (1843), pays que Balzac parcourra; inversement, Tolstoï visite Paris; Tourgueniev y fait figure d'autochtone. Andersen, qui a tant voyagé dans les contrées imaginaires, ne dédaigne pas de parcourir l'Europe, non plus que son compatriote Oehlenschläger. Delacroix rapporte du Maroc des albums de croquis. Chateaubriand, Lamartine, Nerval, Flaubert accomplissent des périples méditerranéens. Dans la mesure où le romantisme se confond avec la couleur locale, chacun se précipite chez le voisin, mais surtout en Espagne (Chateaubriand, Mérimée, Th. Gautier, Hugo, l'Américain Washington Irving, l'Anglais George Borrow, qui échange des bibles à bon marché contre des éléments de la langue romani). Et Venise, de Musset à Wagner, en attendant Thomas Mann, tend à supplanter Rome.

Les XVIIIᵉ et XIXᵉ siècles ont connu un type de voyageur particulier : riche et un tantinet excentrique, se sentant partout chez lui ou plutôt mieux parmi les autres que chez les siens; Beckford, le prince de Pückler-Muskau ont témoigné dans leurs récits de la facilité avec laquelle ils s'adaptaient aux mœurs étrangères. On se transportait alors de pays à pays (la Russie exceptée) sans être victime de tracasseries bureaucratiques, policières et douanières. Et l'on se fixait où l'on se plaisait sans avoir à exhiber un contrat de travail. Les étrangers à demeure ont été des intermédiaires très efficaces, mais il n'est pas toujours facile d'apprécier cette efficacité. Du baron d'Eckstein, de Heine et de Börne vivant à Paris comme deux frères ennemis, on sait par leurs ouvrages ce qu'ils ont apporté aux Français; en revanche, qui dira ce que ceux-ci doivent aux propos tenus par le médecin magnétiseur Koreff?

Ces étrangers jouent un rôle particulièrement important quand ils sont en étroit contact avec des revues. Mᵐᵉ Blaze de Bury née (mystérieusement) Rose Stuart, et qui avait vécu à Weimar, — alliée au directeur de la *Revue des deux mondes,* comment n'aurait-elle pas orienté les curiosités étrangères de Buloz?

Au XXᵉ siècle, les bateaux, puis les avions enserrent la planète de leur réseau toujours plus dense et provoquent cette constatation désabusée de Paul Morand : *Rien que la terre.* On trouve Claudel et Malraux en Chine, Gide au Congo. La tradition du voyage en Europe est la nouvelle forme que prend le « grand tour » pour les Américains du Nord (Henry James, Hemingway) ou du Sud (Asturias, Borges).

A côté de ceux qui voyagent pour leur instruction ou pour leur plaisir, il faut citer les voyageurs malgré eux; ce ne sont pas toujours ceux qui retirent de leurs déplacements le moindre profit : hommes d'armes des croisades (Villehardouin); capitaines des interminables guerres d'Italie (Guillaume Du Bellay, seigneur de Langey); victimes de l'Inquisition espagnole et juifs sefardim du Portugal (de qui descend Montaigne par sa mère); proscrits pour cause de religion (Marot séjourne à Ferrare et en rapporte le sonnet); réfugiés protestants en Angleterre, en Hollande, en Prusse après la révocation de l'édit de Nantes (nous y reviendrons); exilés politiques (sans les coups de bâton du chevalier de Rohan, nous n'aurions pas les *Lettres philosophiques*), très nombreux au XIXᵉ siècle (Ugo Foscolo rugit sa colère à Londres qui, sous le Second Empire, va, ainsi que Genève, devenir la capitale de la Révolution; Goya meurt à Bordeaux et nombre de ses compatriotes habitent Paris), plus nombreux encore au XXᵉ siècle : israélites allemands et autrichiens chassés par la barbarie nazie et gagnant la France, puis les États-Unis, exilés volontaires ou non des pays de l'Est (Soljenitsyne) ou des régimes militaires d'Amérique du Sud (Cortazar). Sans compter ceux qui ont rompu en visière avec le « cant » et qui se sont perdus de réputation (Byron qui, après une carrière de don Juan en Italie, ira mourir au siège de Missolonghi; Liszt enlevant la comtesse d'Agoult et vivant maritalement avec elle en France et en Italie).

## L'influence des voyages

Ces voyages volontaires et involontaires, qui sacrifient à la mode ou cèdent à la nécessité, ont produit une littérature abondante : choses vues et entendues, racontées oralement au retour, qui ont pu féconder des imaginations, mais dont la trace s'est perdue; ou consignées sur le papier en des formes diverses, depuis les simples notes griffonnées dans un carnet (Montesquieu) jusqu'à la relation de voyage (Chateaubriand), en passant par le journal de voyage (Montaigne) et par la lettre (de Brosses), sans oublier le pamphlet rageur (*Pauvre Belgique!* de Baudelaire; les pages de Léon Bloy et de Céline contre le Danemark). Avec le *Sentimental Journey* de Sterne, surtout avec l'*Italienische Reise* de Goethe et l'*Itinéraire de Paris à Jérusalem,* le « voyage » devient un genre littéraire très bien attesté à l'époque romantique et encore au XXᵉ siècle (Loti, Francis de Croisset, Morand,

Michel Tournier, les *Retours du monde* d'Étiemble). Ce pittoresque semble maintenant épuisé : lunatique ou martien, il nous faut du nouveau.

Des ouvrages fondamentaux touchent aux échanges internationaux, à la psychologie des peuples, à la constitution de mythes d'un nouveau genre, au renouvellement de la pensée d'un écrivain ou des idées-forces d'une littérature, et l'on se doit de citer comme exemplaires les ouvrages de G. Cohen sur les Français en Hollande, de J.-M. Carré sur les Français en Égypte et sur *Michelet en Italie,* de J. Ehrard qui a suivi à la trace Montesquieu en Italie. Les monographies simplement descriptives gagneraient à prendre la forme de répertoires ou d'analyses analogues à ceux de G.R. de Beer, *Travellers in Switzerland* (1949) et de J.W. Stoye, *English Travellers Abroad 1604-1667. Their Influence in English Society and Politics* (1952). Il convient, ce faisant, de bien dégager les centres d'attraction : provinces, sites, villes, salons, universités, cafés, imprimeries, académies dont les étrangers deviennent membres d'honneur ou membres correspondants. Autour de certaines villes se sont constitués, comme des *auras,* de véritables mythes : Rome, Florence, Naples, Venise, Weimar, Paris, dont il est intéressant de déterminer les éléments dynamiques.

Étiemble s'est élevé contre l'abus de ces études. Le danger est en effet de multiplier les descriptions pures, les paraphrases hasardeuses. Aussi ne peut-on que souhaiter un renouvellement de ces travaux, une méthodologie plus réfléchie pour ce que certains appellent aujourd'hui l'« imagologie », et la constitution d'équipes de recherche internationales. Le travail déjà accompli à Turin par le Centre interuniversitaire de recherche sur le voyage en Italie (C.I.R.V.I.) est exemplaire à cet égard. Trop souvent, on oublie de définir l'équation personnelle des voyageurs et celle du peuple auquel ils appartiennent. On se rappellera le mot de Labiche : « Je me suis toujours demandé pourquoi les Français, si spirituels chez eux, sont si bêtes en voyage. » L'Anglais, l'Allemand, l'Américain à l'étranger ont aussi un comportement qui permet de les identifier presque à coup sûr.

La découverte de l'Amérique et de l'Extrême-Orient par les aventuriers, les commerçants, les missionnaires, les savants, propose à la littérature occidentale des thèmes essentiels, des germes de renouvellement. De l'Amérique du Nord nous est venu « le bon sauvage », faux ingénu qui, de Montaigne à Rousseau, traduit au tribunal de la conscience, instinct divin, la société corrompue et corruptrice, ses églises et ses féodalités, tout en portant un coup sensible à l'« Europocentrisme ». Chateaubriand reprend le thème et en tire de tout autres harmonies. La conquête de l'Amérique du Sud et du Mexique nous a valu des épopées, des mémoires, des réquisitoires, et même, grâce aux jésuites du Paraguay, un essai de théocratie qui n'a pas fini de séduire les imaginations, car il prouve que l'utopie débouche sur la réalité.

Avec l'Orient, proche ou extrême, les relations de l'Occident sont bien plus anciennes : il suffit de rappeler l'expédition d'Alexandre, la constitution d'un art gréco-bouddhique, les Croisades, l'intérêt porté au mythique Prêtre-Jean, la route de la soie, le voyage et le *Livre* de Marco Polo, la prise de Constantinople par les Turcs qui chasse vers l'Italie les détenteurs de la culture hellénique, saint François-Xavier aux Indes, lesquelles vont entrer dans la grande poésie avec les *Lusiades* de Camoëns. C'est dans la deuxième moitié du XVIIᵉ siècle que l'Europe apprend à connaître scientifiquement l'Islam, un peu la Chine et l'Inde qui interviennent avec plus de force au siècle suivant.

L'aventureux Descartes, qui, volontiers mais poliment, faisait litière des opinions reçues, ne laissait pourtant pas de déclarer dans le *Discours de la méthode* : « Encore qu'il y en ait peut-être d'aussi bien sensés parmi les Perses ou les Chinois que parmi nous, il me semblait que le plus utile était de me régler selon ceux avec lesquels j'aurais à vivre. » Cette indifférence va bientôt cesser. François Bernier, vulgarisateur de la philosophie de Gassendi, part en 1654 pour la Syrie et l'Égypte et va séjourner jusqu'en 1668 dans l'Inde du Grand Mogol où il devient le médecin d'Aureng-Zeb et d'où il rapporte une version persane des *Upanishads* et assez de sortilèges pour enflammer l'imagination de La Fontaine. Chardin et Tavernier sillonnent l'Asie, en particulier la Perse. Antoine Galland publie en 1697 la *Bibliothèque orientale,* riche inventaire de l'Islam que d'Herbelot a laissé inachevé, puis, avant que ne meure Louis XIV, l'un des chefs-d'œuvre du classicisme, *Les Mille et Une Nuits,* traduites sur des versions qu'il a en partie recueillies lui-même lors de ses voyages. Les nobles Persans et les généreux Arabes sont promis à une belle fortune.

La *China illustrata* du jésuite allemand Athanase Kircher date de 1663. Grâce aux *Lettres édifiantes* s'élabore une imaginaire patrie de la tolérance, qui va dresser contre le christianisme le résultat des efforts accomplis par les missionnaires pour le diffuser en Chine. Cet « Orient philosophique » (Étiemble) auquel Voltaire (voir l'*Essai sur les mœurs*) et nombre de ses contemporains se sont passionnément intéressés, moins pour la couleur locale que pour les idées, et non sans commettre beaucoup d'erreurs d'interprétation, a fourni le parti philosophique d'armes subtiles et nourri la réflexion sociologique ou ethnologique d'un Montesquieu.

Anquetil-Duperron arrive dans l'Inde en 1754, William Jones en 1783. L'année suivante est fondée à Calcutta la Société asiatique du Bengale, et, en 1785, Wilkins publie à Londres la première traduction complète, faite directement sur l'original, d'un grand texte sanscrit : la *Bhagavad-Gîtâ.* L'Inde authentique entre dans le jeu philosophique et littéraire de l'Europe. Révélation capitale, presque aussi importante que le fut, aux XVᵉ et XVIᵉ siècles, celle de l'Antiquité gréco-latine décapée de son revêtement chrétien; d'où le titre du maître livre de Raymond Schwab : *La Renaissance orientale* (1950). Frédéric Schlegel s'exclame en 1800 : « C'est en Orient que nous devons chercher le suprême romantisme. » Herder, Goethe, Schopenhauer sont profondément affectés par cette découverte et donnent raison à

Michelet qui voit dans l'Allemagne l'Inde de l'Occident. Ce bel enthousiasme sera communiqué aux écrivains français (Lamartine, Hugo, Lamennais) par le baron d'Eckstein. Dans le déchiffrement des écritures et des caractères (sans oublier les hiéroglyphes), qui livrent successivement leurs secrets, dans l'édition et le commentaire des textes, les Anglais et les Français rivalisent avec les Allemands.

Au chapitre des voyages, il faut enfin citer ceux que l'on a accompli dans les royaumes de Chimérie : *Utopie* de Thomas More, *Cité du Soleil* de Campanella, *Nouvelle Atlantide* de Francis Bacon, Lune et Empires du Soleil de Cyrano de Bergerac, Salente de Fénelon, Icarie de Cabet, — sans oublier le Lilliput de Swift et le Sirius de Voltaire : rêves d'harmonie, de concorde et de justice ou contrepoints ironiques de l'imperfection terrestre.

## Le rôle des collectivités

L'action exercée par des hommes solitaires peut être considérable; par des hommes solidaires, plus forte encore. Groupés, ils exercent leur attraction et leur rayonnement à de grandes distances.

Des pays entiers font traditionnellement l'office de carrefour : la Hollande, emporium de l'Europe, convoie vers l'Allemagne le baroque italien, parfois d'abord relayé par la France (l'*Adone* de Marino est édité à Paris), ce qui démontre que le plus court chemin ne traverse pas les Alpes; nation tolérante, elle attire Descartes, les jansénistes inquiétés en France, les sociniens d'Italie et de Pologne, Voltaire, Diderot. La Suisse est l'intermédiaire, et souvent le filtre, par lequel l'Allemagne et même l'Angleterre (celle-ci, *via* Zurich) influencent la France. Des villes, à de certains moments, acheminent ou catalysent les idées et les œuvres étrangères : Lyon est le courtier naturel entre l'Italie et la France pendant la Renaissance; moins naturellement, Rouen importe ou imprime des livres espagnols lors de la jeunesse de Corneille.

On retiendra le rôle des universités, qui, à l'époque de leur spécialisation (médecine à Salerne et à Montpellier, philosophie à Padoue, droit à Bologne et à Orléans), conviaient les étudiants à des tours d'Europe. Leyde, au temps du baroque, attire des Silésiens. Vers 1700, on devait aller en Hollande (c'est ce que fit Anquetil-Duperron), dans la province d'Utrecht, pour y apprendre l'arabe et le persan. A la fin du XVIIIᵉ siècle, au début du XIXᵉ, le Collège de France à son tour attire ceux qui veulent étudier les langues du Proche et de l'Extrême-Orient (et pour qui l'on a d'ailleurs fondé l'École des langues orientales). L'Allemagne de la philosophie, de la philologie et de l'histoire appelle Benjamin Constant et Charles de Villers (étudiant, puis professeur à Gœttingue), qui veut se détacher de la frivolité française, plus tard J.-J. Ampère, Quinet et Michelet. Depuis le Moyen Age et jusqu'au XVIIᵉ siècle, des collèges pour étrangers se sont érigés sur les pentes de la montagne Sainte-Geneviève ou au bord de la Seine : collèges des Irlandais, des Écossais, des Quatre-Nations. En attendant les cités universitaires, où se coudoient les étudiants du monde entier.

Les ateliers et les officines des imprimeurs, libraires, éditeurs (avant le XIXᵉ siècle, il est difficile de les distinguer) sont d'autres centres d'attraction : Érasme de Rotterdam se fait correcteur chez les Aldes de Venise. Voltaire et Rousseau ont des éditeurs dans cette Hollande dont les périodiques librement publiés assurent en français la diffusion des œuvres littéraires et des idées philosophiques. Plus récemment, les librairies et les cabinets de lecture ont provoqué bien des rencontres : le cabinet littéraire de Vieusseux, à Florence, où ont fraternisé libéraux italiens et français; rue de l'Odéon, entre les deux guerres, chez Adrienne Monnier et chez sa voisine et amie Sylvia Beach (« Shakespeare and Co. »), Gide, Larbaud, Claudel, Aragon pouvaient discuter avec James Joyce et avec tous les « Américains à Paris », poètes (Ezra Pound), romanciers (Hemingway), fondateurs de revues (Eugène Jolas).

Les bibliothèques publiques, les collections privées ne sont pas à négliger, surtout lorsque les premières organisent des expositions que perpétuent des catalogues : ceux de la Bibliothèque nationale de Paris, du Schiller Nationalmuseum de Marbach am Neckar sont des instruments de référence, ainsi que le *Catálogo de la Exposición de Bibliografía Hispanística* (Bibliothèque nationale, Madrid, 1957), qui recense l'hispanisme dans le monde depuis le début du XIXᵉ siècle. Ajoutons : *The Romantic Movement* (Londres, 1959; catalogue monumental édité par The Arts Council of Great Britain), et *Les Français à Rome de la Renaissance au début du Romantisme* (Hôtel de Rohan, Paris, 1961). Les académies sont parfois d'utiles carrefours : celles d'Italie pour les lettrés des XVIᵉ et XVIIᵉ siècles. Celle de Berlin, sous Frédéric II, a pour les Français (son directeur est Maupertuis) le même prestige que l'Académie française; elle honore la « Philosophie » autant que son aînée et rivale, l'Orthodoxie; elle a l'avantage d'unir aux Allemands, d'ailleurs atteints de gallomanie, d'autres étrangers que les Français. Plus récemment, les congrès et les organismes internationaux sont l'occasion, sinon de décisions importantes, du moins de fructueux contacts. Songeons en particulier aux expositions du Conseil de l'Europe (humanisme, maniérisme, néo-classicisme, etc.). Et l'on n'oubliera pas les théâtres, les opéras, les salles de concerts (la Fenice de Venise, le San Carlo de Naples, la Scala de Milan dont Stendhal fut l'un des piliers, le Mozarteum de Salzbourg, la halle wagnérienne de Bayreuth, les ballets Bolchoï de Moscou, Covent Garden, le Concertgebouw d'Amsterdam), soit qu'ils reçoivent la visite d'étrangers, soit qu'ils délèguent leurs troupes et leurs instrumentistes. A cet égard, on rappellera les représentations données à Paris, en 1827-1828, par des comédiens anglais, Kemble, Harriet Smithson pour qui toute la capitale eut les yeux de Berlioz, et la faveur exceptionnelle avec laquelle les Ballets russes de Serge de Diaghilev furent accueillis par les contemporains de Jean Cocteau et de Picasso; on songera aussi à l'influence que ne peuvent manquer d'avoir actuellement les représentations annuelles du théâtre des Nations. Inversement, le long séjour de Louis Jouvet et de sa compagnie en Amérique du Sud pendant la dernière guerre, les tournées de la Comédie-Française et celles — hélas! — des galas Karsenty permettent aux amateurs étrangers de rester en contact avec le répertoire classique ou de s'initier aux créations récentes. Dans l'Allemagne du XVIIᵉ siècle, ce sont des troupes anglaises qui ont fait connaître l'œuvre de Shakespeare, tandis que plusieurs troupes françaises y révélaient le théâtre classique.

La vedette, pour la qualité de l'influence en profondeur, doit être réservée aux salons cosmopolites. Nous avons déjà fait allusion à celui que Mᵐᵉ de Staël tenait à Coppet et dont l'éclat a rayonné sur toute l'Europe. Citons encore à Berne celui, antérieur, de Julie Bondeli, passionnée et savante, que Wieland faillit épouser, à qui Rousseau attribua pour son essai sur *La Nouvelle Héloïse* « la raison d'un homme et l'esprit d'une femme » et qui sut admirer les œuvres du jeune Goethe. On rencontrait auprès d'elle des érudits, des géographes, des orientalistes, et Vincenz Bernhard Tscharner qui avait frayé avec Edward Young, Richardson et Louis Racine. Au contact de deux cultures, elle favorisait l'une et l'autre.

Sur les bords de la Sprée, Rachel Levin, épouse de Varnhagen von Ense, un Dangeau berlinois, recevait les étrangers de passage : elle détesta Mᵐᵉ de Staël et, au sexe près, elle eût asservi Astolphe de Custine.

Littérature et mondanités se conjuguent dans quelques cours princières : à Weimar, par exemple, où l'on se rend pour contempler M. le Conseiller de Goethe. Après la première guerre mondiale, chez des mécènes : à Vienne, Berthe Zuckerkandel fait connaître le théâtre français contemporain et provoque la renaissance de celui de Molière; à Weimar, le comte Kessler, qui avait reçu Gide, accorde à Maillol une aide financière non négligeable; le comte Étienne de Beaumont organise les Soirées de Paris. Près de Zurich, à Hottingen, le Lesezirkel, association littéraire qui édite une revue du même titre, reçoit ou publie — grâce aux subventions des frères Bodmer — Croce, Pirandello, Soffici aussi bien que B. Shaw, Conrad, Tagore et que Proust, Valéry et Saint-John Perse.

Dans un esprit exempt de tout snobisme mondain, mais heureusement animés par un fort snobisme littéraire, des groupes d'écrivains ont contribué à la connaissance d'auteurs étrangers : le cercle de Lichfield s'est passionné pour Rousseau, le « Cénacle » pour le *romancero,* le groupe de Bloomsbury pour le roman russe. Ces réunions ont parfois rendu célèbres des cafés, ceux de Saint-Germain-des-Prés, lors de la vogue de l'existentialisme.

Au fond, à qui voulut et veut s'informer des littératures étrangères, les moyens n'ont guère ou n'ont même jamais manqué, et manquent encore moins de nos jours.

# LES INSTRUMENTS

## La littérature imprimée

Même dans le silence de son cabinet ou d'une bibliothèque, on peut se donner le plaisir de l'exotisme : il suffit parfois d'une écritoire pour correspondre avec des amis étrangers ou avec des compatriotes voyageant à l'étranger (voir les riches correspondances d'Érasme, de Heinsius, de Chapelain). Puis, à mesure que se développe la civilisation de l'imprimé, ouvrages en langues étrangères, traductions, adaptations, anthologies, ouvrages divers, revues et journaux, tous ces instruments abolissent les distances et constituent d'efficaces intermédiaires.

Le plus sûr accès à des littératures étrangères est de les pratiquer dans leur langue originale. Il faut toutefois reconnaître que, souvent, adaptations et traductions ont chronologiquement la priorité.

Les livres en langues étrangères peuvent être lus dans le pays d'origine (voir la section précédente) ou dans le pays même auquel appartient le lecteur. Dans ce dernier cas, ils sont importés, à moins qu'ils ne soient imprimés hors de leurs frontières linguistiques. Sur l'importation des livres, les statistiques du commerce extérieur fournissent actuellement des données suffisantes. Pour les livres importés en France sous la monarchie de Juillet et le Second Empire, une source a, jusqu'à présent, été négligée : les rapports des inspecteurs de la Librairie délégués par le ministère de l'Intérieur près des Douanes (Archives nationales). Des appréciations précises et chiffrées ne sont pas à dédaigner : le livre est aussi une marchandise.

Le plus grand choix de livres étrangers se trouve dans des librairies spécialisées, qui s'adjoignent parfois des cabinets de lecture, lesquels reçoivent également des revues et des journaux : tous les Parisiens connaissent de longue date la librairie Galignani. La Bibliothèque américaine, la Bibliothèque polonaise offrent des ressources analogues. Au XIXe siècle, les Madrilènes pouvaient se ravitailler en livres français chez Monnier, dont le nom est cité par Mérimée.

L'importation pose des problèmes de transport et de dédouanement et cause des frais. Aussi, dès la monarchie de Juillet, les éditeurs ont-ils songé à faire imprimer sur place des livres étrangers : Walter Scott et bien d'autres romanciers anglais en vogue furent, vers 1830-1840, publiés à Paris même, en texte intégral, sous la firme de Baudry. A la même époque, fut parallèlement lancée une collection de classiques allemands, avec un moindre succès. Le coût de production des livres français en ces années était tel que des éditeurs étrangers, industrieux sinon scrupuleux, belges surtout, mais aussi allemands, se firent une spécialité de les reproduire à bon marché : la contrefaçon, pendant la première moitié du XIXᵉ siècle, donc à un moment où la langue française était largement répandue en Europe, a inondé le marché international de livres en langue française (ils ont été recensés par H. Dopp). Il est même arrivé aux contrefacteurs de publier en Belgique des éditions originales de romans, lorsque ces œuvres paraissaient d'abord en feuilleton, que les imprimeurs de Bruxelles, par exemple, transformaient jour après jour en volumes. Jusqu'en 1852-1861, dates auxquelles intervint une convention, l'histoire du livre français en Europe est avant tout celle de la contrefaçon.

Pour des raisons diverses, des œuvres importantes n'ont pas toujours paru dans leur pays natal. La France « philosophique » imprime en Hollande une grande partie de ses ouvrages les plus hardis ou les plus importants. James Joyce et Henry Miller se heurtant chez eux à des impératifs anglo-saxons de morale sociale, c'est aussi à Paris que sont publiés en langue anglaise *Ulysse* et les *Tropiques*. A la limite, une traduction peut précéder l'édition en langue originale : les satires du prince russe Antiochus Cantemir paraissent dans une traduction française (Londres [= Paris)], 1749) de Guasco, ami italien de Montesquieu, puis dans une traduction allemande faite sur la traduction française, avant d'être imprimées en russe et en Russie (1762). *Le Neveu de Rameau* est traduit en allemand par Goethe et retraduit de l'allemand en français avant que ne soit publié le texte original.

Enfin, les appartenances nationale et linguistique ne coïncident pas toujours : William Beckford compose en français *Vathek,* Milosz oublie son origine balte et — ainsi que plus récemment Ionesco et Beckett — devient un auteur français comme Joseph Conrad, d'origine polonaise, un écrivain anglais. Voltaire se risque à écrire en anglais la première version de son *Essai sur la poésie épique* et Rilke tâte de la muse française.

## Traductions et adaptations

Vu l'ignorance où généralement le grand public se trouve devant les langues étrangères, les traductions furent et sont encore le moyen le plus facile et le plus fréquent d'accéder aux chefs-d'œuvre de la littérature mondiale.

Les traductions directes, c'est-à-dire faites directement sur l'original, offrent le plus de garanties, mais ne peuvent pas prétendre rivaliser avec celui-ci. Il y a cependant des exceptions : un humoriste américain a pu dire qu'il y avait deux écrivains du nom de Poe, un Américain, auteur assez médiocre, et un Français génial, l'Edgar Poe traduit, régénéré par Baudelaire et par Mallarmé. Certaines traductions, pour ne pas dispenser du recours à l'original, chefs-d'œuvre dans leur propre langue, sont devenues chefs-d'œuvre dans une autre langue et sur un autre registre; non point un chef-d'œuvre, mais deux. Ainsi, du théâtre de Shakespeare et de sa version par A. W. Schlegel et Ludwig Tieck, consubstantielle à l'esprit allemand. Ainsi, encore, de *Daphnis et Chloé* traduit par Amyot et P.-L. Courier, des *Amadis de Gaule* traduits par Herberay des Essarts et des *Mille et Une Nuits* adaptées par Galland au goût de l'esthétique classique et sans doute plus fidèles à l'inspiration orientale que la traduction d'aspect exact procurée à la fin du XIXᵉ siècle par le Dʳ Mardrus. Proust, grand amateur de cette œuvre, ainsi que Mallarmé et Valéry, lisait les deux versions.

La qualité des traductions a crû en raison même de la qualité des traducteurs. Certes, de grands écrivains se sont toujours intéressés à ce travail de translation, systématiquement au XVIᵉ siècle pour enrichir la langue, ou à la façon de gammes, comme Malherbe traduisant Tite-Live et Sénèque, Vaugelas, Quinte-Curce, Racine, *Le Banquet,* et La Bruyère, Théophraste. Mais lorsque ces motifs ont disparu, lorsque seule l'affinité a rapproché des esprits frères de langues différentes, alors sont nées la plupart des traductions enrichissantes pour la littérature réceptrice : Eschyle se francise grâce à Claudel; Shakespeare par Gide, Supervielle, Pierre Jean Jouve, Yves Bonnefoy; et Valery Larbaud consacre beaucoup de temps à traduire Joyce et Samuel Butler. Pourtant, le plus grand écrivain, ou celui qui est cru tel, n'est pas toujours le meilleur traducteur, moins encore le plus exact. On a dit grand bien de la traduction des *Fleurs du Mal* par Stefan George; elle est moins baudelairienne que guéorguienne, et c'est sous la plume dévouée de W. Hausenstein que des Allemands ignorant le français ont découvert Baudelaire.

Le génie transpose et s'annexe celui qu'il traduit. Plus modeste, le traducteur de métier sert plus attentivement son modèle. On voudrait profiter pour chaque chef-d'œuvre des offices de l'un et de l'autre.

La traduction peut être directe et résulter cependant d'une collaboration entre un bon connaisseur de la langue étrangère et un excellent écrivain qui se borne à la deviner. Le texte original s'achemine ainsi vers sa transposition par l'intermédiaire d'un mot à mot commenté : d'abord vidé de sa substance poétique, il est ensuite ré-animé. Raymond Schwab traduisant les Psaumes pour la *Bible de Jérusalem* en a usé ainsi, et P. J. Jouve employait cette méthode pour rendre en français, avec l'aide de P. Klossowski, les *Poèmes de la Folie* de Hölderlin.

Quel que soit le procédé, il faut toujours, à propos de l'œuvre d'un traducteur, se poser les questions suivantes : qui était-il? qu'a-t-il traduit? comment a-t-il traduit? L'étude d'une traduction appartient au premier chef à l'histoire de la littérature réceptrice. La personnalité du traducteur doit être parfaitement connue : associé à des éléments sociologique et commercial (demande du public), elle explique parfois le choix du texte; elle explique toujours la valeur et l'orientation de la traduction. Il va de soi qu'au même moment le classique Voltaire et le romantique Letourneur ne peuvent pas avoir la même attitude devant Shakespeare. Celui-là isole un morceau (le monologue de Hamlet) et le trahit en alexandrins ou bien traduit en prose les trois premiers actes seulement de *Julius Caesar* et ne se rapproche vraiment de son modèle que malgré lui, quand, pris de rage, il veut dévoiler les incongruités de ce barbare; le second, bien qu'il dispose d'un instrument stylistique insuffisant, prétend donner à ses contemporains et leur faire aimer tout Shakespeare; l'avenir récompensa son audace. On peut reprendre la formule célèbre : « Avec Voltaire, un monde finit; un monde commence avec Letourneur. »

Les traductions françaises n'ont pas toujours été faites en France, ni par des Français. Dans la partie romande de la Suisse, à Londres et surtout en Hollande ont fonctionné de véritables agences de traduction. Les périodiques d'Addison et de Steele, les œuvres morales de W. Temple, les écrits philosophiques de Shaftesbury ont passé de l'anglais en français par le truchement de Hollandais et de réfugiés français. Ce qui ne fut pas non plus sans importance pour l'acheminement de certains ouvrages anglais vers l'Allemagne du XVIIIᵉ siècle.

On a appelé *belles infidèles* (l'expression semble avoir été employée pour la première fois par Ménage à propos de la traduction de Lucien par Perrot d'Ablancourt, qui parut en 1654-1655) des traductions qui obligeaient les auteurs étrangers à accepter le joug français. Si, dès 1540 *(La Manière de bien traduire d'une langue en autre)*, Étienne Dolet donnait la charte de la traduction fidèle, Montaigne, lui, traduisant la *Theologia naturalis* de Raymond Sebond, se félicitait d'avoir dévêtu le théologien espagnol « de ce port farouche et maintien barbaresque » qu'il avait primitivement et de leur avoir « taillé et dressé [...] un accoustrement à la Françoise ». Une si bonne conscience, on le conçoit aisément, ne pouvait abdiquer dans les siècles qui suivirent et où apparut régulièrement l'image vestimentaire, à moins qu'on n'assimilât l'auteur étranger à la nature sauvage et la traduction aux jardins de Marly. L'esthétique classique définie dès 1640, les règles de la composition, le respect dû aux bienséances, l'empire de la vraisemblance, le goût d'une langue noble — donc appauvrie — et d'un style soutenu rendaient nécessaires ces travestissements et ces mutilations. Condamner les traducteurs qui s'y sont prêtés serait avouer une incompréhension radicale de ce que fut l'âge classique, lequel, en France, a duré deux siècles. Il faut voir avec quelle fougue Turgot, partisan des « belles fidèles », doit se justifier d'avoir traduit par « cruche » le mot allemand *Krug* qu'il rencontrait dans le titre d'une idylle de Gessner. Et suivre les métamorphoses du *handkerchief spotted with strawberries* qui a causé le malheur de Desdémone, et de ses sigisbées français, est une excellente occasion de constater les résistances que le goût oppose aux hardiesses étrangères. On comprend mieux alors la rude tâche des traducteurs français, et leurs scrupules infinis où, peu avertis, nous ne verrions qu'absence de scrupule. L'accent s'est déplacé : on prenait en particulière considération la langue française et le goût du public; on s'intéresse maintenant à ce que le texte étranger a d'unique et d'exotique. Le devoir du traducteur, qui dispose d'une langue assouplie par le symbolisme, est aujourd'hui de provoquer l'extension de la langue française jusqu'à son point d'éclatement, de manière à lui permettre d'absorber le plus possible de richesses étrangères. Jeu dangereux, mais profitable et passionnant.

Il n'en reste pas moins que les adaptations peuvent être encore justifiées, notamment au théâtre où les conventions ne sont jamais contredites sans une sanction immédiate. Alexandre Arnoux adapte *L'Amour des trois oranges* de Gozzi, Camus, *La Dévotion à la Croix* de Calderón et *Le Chevalier d'Olmedo* de Lope de Vega. Des romans montent sur la scène (*Le Château* de Kafka adapté par Gide et J.-L. Barrault) et, après de complexes transformations, on découvre parfois de noirs diamants, comme les *Dialogues des Carmélites* de Bernanos, issus d'un roman de Gertrud von Le Fort, au travers du scénario qu'en avaient tiré le Père Brückberger et Philippe Agostini.

Les traductions indirectes, c'est-à-dire faites sur une version intermédiaire, sont particulièrement intéressantes à étudier, car elles mettent en cause la connaissance et l'ignorance où l'on est des langues des minorités, et en valeur le rôle véhiculaire des langues des majorités. Au XVIIIe siècle, le français a ainsi servi d'intermédiaire entre l'anglais d'une part, et, d'autre part, l'italien, l'espagnol, le portugais, parfois le polonais et le russe. La diffusion de Shakespeare sur le continent — Allemagne exceptée — a été le fait de la France. Or, comme les Français préfèrent les « belles infidèles », on devine sous quel aspect peut se présenter l'original après une seconde mouture. Les *Night Thoughts* du Dr Edward Young sont l'œuvre d'un ministre anglican qui veut réfuter les libertins et les ramener dans le giron de son Église. Letourneur les triture et les malaxe pour les rendre adéquates à l'esthétique régnante (des neuf *Nuits* anglaises il en tire vingt-quatre françaises, une par sujet), les vide de leur contenu anglican et leur confère la froide grisaille de son déisme. Travaillant sur *Les Nuits* de Letourneur, les adaptateurs italiens et espagnols finissent par transformer des poèmes où le pape était raillé en une arme de l'apologétique catholique. Dans un autre domaine, faute d'un texte imprimé qui ne parut qu'en 1814-1818, c'est la version des *Mille et Une Nuits* par Galland qui a servi de base à toutes les traductions européennes pendant un siècle. Il est encore arrivé plus tard à la langue française de servir de truchement : c'est dans des traductions françaises qu'avec une joie extraordinaire, à Nice, en 1887, Nietzsche découvre les romans de Dostoïevski. En 1962, la version portugaise d'*Ein moderner Mythus* du grand psychiatre suisse C. G. Jung prenait pour texte de base la traduction française.

Au XIXe siècle, l'anglais et l'allemand disputent ce rôle au français. Quinet, pour traduire les *Idées sur la philosophie de l'histoire* de Herder, s'adresse à la traduction anglaise. Et d'autres Français, curieux de la littérature allemande, ont souvent demandé secours aux Anglais, notamment à Carlyle. Si l'anglais est un trait d'union entre l'allemand et le français, l'allemand l'est lui-même entre le français et les langues de l'Europe centrale et orientale. Le recueil de chants serbes de Vuk Stefanovic Karadjic [Karažić] (1823) est traduit en allemand par Th. A. L. von Jakob (pseudonyme : Talvj) : *Serbische Lieder* (Halle, 1826). John Bowring traduit à son tour ce recueil en anglais (1827) et Élise Voïart en français (1834). De même, le Hongrois Petöfi n'arrive en France, sous le Second Empire, qu'après avoir été traduit en allemand par Károly Kertbeny, un germano-hongrois. Saint-René Taillandier traduit en prose *(Revue des deux mondes,* 1er février 1855) plusieurs poèmes de Lermontov d'après la version allemande procurée par Bodenstedt (1852).

Au XXe siècle, l'anglais reste un véhicule fort utile pour la connaissance et la traduction des textes écrits en chinois ou dans les langues de l'Inde. André Gide traduit *L'Offrande lyrique* de Rabindranath Tagore non sur le texte bengali mais sur la version anglaise, d'ailleurs établie par l'auteur.

Il arrive aussi — mais beaucoup plus rarement — que des langues de minorité servent d'intermédiaires entre de grands groupes linguistiques : ce fut au Moyen Age le cas de la littérature serbo-croate qui fit la liaison entre le monde littéraire roman et l'Orient slave : par cette voie, ou par des voies parallèles, hongroise et polonaise, les *Romans d'Alexandre et de Troie,* le *Tristan,* dans les versions françaises et italiennes, ont été diffusées jusqu'en Russie.

## Ouvrages d'initiation

On ne saurait trop louer ceux qui se sont attachés à faire connaître des littératures et des écrivains étrangers. Les *Lettres sur les Anglois et les François* (écrites dès 1698, publiées en 1725) de Béat de Muralt, officier bernois au service de la France qui séjourna ensuite à Londres, œuvre d'un esprit non prévenu en faveur de la suprématie française, ont été pour nos compatriotes la première source d'information sur leurs voisins; elles seront encore lues et annotées par Rousseau, qui y formera son image de l'Angleterre. Les *Lettres philosophiques* de Voltaire (1734) ont ensuite contribué à répandre dans le grand public des idées essentielles sur la liberté et la tolérance dont jouissait la Grande-Bretagne en même temps qu'elles donnaient quelques notions de la littérature. Par leur importance, elles ne peuvent être comparées qu'à *De l'Allemagne* (1814), qui a révélé aux yeux éblouis des Français les trésors intellectuels amoncelés par les vertueux Germains. Heine — qui connaissait mieux son pays que Mme de Staël ne le connut —, Edgar Quinet, Eugène Lerminier (*Au-delà du Rhin,* 1835) eurent beau vouloir corriger, nuancer, compléter ce livre enthousiaste; seules ses conclusions furent vraiment retenues. Autre révélation, capitale pour les écrivains symbolistes : *Le Roman russe* (1886) d'Eugène-Melchior de Vogüé [2], qui les familiarisa avec Tolstoï et Dostoïevski.

De tels ouvrages peuvent être assortis d'un effet de retour. Entre les deux guerres mondiales, le journaliste et essayiste allemand Friedrich Sieburg donne à ses compatriotes une image de la France, *Gott in Frankreich* qui, traduit en français sous ce titre provocant, *Dieu est-il français?* offre aux Français une image aimablement ironique d'eux-mêmes.

Les efforts intelligents de ces vulgarisateurs (au meilleur sens du terme) doivent être appréciés comme ceux des traducteurs, compte tenu de leur personnalité, des habitudes mentales de l'époque et du but que se proposaient les auteurs. Ni le dessein de Voltaire, ni celui de Mme de Staël ne sont désintéressés : ils dressent l'un et l'autre contre une France tyrannisée des voisins jugés plus heureux, plus respectueux de la dignité humaine.

Les anthologies complètent l'effet de ces ouvrages d'initiation, avec le risque qui, bien entendu, s'attache à tout choix de textes. Au milieu du XVIIIe siècle, l'*Idée de la poésie anglaise* de l'abbé Yart a fourni le public français d'éléments destinés à détruire ou à renforcer ses préventions. Du *Choix de poésies allemandes* par Huber, qui a pourtant devancé la grande floraison germanique, un collaborateur du *Mercure de France* pouvait écrire en avril 1767 : « Agréable collection, bien propre à persuader que les Allemands ont fait dans la poésie et dans les lettres des progrès dont un injuste préjugé les croyait peu capables. » Et combien de Français sous la Restauration ont pris plaisir aux *Chefs-d'œuvre du théâtre étranger* publiés par l'éditeur Ladvocat! Soyons sûrs que ces anthologies ont eu des répercussions sur nombre de lecteurs, et plus encore, les morceaux choisis en usage dans les classes : Renan se souviendra longtemps du *Discours du Christ mort* par Jean-Paul qu'il a lu à Saint-Sulpice en 1844-1845 dans les *Leçons allemandes de littératures et de morale* de Noël et Stoeber (1827). Les comparatistes ne doivent pas plus négliger ces ouvrages scolaires que les recueils composés à l'usage du grand public.

Utiles initiations aussi que les Collections créées par quelques éditeurs; elles ont l'avantage de placer les écrivains dans les mouvements littéraires : entre les deux guerres, les « Panoramas des littératures contemporaines » chez Kra (R. Lalou pour l'anglaise, Félix Bertaux pour l'Allemande, Régis Michaud pour l'américaine, B. Crémieux pour l'italienne, J. Cassou pour l'espagnole) et, dans la Collection « Armand Colin » comme dans la Collection « Que sais-je? », un certain nombre de compendiums; après la seconde guerre mondiale les tomes de l'« Encyclopédie de La Pléiade » relatifs aux littératures. Et généralement les notices des dictionnaires, en particulier celles de l'*Encyclopædia Universalis* qui, grâce à Etiemble, s'est ouverte aux littératures de tout l'Orient. Sans oublier les histoires, générales ou partielles, des littératures étrangères (un chef-d'œuvre : *La Genèse du romantisme allemand,* de Roger Ayrault).

Enfin, les Essais, surtout lorsqu'ils sont dus à des créateurs, attirent l'attention du grand public sur des écrivains étrangers : le *Dostoïevski* de Gide, *Pour saluer Melville* de Giono, la préface de Malraux à la traduction du *Sanctuaire* de Faulkner, le *Balzac* et le *Proust* de Curtius, auxquels il faut joindre un certain nombre de grandes thèses (le *Tieck* de Robert Minder, *L'Ame romantique et le Rêve* d'Albert Béguin), ne constituent pas seulement des éléments d'information et d'interprétation, mais donnent aussi de précieux renseignements sur la fortune des auteurs hors de leurs frontières.

## La presse

Ces deux aspects se retrouvent dans l'étude de la presse. Les périodiques spécialisés ont tout naturellement pour vocation de renseigner un public sur l'état et l'évolution des littératures étrangères. On en trouve dès le début du xviiie siècle (la *Bibliothèque anglaise,* 1717-1728, que suivront jusqu'en 1747 le *Journal historique* et la *Bibliothèque britannique*), mais bien plus ouverts à la philosophie, aux controverses religieuses, à l'histoire et aux sciences qu'aux lettres, puisque la France se suffit alors à elle-même. C'est donc en 1754 qu'il faut fixer dans notre pays l'apparition du premier périodique littéraire spécialisé, le *Journal étranger* qui vivra quatre ans et qui ressuscitera de 1760 à 1762; deux des fondateurs, l'abbé Arnaud et Suard, un futur académicien, créeront ensuite la *Gazette littéraire de l'Europe* (1764-1766). Le prospectus du *Journal* déclare avec chaleur l'intention « de faire passer dans la langue Françoise toutes les richesses littéraires de l'Univers; de familiariser de plus en plus notre nation avec des arts et des talents, auxquels l'ignorance et le préjugé ont fait trop longtemps refuser parmi nous l'estime qui leur était due; enfin de faire circuler ces trésors de l'esprit chez tous les peuples lettrés par le véhicule d'une langue moderne, devenue presque universelle ». La préface renchérit : le *Journal étranger* veut être le « point commun de réunion, où toutes les connaissances acquises viennent s'éclairer mutuellement; où les génies des diverses nations viennent se réunir pour instruire l'univers; où les écrivains de tous les pays viennent épurer leurs goûts en les comparant; où le public cosmopolite puise des mémoires impartiaux pour décider, s'il le faut, ces vaines disputes de préférence qui divisent les peuples de l'Europe ». La bonne volonté est évidente, mais les temps n'étaient point propices, puisque, tout en reconnaissant les goûts des autres nations, la France prétendait à la palme en faveur du sien. Ils le seront encore moins quand, à l'aube impériale du xixe siècle, Charles Vanderbourg lancera ses *Archives littéraires de l'Europe* que Roland Mortier a si diligemment étudiées.

L'ère des confrontations pacifiques une fois ouverte, de telles revues vont se multiplier et se spécialiser. La *Revue britannique,* fondée en 1825, traduit ou adapte des articles de magazines anglais. Kathleen Jones l'a suivie jusqu'en 1840. La *Revue germanique* (1826-1836), publiée à Strasbourg, puis à Paris, apporte des traductions, des essais, des comptes rendus, des nouvelles. Si son existence a été moins longue que celle de la précédente, c'est que le public était moins préparé à s'intéresser aux choses d'outre-Rhin et qu'elle était plus scientifique que simplement documentaire; la *Revue britannique,* au contraire, offrait à ses lecteurs, à côté de nombreux articles sur l'Angleterre, des études sur les activités les plus diverses dans le monde entier. Plus grave que la première, une seconde *Revue germanique* (1858-1865), créée par deux Alsaciens, Ch. Dollfus et Aug. Nefftzer, présentera l'Allemagne vouée à la philosophie, à l'histoire et aux sciences religieuses et colorée par le prisme du radicalisme protestant et du positivisme.

Ces revues ne manquent pas actuellement *(Études germaniques, Bulletin hispanique, French Studies, Studi Francesi,* etc.), mais, attentives au passé et ne découvrant à peu près rien du présent, sauf *Allemagnes d'aujourd'hui,* s'adressant de plus à des spécialistes, elles ne parviennent pas à toucher un large public.

Il est donc nécessaire d'étudier les revues destinées au grand public et la presse d'information (hebdomadaires, quotidiens). C'est ce qu'a fait Paul Van Tieghem dans sa thèse complémentaire sur *L'Année littéraire* [...] *comme intermédiaire en France des littératures étrangères* (1917). Dirigée jusqu'en 1776 par Fréron, la tête de turc de Voltaire, *L'Année littéraire* a paru de 1754 à 1790, publié deux cent quatre-vingt-douze tomes et rendu compte de quelque douze mille ouvrages. Les littératures étrangères sont représentées par cinq cent cinquante-deux annonces ou comptes rendus, certains étant de véritables articles atteignant jusqu'à soixante-dix pages. Ces chiffres sont parlants. Ils le sont plus encore si l'on distingue, dans ces annonces ou comptes rendus, trois périodes et trois pays :

|           | ANGLETERRE | ALLEMAGNE | ITALIE |
|-----------|------------|-----------|--------|
| 1754-1766 | 107        | 17        | 41     |
| 1766-1776 | 104        | 46        | 34     |
| 1776-1790 | 106        | 31        | 30     |

Ainsi, l'intérêt marqué à l'Angleterre ne se dément pas, tandis que l'Italie perd régulièrement de son importance. La courbe la plus intéressante est celle que montre l'Allemagne. Le chiffre médian (46) correspond à la découverte en France d'une partie de la littérature de langue allemande : Klosptock, Gessner, Wieland, Goethe *(Werther).* De semblables études sont ou seront conduites dans les autres périodiques français du XVIIIe siècle *(Le Pour et Contre* de l'abbé Prévost, les revues rédigées par Marivaux, la *Correspondance littéraire* de Grimm). Les comparatistes seront très attentifs aux résultats que permettra d'obtenir le dépouillement systématique des gazettes de Hollande (c'est par la *Bibliothèque universelle* de Jean Le Clerc que Vico s'introduit en France).

Au XIXe siècle, le certificat de la connaissance d'un auteur étranger en France est fourni par l'insertion d'un article sur cet auteur dans la *Revue des deux mondes,* dont la table analytique est d'une consultation révélatrice. Au XXe siècle, la *Nouvelle Revue française* a joué le même rôle indicateur, qui, à l'époque symboliste, fut celui du *Mercure de France* (Nietzsche, les Russes et les Scandinaves). Par son titre même, la revue *Europe* affirme la même vocation d'intercesseur. Quelques monographies ont été consacrées aux revues dans la perspective comparatiste : *L'Europe littéraire* (1833-1834), dont on remarquera le titre, a été étudiée par Thomas R. Palfrey (1927), *L'Espagne dans la Revue des deux mondes, 1829-1848,* par A.W. Server. Ce dernier genre d'analyse n'a d'utilité que si l'on en vérifie les résultats obtenus par ceux qui ont trait à la connaissance générale qu'on a, au même moment, d'un pays, d'une littérature, d'un écrivain. A cet égard, la première *Revue de Paris* (1829-1843), à laquelle collaboraient Nodier, Chasles, Loève-Veimars (le traducteur d'Hoffmann), mériterait de retenir l'attention. On souhaite de pouvoir bientôt disposer d'un répertoire analogue à celui de Morgan et Hohlfeld : *German Literature in British Magazines (1750-1860).* Sur l'accueil réservé aux auteurs étrangers dans les revues allemandes, des indications utiles sont fournies par les petits volumes de Paul Raabe (collection Metzler).

D'une importance capitale, et faisant fonction de volumes autonomes, sont les numéros spéciaux (ou même les « frontons ») composés par des revues : *Le Romantisme allemand, Études et Textes* (*Cahiers du Sud,* 1937), *Écrivains et poètes des États-Unis* (*Fontaine,* 1943, rééd., 1945), *Aspects de la littérature anglaise de 1918 à 1940* (*Fontaine,* 1944). Ils peuvent être dévolus à un seul écrivain, comme l'*Hommage à Thomas Hardy* (*La Revue nouvelle,* janvier-février 1928).

## FORTUNE, SUCCÈS, INFLUENCES, SOURCES

On emploie souvent ces termes sans excessive rigueur pour les appliquer au sillage que laisse derrière lui un grand écrivain. Il convient ici de les distinguer pour plus de clarté et d'efficacité. Nationale et internationale, la fortune est l'ensemble des témoignages qui manifestent les vertus vivantes d'une œuvre. Elle se compose, d'une part, du succès, d'autre part, de l'influence. Le succès est chiffrable : il est précisé par le nombre des éditions, des traductions, des adaptations, des objets qui s'inspirent de l'œuvre, comme des lecteurs qui sont présumés l'avoir lue. Son étude est donc l'un des secteurs de la sociologie des faits littéraires. Au succès, quantitatif, nous opposons l'influence, qualitative; au lecteur passif, en qui se dégrade l'énergie littéraire dont l'œuvre est chargée, le lecteur actif, en qui elle va féconder l'imagination créatrice et retrouver sa force pour la transmettre à nouveau. Si le succès se calcule, l'influence s'apprécie et met donc en cause, outre les connaissances, l'intuition de celui qui veut en établir l'existence. A la frange de l'un et de l'autre se situent les comptes rendus qui peuvent aussi bien recruter des lecteurs passifs qu'éveiller l'attention et provoquer la disponibilité d'un lecteur actif, d'un créateur.

La fortune, disions-nous, peut être nationale et internationale. Générale-ment, la seconde suit la première. Cela est vrai de la chronologie, mais aussi des aspects de l'œuvre qui sont pris en considération. Pour connaître la fortune étrangère d'un auteur, il est donc bon de suivre d'abord sa réputation dans son pays d'origine : sa fortune hors des frontières est assimilable aux ondes qui vont s'élargissant depuis un centre. Il s'ensuit qu'un décalage se produit entre les histoires littéraires : quand Opitz se met à l'école de Ronsard, la France admire Malherbe. Il arrive aussi qu'un écrivain trouve plus de lecteurs à l'étranger que chez lui : c'est le cas de Du Bartas, poète plus célèbre en Angleterre et en Hollande qu'il ne fut en France, et fort apprécié par Goethe; c'est le cas de Maupassant dont les admirateurs se sont pendant longtemps recrutés surtout aux États-Unis, où il a contribué à la création des *short stories,* en Angleterre, en Allemagne et en Russie; c'est le cas de Charles Morgan à qui seuls les Français ont attribué du génie; c'est peut-être celui de Romain Rolland, très admiré dans les pays de l'Est et en Chine populaire. Il ne faut pas toujours voir ici l'effet du dicton : « Nul n'est prophète en son pays », mais plutôt la conséquence soit d'un texte facile à traduire (ce qui n'indique pas une charge littéraire bien grande), soit d'un besoin à satisfaire (à l'époque de Sartre et de Malraux, qui ne les flattaient pas, Morgan répondait aux aspirations « platoniques » des femmes incomprises).

A ce sujet, on remarquera que la fortune suit des chemins divers : tantôt l'exotisme demandé à l'étranger doit être éclatant, excessif, bariolé; tantôt, il doit être mitigé et ne pas dépayser les lecteurs. Le contemporain de Voltaire se satisfait d'Otway; à celui d'André Breton, la Polynésie paraît tout juste suffisante.

La fortune peut s'inverser en infortune, et l'influence en résistance. La littérature comparée à cet égard est parfois l'histoire des brèves rencontres et des occasions manquées. Pourquoi Góngora fut-il si longtemps refusé en France? On lui reprochait son obscurité; Mallarmé venu, ce défaut s'appel-lera hermétisme poétique. Pourquoi les Français ont-ils accueilli Shakes-peare avec tant de mauvaise grâce? Ils jugeaient que la seule forme de théâtre sérieux était la tragédie écrite en alexandrins, pure de tout alliage avec le comique; au siècle de Claudel les réserves cessent. Pourquoi, alors qu'Hoffmann entrait largement chez nous, Jean-Paul ne trouva-t-il qu'un public de *happy few* et pourquoi son *Introduction à l'esthétique,* bien traduite en 1862, ne fut-elle pas lue par les symbolistes de qui les théories se fussent plus rapidement élaborées à ce contact? C'est qu'Hoffmann offrait avec ses contes fantastiques dont la France, depuis Cazotte, n'était pas sans exemple, une littérature plus assimilable et que le symbolisme s'est inspiré, *via* Baudelaire, de Poe et, par celui-ci, de Coleridge, lui-même influencé par la pensée idéaliste allemande, en sorte que Novalis, autre intercesseur de ce mouvement, parvient en France à la fois directement et après un détour anglo-américain. Ici, Jean-Paul s'est heurté à Hoffmann; là, à Novalis. Bien des Allemands ne sont favorables ni à Racine, ni à La Fontaine, qu'ils jugent étriqués, asservis à des formes indignes de la poésie et du sentiment tragique de la vie.

Ces résistances sont aussi révélatrices du récepteur que les influences qui s'exercent sur lui : elles nous apprennent sa capacité de réception, son degré de saturation; elles nous renseignent sur les différences des structures sociales d'une nation à l'autre, sur la présence, aussi, de l'image prégnante que l'on se fait d'un pays étranger et qui oblige à refuser comme inauthentique tout ce qui ne s'accorde pas avec ses éléments.

Si la littérature comparée a entre autres tâches celle d'étudier la fortune littéraire des auteurs et des œuvres, la théorie de l'esthétique de la réception élaborée par Hans-Robert Jauss et les représentants de l'École de Constance ne peut que remettre ses méthodes en question. La « Petite Apologie de l'expérience esthétique » (*Kleine Apologie der ästhetischen Erfahrung*, 1972), l'étude du parcours « De l'*Iphigénie* de Racine à celle de Goethe », avec l'importante postface (« L'esthétique de la réception : une méthode partielle ») (1975) ont été traduites dans diverses langues, et on les trouve en français dans le volume intitulé *Pour une esthétique de la réception* (Gallimard, 1978). Les notions d'« horizon d'attente » et de « fonction de communication », la conception de l'œuvre comme « résultant de la convergence du texte et de sa réception », l'idée que toute œuvre est réponse à une question et que l'échange de questions et de réponses inscrites dans des œuvres successives constitue, dans un ensemble pleinement développé, la réponse que le passé apporte à la question posée par l'historien sont autant d'acquis pour le comparatiste d'aujourd'hui et l'on pourra voir quel profit par exemple en a tiré Yves Chevrel dans sa belle thèse, soutenue en 1979, sur *La Nouvelle et le Roman naturalistes français en Allemagne*[3].

Les influences proprement dites peuvent être définies comme le mécanisme subtil et mystérieux par lequel une œuvre contribue à en faire naître une autre (le mystère est d'ailleurs enveloppé dans le sens ancien du mot influence). Aux critiques qui contestent l'existence de cette notion, réputée vague et obscure, nous répondrons avec T. S. Eliot que l'écrivain est susceptible de recevoir un « stimulus » créateur de l'admiration qu'il ressent pour un autre écrivain, mais plus encore du « sentiment de parenté profonde, ou mieux d'une intimité personnelle particulière, qu'il a avec un autre écrivain, probablement avec un écrivain mort. Ce sentiment peut l'envahir brusquement comme un coup de foudre ou après une longue fréquentation; c'est certainement une crise; et quand le jeune écrivain est pris de sa première passion de cette sorte, en quelques semaines, de simple agrégat de sentiments empruntés, il peut se métamorphoser en une personne. Pour la première fois, de cette intimité impérieuse naît une certitude vraie, inébranlable. C'est une cause de développement analogue à nos relations personnelles dans la vie. Et comme les intimités personnelles dans la vie, cela peut passer, et passera sans doute, mais cela sera ineffaçable...

Nous n'imitons pas, car nous sommes changés; et notre œuvre est l'œuvre de l'homme transformé; nous n'avons pas emprunté, nous avons été éveillés à la vie, et nous sommes devenus porteurs d'une tradition [4]. » Ezra Pound, dans l'importante lettre à René Taupin (1928), ne nie pas davantage les influences qui se sont exercées sur lui. Il distingue les influences subies, acceptées (Flaubert), et les influences consciemment recherchées, à valeur de libération et de provocation (Laforgue).

Le jeune écrivain n'est pas seul en cause, bien qu'il offre plus facilement sa disponibilité à ces épiphanies. De telles révélations peuvent se produire à tout âge : dans la traduction de Florio, Shakespeare lit les *Essais* de Montaigne, ce dont *La Tempête* porte trace.

La mise en accusation de la recherche des influences par René Wellek, nuancée par les articles de Henry Remak et de Marcel Bataillon [5], nous paraît moins importante que le témoignage de T. S. Eliot. Libre à qui voudra de s'enfermer dans la Byzance de « l'œuvre-en-soi ». Mais le vers : *Felix qui potuit rerum cognoscere causas,* restera longtemps encore la devise de ceux qui, niant l'*ontological gap* entre l'homme et l'œuvre, préfèrent à un tel postulat celui d'une relation causale expliquant la seconde par le premier, c'est-à-dire par son psychisme, par sa biographie spirituelle, comme par ses lectures, aliments de son imagination créatrice. Il faut croire que cette recherche traduit une nécessité profonde, puisque l'histoire littéraire, à laquelle les reproches de Wellek s'appliquent tout aussi bien qu'à la littérature comparée, qui en un sens n'est qu'une branche de celle-ci, ne s'est jamais mieux portée.

Il y a cependant lieu de retenir, de l'intervention de Wellek, une mise en garde : la chasse aux influences n'est pas moins vaine parfois que l'interview des voyageurs. Une étude sur l'influence de Béranger en Iran peut aisément procurer un titre de docteur; elle n'accroît pas le patrimoine réel de la littérature comparée. De plus, ces études d'influences se bornent trop souvent à des listes d'écrivains secondaires, plus malléables : c'est la valeur de l'auteur influencé qui donne son prix à l'influence autant, sinon plus, que celle de l'émetteur, car c'est l'œuvre produite par l'influence qui prouve la force de l'énergie littéraire. Enfin, il convient de distinguer des degrés différents, depuis l'imitation consciente jusqu'à l'inconsciente émersion de vers jadis lus et relus, en passant par l'emprunt d'un détail infime, et de ne pas attribuer systématiquement à une influence ce qui peut être simple rencontre, affinité : dans une lettre (juin 1864) à Thoré-Burger qui avait prétendu que Manet pastichait Goya et le Greco, Baudelaire défendait le peintre en citant son propre exemple : « Vous doutez de tout ce que je vous dis? Vous doutez que de si étonnants parallélismes géométriques puissent se présenter dans la nature. Eh bien! on m'accuse, moi, d'imiter Edgar Poe! Savez-vous pourquoi j'ai si patiemment traduit Poe? Parce qu'il me ressemblait. La première fois que j'ai ouvert un livre de lui, j'ai vu, avec épouvante et ravissement, non seulement des sujets rêvés par moi, mais des *phrases* pensées par moi, et écrites par lui vingt ans auparavant. » Voilà qui restreint beaucoup la portée de l'influence exercée par l'Américain sur *Les Fleurs du Mal.*

Ces réserves faites, la relation causale qu'implique l'influence reste l'un des objectifs majeurs de la littérature comparée. Il est donc licite et même souhaitable de poursuivre l'étude des influences. Influence de l'ensemble d'une œuvre (*Goethe en France,* par Baldensperger, 1904; *Goethe en Angleterre,* par J.-M. Carré, 1920; *Goethe en España,* par Robert Pageard, 1958, traduction d'une thèse de Sorbonne), que peut compléter celle de la personnalité d'un auteur d'où irradie une image (le Goethe « sentimental » de la jeunesse, le Goethe classique, le Goethe « olympien » de la glorieuse vieillesse). Influence d'une œuvre isolée sur une ou plusieurs littératures. Influence d'un genre littéraire : l'épopée moderne de l'Arioste et du Tasse dans le XVIIᵉ siècle français; la tragédie de type racinien en Allemagne; le lied allemand en France (étudié par Duméril); l'idylle de Théocrite à Chénier; la « terza rima » de Dante à Heredia; le sonnet de Pétrarque à Valéry; le roman historique de Walter Scott et ses effets sur Balzac et sur Hugo; l'essai, dont Ch. Dédéyan (*Montaigne chez ses amis anglo-saxons,* 1947) a montré le développement. Influence d'une forme de versification (l'alexandrin, porté hors de nos frontières grâce au prestige des grands genres classiques). Influence d'une technique (le monologue intérieur utilisé systématiquement par Édouard Dujardin dans *Les lauriers sont coupés,* 1887, adopté par Joyce dans *Ulysse,* puis par les romanciers américains avant de revenir en France avec Sartre). Influence d'un style qui traduit une attitude : le pétrarquisme, étudié en France par Joseph Vianey dans sa thèse (1909); le bernesque italien qui contribue à la naissance du burlesque français. Influence d'une théorie littéraire : le manifeste de Sébastien Mercier, ami de Rousseau, admirateur de Shakespeare, contempteur de la tragédie classique : *Du théâtre ou nouvel essai sur l'art dramatique* (1773), est traduit par le *Stürmer* H. L. Wagner (1776) et marque les conceptions (*Die Schaubühne als eine moralische Anstalt betrachtet,* 1784) et la production dramatiques de Schiller.

Influence, ou apport, si l'on préfère, — il est certain qu'aucune littérature ne serait ce qu'elle est, si l'on ne comptait pas avec des causes situées presque aussi souvent à l'étranger que dans le pays même.

La recherche des influences conduit des émetteurs aux récepteurs. Celle des sources, inversement, remonte le courant et peut-être demande-t-elle encore plus de tact et de pénétration critique. Si l'on établit la statistique des grands travaux de littérature comparée qui illustrent ce chapitre, on observera que l'étude des influences l'emporte sur celle des sources, contrairement aux résultats obtenus dans les histoires littéraires nationales. La raison en est compréhensible : d'une part, l'influence suit des canaux aisément repérables (traductions, adaptations); d'autre part, le pèlerinage aux sources est une aventure dans l'obscurité des possibles. Celui qui étudie l'influence de Shakespeare sur Claudel a apparemment meilleure conscience que celui qui veut remonter jusqu'à leur source la complexe totalité des affluents, qui s'appellent aussi la Bible, Eschyle, Racine, Coventry Patmore, Rimbaud, Mallarmé, et qui grossissent le fleuve Claudel. A cet égard, le dosage des sources est plus utile et plus exigeant que le repérage des influences : il met en cause l'ensemble des mécanismes de la création littéraire, dans la perspective de la critique d'intentionnalité préconisée par Georges Blin. De cette difficulté, la *Bibliography* de Baldensperger et Friederich est comptable : ordonnée suivant le critère de l'émetteur, elle fait abstraction du récepteur. « Nous voyons bien — écrit B. Munteano (*RLC,* 1952) — l'influence exercée, mais ignorons tout de l'influence subie. Or, il se trouve qu'une influence ne devient vraiment créatrice de valeurs qu'une fois subie. Dès lors, le point d'arrivée, et la réaction qu'il déclenche, importe au moins autant que le point de départ, et l'action qu'il entraîne. J'étudie, du premier point de vue, La Fontaine ou Sainte-Beuve, je cherche à reconstituer les données extérieures de leur personnalité, de leur œuvre. En l'état actuel des choses, la *Bibliography* ne m'y aide guère. Comment saurai-je que La Fontaine et Sainte-Beuve ont subi l'influence de saint Augustin, par exemple, et que cette influence a été étudiée? Il en est bien question, mais à saint Augustin en tant qu'émetteur, page 320, et nullement aux chapitres des auteurs que j'étudie. » Il faut donc se fier à son imagination, à son intuition, ou plutôt lire quelques centaines de pages de titres, car il ne va pas de soi que La Fontaine ait subi l'influence de saint Augustin. D'où la nécessité d'un index, au moins, qui regrouperait les matières suivant les critères du récepteur.

On devrait se donner pour tâche de reconstituer la bibliothèque idéale de l'écrivain, de définir sa *Belesenheit,* la totalité de ses lectures et l'importance relative de chacune d'elles. Ainsi a procédé Jean Pommier *(Dans les chemins de Baudelaire);* ainsi Baldensperger, dans une perspective purement comparatiste *(Orientations étrangères chez Honoré de Balzac).* On s'aidera des catalogues des bibliothèques dont ont réellement disposé les auteurs : pour Voltaire et pour Goethe ils ont été publiés (les ouvrages anglais ne manquent pas dans le premier, ni les anglais et les français dans le second). Mais on n'oubliera pas qu'un livre, même coupé, peut figurer sur un rayon sans avoir été lu; et Gide se moqua de Barrès qui avait dépouillé ses Byron de leur contenu, dissimulant derrière les reliures... des flacons de parfum. On n'oubliera pas non plus qu'un livre lu le fut parfois dans une bibliothèque publique (les registres de prêt de la Bibliothèque nationale de Paris ont été conservés et permettent d'intéressantes recherches) ou dans un cabinet de lecture; à moins qu'il n'ait été emprunté et rendu ou donné à un ami : après avoir pris connaissance des ouvrages qui lui étaient adressés, Lamartine les envoyait à son beau-frère et, dans sa thèse sur *Jocelyn,* Henri Guillemin a remarqué que l'inventaire des livres anglais qui lui avaient appartenu était insuffisant à rendre compte de ses lectures anglaises.

On ne saurait trop insister sur le doigté et la prudence dont il convient d'user pour établir avec certitude l'existence d'une source. *La Tragédie du vengeur* (1607) du dramaturge élisabéthain Cyril Tourneur met en scène un événement historique : l'assassinat d'Alexandre de Médicis par son cousin Lorenzino en 1537, — épisode qui fournira plus tard à George Sand et à Musset la matière d'une scène historique et d'un drame. Pour Pierre Legouis (*Études anglaises,* 1959), la source de Tourneur fut la douzième nouvelle de l'*Heptaméron* de Marguerite de Navarre. Ici et là, c'est la propre sœur de son futur assassin que convoite le duc de Florence, alors que dans la réalité — dont s'approchera Musset — ce fut une jeune tante de Lorenzino. Aussi Ernest Giddey (*Atti della Accademia Nazionale dei Lincei,* 1961) ne croit-il pas que le seul événement de 1537 soit en cause. Il y superpose des faits qui se sont produits à Florence un quart de siècle plus tard, non sans se demander « quel est le véhicule qui permit à des événements survenus sur les bords de l'Arno de gagner les rives de la Tamise ». Ce véhicule fut l'œuvre des adversaires des Médicis, exilés dans d'autres régions de l'Italie ou en France, qui s'empressèrent de médire des nouveaux maîtres de Florence, dès que ceux-ci leur en donnèrent l'occasion — et que d'occasions! Agent diplomatique, Tourneur était bien placé « pour capter les informations qui par des voies multiples provenaient d'Italie ». Si même il faut à l'une des sources — celle qui est relative au crime de 1537 — une caution écrite, point n'est besoin de faire appel à Marguerite de Navarre. P. Legouis veut éliminer les ouvrages imprimés après la composition de *La Tragédie du vengeur.* E. Giddey réplique qu'une telle exclusion est imprudente et que les chroniques, entre autres, circulaient souvent en copies manuscrites, bien avant d'être imprimées. Ainsi, celle de Bernardo Segni, composée avant la naissance de Tourneur, imprimée seulement après sa mort : on y lit que Lorenzino avait « promis au Duc de lui amener ce soir-là sa sœur charnelle, appelée Laudomine ».

Les influences agissent parfois à la manière des catalyseurs : elles provoquent ou accélèrent une réaction sans entrer dans le résultat de celle-ci. Vers 1755, le chevalier de Vatan, jeune officier qui mourra à vingt-quatre ans, écrit une *Ode à l'Éternité,* exhumée par Paul Chaponnière (*Revue d'histoire littéraire de la France,* 1919). Or, c'est une imitation très fidèle, très belle aussi d'une ode du grand Haller. Bien des années passeront avant que d'autres voix — celle de Lamartine, notamment — répondent à celle du jeune homme. Une lecture aura suffi pour animer la sensibilité latente du chevalier : « L'influence étrangère, en un tel cas, ne modifie pas l'âme; elle la touche et la libère » (D. Halévy, *La Revue de Genève,* janvier-juin 1923, p. 494). Ce recours à l'étranger est souvent un prétexte pour rompre avec une tradition étouffante : « On se tourne vers Ossian parce qu'on a Bernis, on se tourne vers Byron parce qu'on a Parny » (Lanson, *Revue des deux mondes,* 15 février 1917). L'Allemagne de Lessing et de Wieland a ainsi fait appel à Shakespeare pour se délivrer de l'emprise française; non sans provoquer un conflit conjugal entre M. Gottsched, qui défendait Boileau, et Madame, qui exaltait le grand Will. Mais ce que l'on croit demander, on le possède déjà, comme le notait Baldensperger au début de *Goethe en France* : « Il est bien certain qu'une époque littéraire lorsqu'elle découvre et qu'elle annexe des idées ou des formes exotiques [des thèmes et des sentiments, — peut-on ajouter], ne goûte et ne retient vraiment que les éléments dont elle porte, par suite de sa propre évolution organique, l'intuition et le désir en elle-même. »

Les études systématiques d'influences et de sources — les unes complétées par les autres — pourraient de la sorte nous permettre de renouveler notre vision de bien des questions littéraires. Entre le classicisme et le romantisme qui s'affirme dans les œuvres de Rousseau, de Senancour, de Chateaubriand, on a accoutumé de faire intervenir l'influence anglaise, puis l'allemande. Le « préromantisme » (notion contestée aujourd'hui) devient ainsi l'apanage des comparatistes, lesquels brandissent les noms de Richardson, de Young, de Hervey, de Gray, de Sterne, plutôt que de penser que du baroque au romantisme la continuité est perceptible en Allemagne, et même en Angleterre sous le placage classique. Pourquoi donc cette continuité n'existerait-elle pas, plus secrète, en France? De fait, il est déjà possible de désigner certains jalons, en attendant que des yeux exercés et non prévenus repèrent les autres. Il y a eu non révolution, mais évolution favorisée par l'action de l'Angleterre et de l'Allemagne. Toute histoire comparatiste d'une littérature n'oubliera jamais sa propre histoire intérieure.

Le phénomène de l'imitation doit être distingué de celui de l'influence. L'influence est subie de façon plus ou moins consciente : pénétration lente, osmose, ou bien visitation, illumination, elle ne présente aucun caractère systématique, au contraire de l'imitation.

Celle-ci confine d'une part à la sociologie, d'autre part, au droit pénal.

La mode est étroitement apparentée au succès. On n'insistera pas ici sur cette imitation délibérée de formules qui font recette et qui pourraient nous conduire jusque dans l'arrière-boutique des marchands de colifichets (la vogue du plaid écossais vers 1830 s'explique par celle des romans de Walter Scott).

Quant aux plagiats, ils secourent l'inspiration défaillante, à moins que le plagiaire ne veuille reconnaître par son emprunt que le plagié avait le premier mieux rencontré. Ces deux motifs excusent peut-être Stendhal d'avoir pillé des livres italiens pour écrire les *Vies de Haydn, Mozart et Métastase* et l'*Histoire de la peinture en Italie*.

L'imitation proprement dite doit être étudiée en relation avec l'esthétique régnante. Or celle-ci, du classicisme au romantisme, a changé d'accent. L'esthétique renaissante et classique veut que l'on imite des modèles anciens qui se sont rapprochés de la nature et qui n'en ont pris que les éléments dont se compose la « belle nature ». L'originalité ne réside pas dans le choix du sujet, du thème, de l'intrigue, mais dans la disposition selon laquelle on les ordonne et dans la diction dont on les revêt. Inlassablement, on écrit des *Belles Matineuses* et des *Iphigénies*. Le romantisme affirme le primat de l'originalité, du génie, de l'imagination créatrice, et, lors même qu'il propose Shakespeare à l'admiration des Français, il recommande, non pas de l'imiter, mais de se mettre à l'école de ses principes.

L'imitation systématique est pratiquée aux époques où une littérature a conscience de sa pauvreté. Tel est le sentiment de Du Bellay quand il rédige la *Deffence et Illustration* : appliquant lui-même le précepte dont il est le héraut, il emprunte silencieusement son argumentation au *Dialogo delle lingue* de Sperone Speroni, transposant du toscan au français les exhortations par lesquelles l'Italien appelait ses compatriotes à se libérer du joug gréco-latin pour honorer leur langue vernaculaire. Mais en empruntant de toutes mains à la Grèce, à Rome, à l'Italie de la Renaissance, la Pléiade, en son début, a-t-elle créé œuvre vive? On citera des pages de la *Deffence,* des sonnets de l'*Olive,* des odes pindariques de Ronsard qui appartiennent assurément à l'histoire de la littérature, sans enrichir son patrimoine. Il en va différemment d'autres sonnets de l'*Olive* où Du Bellay transmue la matière première italienne et de ces odes de goût horatien par lesquelles Ronsard égale son modèle en prenant avec lui d'heureuses libertés (détail minuscule, mais révélateur : les yeuses italiques deviennent saules vendômois). Les importations massives peuvent être nécessaires en attendant la récolte locale dont seuls les produits flatteront le palais. Chasles avait raison d'écrire : « Les peuples ne s'enrichissent point par des emprunts formels, mais par une longue infiltration des principes qui renouvellent leur vie intellectuelle. [...] Quand deux civilisations se touchent, quand leurs points de contact greffent la sève de l'un pour la confondre avec la sève de l'autre, il en résulte un mélange hybride, très brillant et dont on ne peut contester la valeur; mais quand on imite pour imiter, ce travail ne produit à la fin que des fleurs artificielles, dans le genre de celles que se plaisait à créer je ne sais quel botaniste, qui insérait les pétales d'une plante dans le calice d'une autre, et créait ainsi de beaux monstres privés de vie et de végétation » (*Revue britannique,* mars 1837, p. 57).

## LA FORMULE X ET Y ET SON EXTENSION

Malgré la diversité des titres et des contenus, tous les travaux qui étudient fortune, succès, influences, sources peuvent se ramener à un type unique : *X et Y. X* peut, comme *Y,* signifier à volonté un continent, une civilisation, une nation, l'œuvre totale d'un auteur, l'auteur lui-même (cas le plus fréquent), un seul texte, un passage, une phrase, un mot. Aucune proportion fixe entre les deux variables, aucune limite, ni dans le temps, ni dans l'espace, ne sont imposées. D'où des résultats en apparence aussi divers que *Note pour l'histoire des relations intellectuelles entre l'Europe et l'Amérique du Sud* (Baldensperger), *L'Orient de Maurice Barrès* (Ida-Marie Frandon), *L'Allemagne devant les lettres françaises de 1814 à 1835* (Monchoux), *L'Influence française dans l'œuvre de Pope* (Audra), *Don Quichotte en France* (Bardon), *J.-J. Rousseau en Angleterre à l'époque romantique* (Voisine), *L'Angleterre et Voltaire* (A.-M. Rousseau), *Diderot en Allemagne* (R. Mortier), *Marivaux en Allemagne* (J. Lacant), *La Fortune des écrits de J.-J. Rousseau dans les pays de langue allemande de 1782 à 1813* (J. Mounier).

Quant au *et* copulatif, la seule liste qui précède en indique quelques nuances. Ce *et* peut vouloir dire : *jugé par, vu par, influencé par* (ou : *influençant), orientant, séjournant en, voyageant en, lisant, rêvant de, traduit par, joué par, imité par, lu par,* etc. L'ambiguïté de cet *et* demeure d'ailleurs la grande faiblesse bibliographique, et même idéologique, du système, d'autant que l'on ne voit pas toujours dans quel sens se fait l'échange.

Nos trois termes, *X* et *Y* surtout, jouant entre des limites fort reculées, les combinaisons dictées par la nature des écrivains et des textes, la masse des documents disponibles, ou, tout bonnement, l'ambition et le loisir du chercheur, atteignent un nombre illimité, mais non indéfini. Entre *Orient et Occident* et une simple notule sur le sort d'un unique mot étranger dans un certain poème, nous ne voyons cependant qu'une différence d'étendue, non de nature.

Ce n'est qu'aujourd'hui qu'un coup d'œil rétrospectif permet d'enfermer tant de travaux divers dans une formule aussi simple. Personne, voici quatre-vingts ans, ne pouvait prévoir un tel succès. Ainsi établi, le type s'est révélé stable et fructueux et doit ses progrès à ce qu'il est légitime d'appeler une « École ».

Est-ce une École « française », épithète ajoutée, comme nous l'avons déjà dit, dans les années de « crises » qui suivirent la dernière guerre? L'origine de ses fondateurs (F. Baldensperger et J.-M. Carré sont tous deux morts en 1958), son enracinement dans nos universités la rendraient assez légitime. Mais, si la plupart de ses disciples furent effectivement des Français entre les deux guerres, de nombreux étrangers sont venus les rejoindre. Actuellement, « École française » ne peut plus désigner ni une nationalité, ni une langue de rédaction, mais une orientation générale suivie dans le monde entier, y compris aux États-Unis. Si nous conservons le terme, c'est entre guillemets, avec une valeur analogue à celle que l'histoire de l'art attribue aux « Écoles »; ou de même que l'art gothique porta, dans toute l'Europe, le nom d'« art français ».

L'École « française » posa les fondements de toute solide recherche : nécessité, avant toute interprétation, d'une impeccable et minutieuse chronologie, — la principale difficulté n'étant pas d'établir les dates, mais de les choisir —; obligation d'une érudition supra-nationale soutenue par de bonnes connaissances linguistiques (le recours aux textes originaux étant toujours préféré au travail sur traductions); rassemblement d'une multitude de faits connexes relevant de la civilisation, trop souvent négligés.

Forte de cette méthode, l'École « française » a considérablement élargi le patrimoine littéraire exploitable, et même connu. Correspondances inédites, versions ignorées, manuscrites ou imprimées, textes publiés hors des frontières nationales, souvenirs de voyage ou témoignages de rencontres et conversations, ont été tirés de l'indifférence où les maintenait une recherche en vase clos. Sans qu'ils aient besoin d'être des chefs-d'œuvre, ces documents comblent des lacunes, créent, par leur nombre et leur diversité, la profondeur de perspective qui manque bien souvent aux travaux nationaux. Il avait suffi d'étendre systématiquement à l'étranger une curiosité jusqu'alors timide.

Mais on fit mieux que franchir les frontières. On découvrit de nouveaux problèmes, assortis de réelles difficultés. Que faut-il entendre par « littérature nationale »? Est-ce une question de langue, d'appartenance politique, de tradition culturelle? Que faire des lettres romandes, wallonnes, canadiennes, et maintenant antillaises et africaines, pour le français? des lettres indiennes, et, pourquoi pas? américaines, pour l'anglais (on a étudié *The American Voice in English Poetry*)? Les littératures portugaise et brésilienne, espagnole, argentine et mexicaine, forment-elles deux groupes, ou cinq? Et les Flandres, à cheval sur deux nations? la Suisse, sur quatre langues? Ne peut-on parler d'une Scandinavie en quatre personnes? Où classer au juste l'Autriche, l'Irlande? Les littératures celtiques, provençales, les textes médiévaux latins résistent aux classifications. Sans la littérature comparée, aurait-on posé ces questions avec tant de force?

Admettons que les cellules nationales soient circonscrites, les liens entre les œuvres, comme entre les auteurs, se révèlent souvent superficiels et secondaires, le mystère de la création littéraire plus opaque que jamais. « Le lion, disait Valéry, n'est que du mouton assimilé. » Par un louable respect pour les lions — les chefs-d'œuvre —, on s'est tourné vers les moutons, les phénomènes marginaux, les écrivains de deuxième et de troisième ordre, les intermédiaires qui ne méritent même plus le nom d'auteurs. D'autre part, en prenant pour règle de n'accepter que les relations prouvées, certaines périodes où rien n'est sûr, comme le Moyen Age, les littératures orales, tels écrivains habiles à couvrir leurs traces, restent dédaignés ou méconnus. Écrite par le comparatiste, l'histoire littéraire nationale ne semble plus correspondre aux idées reçues. Enfin, entre les génies « originaux » qui puisent toute leur sève dans le terroir national, et les écrivains composites en qui convergent les quatre vents de l'Europe, entre l'étude de la fortune des œuvres hors des frontières et la décevante dissection des éléments empruntés, bref, entre les reflets et les kaléidoscopes, on pouvait craindre que le comparatiste ne se fût laissé accaparer par les apparences aux dépens de l'essentiel.

Par quel abus en arrive-t-on à une telle distorsion de ce que l'on pensait être la réalité? Précisément parce que le point de vue national n'est qu'une image parmi les autres. La perspective traditionnelle érigeait en absolu ce qui n'était que relatif. La littérature comparée replace hommes et œuvres dans le vaste système des effets et des causes, où les réputations ne sont que ce que nous les avons faites.

Il y aurait aussi beaucoup à dire sur l'imagination du comparatiste. Toute science nouvelle se forge un vocabulaire. Sans dédaigner la mécanique des fluides (sources, courants, confluents), certains préfèrent les métaphores marchandes. Les pages qui précèdent démontrent combien il est difficile de s'en passer : courtier, intermédiaire, agent de diffusion, bilan, fortune, valeur, apport, emprunt, dette. Ne va-t-on pas en conclure que les denrées littéraires s'exportent ou s'importent, que les actions des écrivains sont cotées dans une Bourse universelle, le comparatiste jouant à volonté le rôle de douanier, d'expert-comptable, ou d'agent de change de ce trafic culturel? Paradoxalement, comme on l'a vu, cette abondance d'images commerciales masque une méconnaissance fâcheuse du commerce réel des livres, des éditeurs, des contrefaçons, des circuits de librairie, des tirages.

Et que de remarques appellent les comparaisons spatiales, auditives (émission, réception, transmission, diffusion) ou visuelles (rayonnement, foyer, miroir, reflet) et, plus encore, une vision biologique des choses! Tel un organisme vivant, voici le texte qui enfle et se métamorphose aux dépens de la substance spirituelle environnante, sans que rien ne se perde ni se crée, la tâche du comparatiste se bornant à peser l'objet littéraire avant et après le processus d'absorption (ou d'excrétion), et à équilibrer les formules. Docile à la pensée bergsonienne, ce recours aux sciences de la nature vise à mieux saisir l'évanescente vie créatrice.

Il n'en reste pas moins vrai que toute étude où la pensée se fonde sur la métaphore ne saurait prétendre au nom de science. Le comparatiste, certes, partage la triste condition de toute critique littéraire qui, après avoir rejeté l'impressionnisme lyrique et subjectif, cherche sa langue et ses structures de pensée hors de la poésie, dans la multiplicité des sciences humaines.

Finalement, après l'exploration enthousiaste du nouveau domaine international, après la définition d'un vocabulaire et d'une doctrine générale dont Paul Van Tieghem se fit le principal champion, la littérature comparée évolua. Sans même attendre que tous les « grands » sujets de type $x$ et $y$ soient traités, il apparut qu'une formule trop uniforme faussait la complexité des phénomènes de relation. Entre les deux guerres, déjà, la recherche comparatiste chercha à s'étoffer.

Sans doute la recherche des influences reste-t-elle, comme le note Simon Jeune, une préoccupation majeure de « la littérature comparée au sens étroit du terme ». Mais le temps n'est plus où l'on pouvait reprendre à propos du phénomène de l'influence l'adage de Valéry. Une voie est à trouver, comme l'a montré A. Owen Aldridge et comme l'a rappelé après lui Melvin

J. Friedman [6], entre l'étude des influences mécaniques *(mechanical influence studies)* et celle des analogies superficielles *(impressionistic affinity studies)*. Et elle ne peut l'être, précisément, que si l'on tient compte de la richesse du substrat et de la liberté de l'œuvre.

Dans le cadre d'un travail académique sur un sujet de fortune littéraire, classique en littérature comparée, *Dostoïevski en France de 1880 à 1930* (thèse inédite, 1972), Jean-Louis Backès a essayé de renouveler l'usage de la notion d'influence. Il convient, notait-il, d'arracher l'œuvre à sa signification « monologique », et le pays récepteur, ou l'écrivain récepteur, à sa passivité d'appareil enregistreur. Il faut tenir compte de l'« idéologie », c'est-à-dire de « ce système de représentation qu'une société se fait d'elle-même dans ses rapports avec le réel ». Il importe enfin de rester défiant à l'égard de ce que Larbaud appelait déjà « le jeu des influences ». Si assimilation il y a, elle est virtuelle, fixée *a priori* : c'est une influence par identification quand le texte reproduit purement et simplement l'idéologie dominante. Ou bien cette assimilation est impossible parce que le texte détruit par son travail propre les éléments qu'il contient : l'influence se fait, comme le disait Gide lui-même, « par protestation ». Autrement dit, pour reprendre les termes de J.-L. Backès, « l'élément repris est soumis à un nouveau traitement qui en modifie le sens, non pas en référence à la totalité d'une œuvre nouvelle » (totalité de signification dont il conteste l'existence), « mais dans le mouvement de destruction du sens hérité ».

Novalis déjà établissait une distinction entre imitation symptomatique et imitation génétique *(eine symptomatische und eine genetische Nachahmung)* : l'une serait la simple réduplication de l'œuvre, l'autre une création originale à partir d'une lecture. Seule la dernière est vivante. Elle présuppose l'union la plus intime de la raison et de l'imagination. Car « ce pouvoir d'éveiller en soi une individualité étrangère — pas simplement par une imitation superficielle trompeuse — est encore tout à fait inconnu — et repose sur une très merveilleuse *pénétration* et une mimique spirituelle. L'artiste devient tout ce qu'il voit et veut être [7] ».

Même si l'on entend la littérature comparée au sens étroit du terme — « l'étude des relations entre deux ou plusieurs littératures » (Wellek et Warren, p. 66) —, on s'aperçoit que son domaine est très étendu : échanges littéraires internationaux, études d'influences, études de fortune littéraire ou de réception. Mais on s'aperçoit aussi qu'elle n'est pas seulement un lansonisme (mal compris) étendu au-delà des frontières nationales. Elle part du fait comparatiste pour en analyser les modulations les plus subtiles : les modifications du texte traduit ou imité, les réinterprétations et gauchissements, la relation spéculaire du portrait et du modèle, la mise en œuvre, à partir d'une rencontre, d'une liberté créatrice.

## IMAGES ET PSYCHOLOGIE DES PEUPLES

La recherche des images est une orientation récente de la littérature comparée. Elle est en 1930 l'objet de la thèse de Georges Ascoli, *La Grande-Bretagne devant l'opinion française au XVIIᵉ siècle.* Elle reçut ensuite de J.-M. Carré une impulsion décisive, ce dont témoigne avec éclat la thèse de Michel Cadot (1967) : *L'Image de la Russie dans la vie intellectuelle française (1839-1856).* Mais elle saurait trouver ses lettres d'ancienneté chez Rousseau qui confiait au maréchal de Luxembourg, à propos de la Suisse en général et de Neuchâtel en particulier : « Nous attribuons aux choses tout le changement qui s'est fait en nous. [...] Les différentes impressions que ce pays a faites sur moi à différents âges me font conclure que nos relations se rapportent toujours plus à nous qu'aux choses et que, comme nous décrivons bien plus ce que nous sentons que ce qui est, il faudrait savoir comment était affecté l'auteur d'un voyage en l'écrivant, pour juger de combien ses peintures sont au-deçà ou au-delà du vrai. »

L'image est une représentation individuelle ou collective où entrent des éléments à la fois intellectuels et affectifs, objectifs et subjectifs. Aucun étranger ne voit jamais un pays comme les autochtones voudraient qu'on le vît. C'est dire que les éléments affectifs l'emportent sur les éléments objectifs. « Les erreurs se transmettent plus vite, et mieux, que les vérités »; aussi, à de rares exceptions près, « l'histoire comparée de ce qu'on prend pour des idées » n'est-elle « que celle du cheminement des mythes » (Étiemble, *L'Orient philosophique*). Or : « On ne voit pas plus un pays où s'incarne un mythe auquel on croit qu'on ne voit une femme qu'on aime » (Malraux, *Les Noyers de l'Altenburg*). Qu'on aime ou qu'on hait.

Images sont mythes ou mirages, — ce dernier mot exprimant bien l'attrait irrésistible qui éveille et qui excite notre sympathie, indépendamment du contrôle de la froide raison, parce que cet attrait n'est que la projection de nos propres rêves et désirs. *Le Mirage russe en France au XVIIIᵉ siècle* (thèse d'Albert Lortholary, 1951) fait tenir pour négligeable la terrible tyrannie exercée par les tsars et nommément par Catherine II pour n'admirer que le fonctionnement du despotisme éclairé, souhait de nos philosophes. J.-M. Carré a décrit les symptômes et les manifestations de l'épidémie germanophile qui s'est abattue sur la France au XIXᵉ siècle et dont la guerre de 1870 l'a cruellement guérie, mais pour la vouer alors à une germanophobie non moins excessives (*Les Écrivains français et le Mirage allemand, 1800-1940,* 1947).

L'image qu'un auteur se compose d'un pays étranger, d'après son expérience personnelle, ses relations, ses lectures, est intéressante à étudier, lorsque cet auteur est vraiment représentatif, lorsqu'il a exercé une influence réelle sur la littérature et sur l'opinion publique de son pays. Voltaire et M^me de Staël sont dans ce cas. Un intermédiaire peut être le créateur de l'image : Béat de Muralt est le prédécesseur de Voltaire.

L'image d'un pays dans l'ensemble d'une littérature au long de son développement montre souvent des variations qui résultent à la fois de l'évolution du pays considéré et de celle du récepteur. Pour la dessiner, il convient de recenser *tous* les éléments littéraires qui la constituent, en affectant chacun d'un coefficient d'importance. François Jost s'est penché sur *La Suisse dans les lettres françaises au cours des âges* (1956). La Suisse des lansquenets — fidèles soldats, grands buveurs, intraitables sur la solde (« pas d'argent, pas de Suisses ») — est la première à s'imposer de Philippe de Commynes jusqu'à Jean-Jacques, et même jusqu'au sacrifice héroïque de la garde royale des Tuileries, le 10 août 1792, en souvenir duquel se dresse le Lion de Lucerne : *Helvetiorum fidei ac virtuti.* Ces traits apparaissent en relief dans les trois sonnets des *Regrets* écrits par Du Bellay lorsqu'il traversa la Suisse. *La Nouvelle Héloïse* (1761), dont l'action a été préparée par la traduction des *Alpes* de Haller et des *Idylles* de Gessner, met la Suisse à la mode et à l'honneur. Auparavant, ses habitants s'étaient répandus dans le monde; dorénavant, la Suisse attire les voyageurs : elle est le pays du pittoresque, celui des « sentiments purs, tendres et honnêtes » (Rousseau), de l'amitié, de l'amour et des vertus bucoliques, enfin celui de la liberté et de la démocratie. Ce dernier élément est renforcé par le mythe de Guillaume Tell, qui prolifère en partie grâce au drame de Schiller.

Cette image que révèle l'ensemble d'une littérature, quelle est son incidence sur l'image globale qu'un peuple se forme d'un autre peuple? Poser cette question suppose qu'on ait d'abord répondu à celle-ci : quelle influence la littérature exerce-t-elle sur l'opinion publique? Nous sommes ici au carrefour de la littérature, de la sociologie, de l'histoire politique et de l'anthropologie ethnique.

Les historiens ont bien compris de quelle utilité pouvaient leur être les recherches des comparatistes. Préfaçant la thèse de René Rémond, *Les États-Unis devant l'opinion française, 1815-1852,* Pierre Renouvin écrivait : « Lorsque M. Monchoux montre [*L'Allemagne devant les lettres françaises de 1814 à 1835*] comment, sous l'influence de M^me de Staël, les milieux littéraires français ont été entraînés [...] par un courant germanophile; lorsque Claude Digeon analyse « la crise allemande de la pensée française de 1871 à 1914 », ou que Marius-François Guyard étudie « l'image de la Grande-Bretagne dans le roman français de 1914 à 1940 », ces recherches éclairent la formation de l'opinion publique ». Et R. Rémond, lui-même historien, tend la main à ses collègues comparatistes pour faire avec eux un bout de chemin.

L'anthropologie ethnique se compose de la caractérologie ethnique et de l'ethnopsychologie (appelée aussi psychologie ethnique et psychologie des peuples). Deux aspects donc : le caractériel et le psychologique, le premier,

65

fondamental, quasi physiologique, constituant l'infrastructure, le second, plus riche, la superstructure du psychisme collectif.

Comme la caractérologie des individus, la caractérologie ethnique recense des types caractériels. Ainsi, le Parisien, « primaire », émotif et non-actif, se définit comme un nerveux. Malgré les brassages de populations, il est encore possible de déterminer des caractères de cette sorte : le Bavarois, le Prussien, entre autres, pour l'Allemagne. On remarquera que le caractère ethnique, pas plus qu'il ne coïncide avec le territoire politique actuel d'un grand pays, ne peut s'inscrire dans les limites linguistiques : qu'on pense aux Hanovriens, aux Viennois, aux Zurichois, tous germanophones et pourtant hétérogènes.

Si le caractère semble propre à une collectivité relativement restreinte, en revanche l'ethnotype psychologique fond des caractères divers dans le creuset de la nation : des mythes et des souvenirs communs, de communs intérêts induisent les groupes et les individus à reconnaître leur appartenance à une ethnie.

Il n'est pas de notre compétence d'aller au-delà de ces indications sommaires que l'on complétera facilement par *La Psychologie ethnique* de Georges Heuse (1953), *National Character and National Stereotypes* de H. C. J. Duijker et N. H. Frijda (Amsterdam, 1960, avec une bibliographie d'un millier de titres), *La Caractérologie ethnique. — Approche et Compréhension des peuples* du Père Paul Griéger (1961) et par la *Revue de psychologie des peuples,* publiée au Havre depuis 1946 par le Centre de recherches et d'études de la psychologie des peuples rattaché à l'université de Caen. Dans ce périodique (1957, p. 335-336), rendant compte du livre d'initiation de M.-Fr. Guyard, G. A. Heuse reconnaissait les liens qui unissent, tout en les distinguant, la littérature comparée et la psychologie ethnique. La première « cherche à mettre en évidence des influences sans rechercher et surtout sans en évaluer l'origine psychologique »; elle apporte ses matériaux à la seconde qui « s'applique au contraire à critiquer le contenu et à mettre au jour la réalité ethnopsychique ». En fait, la détermination des ethnotypes n'incombe qu'en partie à la littérature comparée. L'ethnotype français résulte de l'étude de la littérature française tout autant sinon plus que des « analyses spectrales » (un nouveau genre littéraire depuis la publication de l'ouvrage de Keyserling) dues à des étrangers. Et il faut ajouter que pour être vraiment utilisables les matériaux livrés à l'ethnopsychologie — comme à l'histoire politique — doivent procéder d'un large inventaire : on ne se contentera pas du dépouillement de ce que les Allemands nomment *die schöne Literatur;* on descendra jusqu'à ce niveau où les écrits se font miroir du peuple récepteur : la presse d'information, la littérature populaire.

Ce qui retient surtout l'attention des ethnopsychologues dans la littérature comparée, ce sont les préjugés dont elle rend compte et qui s'affichent aussi dans les manuels scolaires. L'interprétation mythique qu'est toute image révèle chez qui l'adopte la nature de tendances inconscientes. Comment le

Français voit-il l'Anglais, et l'Anglais le Français; et pourquoi se voient-ils ainsi? De telles études, si elles sont conduites dans un esprit à la fois critique et généreux, peuvent « aider deux pays à opérer une sorte de psychanalyse nationale : en connaissant mieux la source de leurs préjugés mutuels, chacun se connaîtra mieux, et sera plus indulgent pour l'autre qui a nourri des préventions analogues aux siennes » (G. A. Heuse).

*La littérature comparée comme instrument de compréhension internationale,* ainsi Paul Van Tieghem avait intitulé sa communication au quatrième congrès international d'histoire littéraire moderne. Il y déclarait — et ses propos fournissent à ce chapitre une conclusion peut-être trop optimiste : « On sait ce que fut l'humanisme du xve et du xvie siècle; c'est à un nouvel humanisme que conduisent les études de littérature comparée, humanisme plus large et plus fécond que le premier, mieux capable de rapprocher les nations. [...] La littérature comparée impose [...] à ceux qui la pratiquent, une attitude de sympathie et de compréhension à l'égard de nos frères « humains », un libéralisme intellectuel, sans lesquels aucune œuvre commune entre les peuples ne peut être tentée. »

# NOTES

1. Une excellente traduction des *Œuvres poétiques* de Pouchkine a été publiée à Lausanne, aux éditions L'Age d'homme, en 1981 (2 volumes).
2. Le célèbre livre de Vogüé a été réédité avec une préface de Pierre Pascal, à L'Age d'homme, coll. « Slavica », en 1971.
3. Voir aussi, du même auteur, *Le Naturalisme,* P.U.F., 1982, chap. X, « La part du public ».
4. « Reflections on Contemporary Poetry », *The Egoist,* juillet 1919.
5. Respectivement dans *Proceedings of the Second Congress of the International Comparative Literature Association,* 1959; *Yearbook IX; Revue de littérature comparée,* avril-juin 1961.
6. *Comparative Literature : Matter and Method,* edited with an introduction by A. Owen Aldridge, University of Illinois Press, 1969; compte rendu de cet ouvrage par Melvin J. Friedman dans *Comparative Literature Studies,* vol. VII, nº 1, march 1970, p. 137.
7. Novalis : *Schriften,* Hg. von R. Samuel, H. J. Mahl und G. Schulz, Darmstadt, 1965, II, 535.

# Chapitre 3

# L'HISTOIRE LITTÉRAIRE GÉNÉRALE

L'étude des influences — actions, réactions, interactions — qui fonde la littérature comparée au sens strict n'a pas de prise sur nombre de phénomènes littéraires. D'autre part, une telle étude se borne généralement à des rapports « binaires » (Paul Van Tieghem) et ne saurait constituer l'histoire littéraire de grands ensembles.

En effet, on relève dans des littératures différentes des floraisons analogues qui ne s'expliquent pas entièrement par le jeu des influences. L'euphuisme anglais, le cultéranisme et le gongorisme, les baroques italien, français, allemand et slave ont eu des points de contact, et il est patent, par exemple, que le baroque allemand s'est en partie mis à l'école du baroque italien. Toutefois, que l'on considère ces mouvements littéraires comme un art de cour ou comme un art religieux (baroque catholique, baroque protestant), il est non moins certain qu'ils ne se sont pas engendrés les uns les autres selon le rythme d'une succession linéairement chronologique. Pour les comprendre, il faut remonter notamment à un ancêtre commun, le pétrarquisme, dont on a repris vers la fin du XVIᵉ siècle soit les sentiments et les idées, soit les structures et les formes, en les intégrant à des œuvres d'un esprit différent. Cet esprit n'est pas seulement le fameux et trop vague *Zeitgeist,* l'air du temps; il est le reflet ou bien, selon les marxistes, le produit du déterminisme socio-économique, la superstructure d'une infrastructure qui le postule, le reflet, aussi, ou le produit des tendances religieuses qui s'affrontent au moment de la Réforme et de la Contre-Réforme. La société baroque de l'Europe occidentale, qui se prolonge jusqu'à l'Amérique centrale et méridionale, contemple ses idéaux, plutôt que ses mœurs, dans la littérature écrite pour elle, quelquefois par elle. De même, les romans réalistes et naturalistes qui connaissent la grande vogue à la fin du XIXᵉ siècle, sont incompréhensibles par un recours à la pure génétique littéraire : ils résultent des conditions de vie créées par le développement de l'industrie, la perte des illusions sentimentales et spirituelles, l'adhésion à des credo scientifiques ou la révolte contre les modernes léviathans. Comme l'a rappelé Yves Chevrel (*Le Naturalisme*, p. 33), l'une des affirmations les plus constantes de Zola est que le naturalisme est le mouvement même du siècle.

On voit de quelle utilité peuvent être aux comparatistes les résultats d'une collaboration étroite avec les tenants du matérialisme historique, pour peu que ceux-ci n'utilisent pas leur méthode de recherche aux fins d'une basse propagande : si le moulin à eau a créé la société féodale, il a pu créer aussi la littérature courtoise; et si du moulin à vapeur on passe à la société capitaliste, quelle fausse pudeur nous interdira d'inclure le roman réaliste dans cette relation causale?

Cette caractérisation des œuvres littéraires par une commune origine (le pétrarquisme) et par des facteurs étrangers aux lettres reçoit en français l'appellation d'« histoire littéraire générale » ou, pour reprendre le terme de Paul Van Tieghem, d'« histoire littéraire internationale ».

## LA RAISON DES ANALOGIES

Il est sans doute possible d'expliquer des phénomènes analogues survenus au même moment dans des pays différents par l'effet des structures socio-économiques communes à ces pays. Mais cette explication ne saurait être que partielle, puisqu'une communauté de structures devrait avoir pour résultat non pas des phénomènes analogues, mais des phénomènes identiques. L'identique ne se trouve qu'au niveau des idéologies (philosophies politiques et sociales, orientations scientifiques), réductibles à des concepts et donc échangeables. L'analogue suppose une variété dans l'infrastructure, — variété provoquée par le tempérament national, la langue, la conscience d'un passé historique qui appartient en propre à tel pays, etc.

La constatation de phénomènes analogues au même moment *(synchronie)* s'accorde partiellement avec le matérialisme historique, mais la persistance des mêmes faits à travers les époques successives *(diachronie)* nous oblige à interroger la psychologie des profondeurs. L'intersection des deux plans, le diachronique et le synchronique, définit précisément le style d'une époque et des écrivains qui lui confèrent son caractère particulier.

### Les genres littéraires

L'existence diachronique des genres littéraires est la preuve éclatante d'une tradition qui s'impose aux auteurs. Il arrive que l'œuvre crée sa forme; il arrive plus souvent — ou du moins il arrivait — que l'œuvre se coule dans une forme, qui est un legs de l'Antiquité : l'épopée, l'ode, la tragédie, la comédie ont ainsi traversé les siècles, vrais tonneaux des Danaïdes européennes, emplis chaque fois d'une liqueur différente. Les tonneaux, d'ailleurs, se déforment sous l'influence des substances qu'on y verse. L'*Ode à Charles Fourier* d'André Breton présente peu de points de comparaison avec les odes de Pindare. Et la tragédie lyrique des Grecs, par l'intermédiaire du théâtre de Sénèque, s'est transformée en tragédie de collège, en tragi-comédie, en tragédie héroïque, en tragédie psychologique, en tragédie philosophique, en drame bourgeois, en drame historique, etc. Mais l'ode héroïque reste toujours reconnaissable à une cadence cyclique, à un ton soutenu, comme l'ode épicurienne à son enjouement. Et les tragédies ont en commun, jusqu'à Ibsen, O'Neill et Claudel, une vision du monde sacrée, fatale ou religieuse. L'étude à la fois diachronique et synchronique des genres littéraires peut donc constituer un utile apport à l'histoire littéraire générale, surtout si elle s'attache à un même sujet traité par les auteurs les plus divers, dans le temps et dans l'espace (thématologie) : les *Antigones,* les *Amphitryons,* les poèmes consacrés aux gestes des héros nationaux révèlent à la fois les virtualités du thème, les caractères des époques et des pays, enfin le génie de chaque auteur.

Toutes les formes littéraires n'ont pas les mêmes lettres d'ancienneté. Les plus récentes nous permettent d'assister à la genèse des genres. Ainsi du roman historique qui semble bien provenir du *Waverley* de Walter Scott (1814), auquel on découvre des antécédents, en Angleterre comme en France. Les romans de Gomberville, de La Calprenède, de Mᴵˡᵉ de Scudéry se présentent comme des romans historiques; en plein XVIIIᵉ siècle, Sade écrit un roman sur Isabelle (Isabeau) de Bavière, mais ces œuvres satisfont mal le goût croissant pour la couleur historique et locale. *Waverley,* au contraire, unit les scrupules de l'« antiquaire » à l'élément épique et fond l'une dans l'autre l'histoire et l'imagination, au point que l'histoire va se mettre à l'école du roman pour animer ses fresques. Le Vigny de *Cinq-Mars,* le Victor Hugo de *Notre-Dame de Paris,* le Dumas des *Trois Mousquetaires* et de leurs suites sont des disciples de Walter Scott, comme, peu ou prou, un Manzoni *(Les Fiancés),* un Willibald Alexis, un Gustav Freytag, un C.F. Meyer, un Fontane en Allemagne et en Suisse, un Gogol *(Tarass Boulba),* et un Henri Conscience qui s'est fait le chantre des luttes menées par la Flandre contre ses envahisseurs. Sans doute convient-il de ne pas attribuer à Walter Scott l'entière paternité des romans historiques, puisque ceux qui se déroulent dans l'antiquité païenne ou chrétienne *(Les Derniers Jours de Pompéi, Salammbô, Quo Vadis)* peuvent se recommander des *Martyrs* de Chateaubriand (1809) qui eux-mêmes se situent dans la lignée du *Télémaque* de Fénelon, du *Sethos* de l'abbé Terrasson et du *Voyage du jeune Anacharsis* de l'abbé Barthélemy. Sinon, nous nous trouverions devant le cas fort rare d'une monogénèse (Paul Van Tieghem) dont la forte relation causale appartiendrait sans conteste à la littérature comparée, prise au sens strict.

La polygénèse est plus fréquente. En 1836 paraît *Der Bauernspiegel* suivi d'*Uli der Knecht* (1841), œuvres signées Jeremias Gotthelf, pseudonyme choisi par Albert Bitzius, pasteur dans la campagne du canton de Berne. Ainsi se créent le roman rustique et les *Dorfgeschichten* qui à un réalisme sain unissent des visées didactiques. Les œuvres de la même veine dues à George Sand (à partir de 1846), à George Eliot, au Norvégien Björnson, semblent avoir des origines indépendantes de celles qui ont donné naissance aux romans de Gotthelf. Ici interviennent donc et le contexte socio-économique et des antécédents, en vers et en prose, comme l'idylle renouvelée par le Suisse Gessner, autre pasteur, le roman pastoral à la Florian, le poème rustique, illustré par Hebel (encore un pasteur ! — ce n'est pas un hasard, comme l'a montré Robert Minder) et, si l'on veut, *Hermann et Dorothée*. Même les *Schwarzwälder Dorfgeschichten* de B. Auerbach (à partir de 1843) et les nouvelles de Gottfried Keller ne sauraient être à coup sûr rattachées étroitement à la postérité du romancier bernois. Cette floraison rustique se racine dans la terre européenne pour protester à sa manière contre les concentrations industrielles où vont s'exténuer les prolétariats.

La monogénèse du roman historique et la polygénèse du roman rustique convergent dans des œuvres comme celles d'Erckmann-Chatrian et de Fritz Reuter, qui évoquent les temps napoléoniens, soit dans un français comparable à celui d'Alphonse Daudet, soit dans le *plattdeutsch* élevé par le romantisme d'observance herdérienne et par le réalisme folklorique à la dignité de langue littéraire.

Autres exemples de polygénèse. Contre l'hypothèse romantique qui assignait aux fabliaux une origine uniquement orientale, Joseph Bédier dans sa thèse de 1893 (2e éd., revue, 1894) a montré — et l'on n'a pu jusqu'à présent le démentir — qu'il fallait admettre une pluralité d'éclosions dans le temps et dans l'espace, sans exclure quelques jeux d'influences. Et de même dans *Eos, An Enquiry into the Theme of Lovers' Meetings and Partings at Dawn in Poetry* (1965), Arthur T. Hatto et ses collaborateurs : l'*aube* (provençal : *alba*), dont les plus célèbres exemples sont la scène de l'alouette dans *Roméo et Juliette* ou, comme l'a montré Jacques Chailley, le duo d'amour à l'acte II du *Tristan und Isolde* de Wagner, est attestée sur presque toute la surface du globe, sans possibilité de réduction à une origine unique. Le sens de ce dernier substantif est d'ailleurs mis en question par Hatto, qui le trouve aussi suspect que l'est pour les ethnologues le mot « primitif ».

## Les conceptions de la vie

Dans l'étude des synchronismes, il faut faire large la place à l'étude des conditions de vie, depuis les plus matérielles jusqu'aux plus élevées, et à ce qui en résulte pour les sensibilités et pour les imaginations. Le comparatiste s'interrogera donc sur la forme de civilisation à laquelle se rattache une littérature : civilisation de cour, civilisation urbaine, civilisation paysanne. A chacun de ces types il verra se rattacher des formes littéraires spécifiques : au premier, la poésie courtoise ou galante; au deuxième, le roman de mœurs; au dernier, la légende, — à la fois effets et reflets. Il se demandera aussi quelles ont été les options politiques, morales, religieuses et métaphysiques des groupes dont les écrivains, ici et là, se sont jugés solidaires ou auxquels ils se sont opposés, et notamment quels sont les philosophes qu'ils ont admirés ou sur lesquels ils se sont divisés (voir le très significatif *Érasme en Espagne* de Marcel Bataillon, 1937). Il recherchera comment l'on aimait, selon l'idéal néo-platonicien, ou avec la simplicité des cœurs tendres, ou en s'adonnant à l'ardeur sensuelle d'une lady Chatterley. Il déterminera à quelles conceptions scientifiques se rangèrent à peu près au même moment des auteurs de nationalités et d'obédiences différentes : celui qui croit que le soleil tourne autour de la terre ne s'entend pas avec celui qui professe l'héliocentrisme et qui est menacé par les tribunaux de l'Inquisition. Il établira l'image qu'ils avaient du temps, de la rapidité de son écoulement, de son mouvement cyclique ou de son inéluctable irréversibilité. Il se penchera sur la nature de leurs sensations et de leurs perceptions. Il ne craindra pas même de s'interroger sur leurs formes géométriques de prédilection : le cercle est classique, a-t-on dit; l'ellipse, baroque; l'arabesque, rococo. Enfin, il s'efforcera de dégager de cet ensemble la conception générale de la vie et de la mort qui a régné à telle époque.

Tout cela n'est malheureusement, pour la plus grande partie, qu'un programme de recherches dans la réalisation duquel les historiens des sciences et de la pensée, du comportement et de la sociologie ont devancé les comparatistes, comme il est naturel à des guides. Encore faut-il accepter d'être guidé et ne pas s'attarder en route. D'autant que les comparatistes ont dans leurs bagages des instruments qui ne seront pas inutiles à ceux qui ouvrent la voie. C'est seulement dans un esprit d'étroite collaboration entre les disciplines que s'apercevra cette communauté de traditions et d'inspirations qui légitime l'histoire littéraire générale.

## Les styles

Autre programme de recherches! Chaque époque a son style, — cela s'entend couramment, mais qui, hormis Curtius pour le Moyen Age latin, a cherché à définir scientifiquement les caractères de ces styles? Qui donc a dépassé les généralités creuses? Et pourtant, même si l'on tient compte des différences entre les modes de pensée inhérents à chaque nation et des différences morphologiques et syntactiques entre les groupes linguistiques, on est obligé de reconnaître, à l'intérieur de certaines limites spatiales, l'existence de styles dûment datés : pétrarquisme, baroque, Lumières, sentimentalisme, romantisme, réalisme, expressionnisme, surréalisme, existentialisme, autant de domaines où les études font cruellement défaut. Il ne suffit pas, en effet, de juxtaposer des analyses nationales pour découvrir au-delà des apparences le commun dénominateur. Les traits fondamentaux d'un style ne sauraient ressortir que d'une exploration menée dans les langages, à partir de la connaissance des conceptions fondamentales à une époque.

L'entreprise la plus ambitieuse de cette *Stilforschung : Mimesis,* d'Erich Auerbach (1946), tente de brosser un panorama historique complet de la littérature occidentale, période par période, du haut Moyen Age à nos jours, en s'appuyant sur l'explication stylistique de courts passages minutieusement choisis, appartenant à toutes les littératures européennes. Inscrite en filigrane, l'idée directrice est celle-ci : tandis qu'idées et sentiments sont traditionnellement exprimés en un « grand » style littéraire soutenu, l'*imitation* de la réalité concrète quotidienne se fait à l'aide d'un style trivial, généralement comique. La fusion des deux domaines et des deux styles s'est opérée deux fois : la première, au Moyen Age, sous l'influence des Évangiles; la seconde, à l'époque moderne, après une nouvelle séparation des styles imposée par la Renaissance, l'équilibre étant magnifiquement atteint avec Balzac et Stendhal. Toutes réserves étant faites sur l'interprétation globale, on admirera avec quel art l'auteur réussit à dégager, puis à classer, les traits fondamentaux des œuvres et des écrivains liés à leur temps, à partir de quelques pages soumises à une puissante analyse microscopique.

Cette brillante exception ne nous empêchera pas de reprocher aux philologues d'avoir rarement prêté main forte aux comparatistes. Mais peut-être ceux-là attendent-ils que ceux-ci les invitent à une action conjuguée.

## VERS LA LITTÉRATURE UNIVERSELLE

Pas plus qu'une maison n'est un amas de pierres préparées pour la construire, pas plus la littérature universelle n'est une juxtaposition des littératures nationales; ou, pour autrement parler, la somme des éléments est différente de leur synthèse.

La littérature universelle (*Weltliteratur* selon Goethe; en anglais *World Literature;* en russe *mirovaiia literatura,* expression qu'on traduit par « littérature mondiale ») se propose au fond de recenser et d'expliquer les chefs-d'œuvre qui forment le patrimoine de l'humanité, les titres de gloire de la planète, tout ce qui, sans cesser d'appartenir à la nation, appartient à l'ensemble des nations et qui, entre le national et le supra-national, établit un équilibre médiateur. Etiemble a insisté sur la nécessité de sortir de l'espace littéraire de l'Europe occidentale (« Faut-il réviser la notion de *Weltliteratur?* » dans les *Essais de littérature (vraiment) générale* (1974; 3e éd., 1975) et dans *Quelques Essais de littérature universelle* (1982).

La littérature universelle ne doit pas se comprendre indépendamment de l'évolution historique : en effet, son contenu ne cesse de se modifier, parfois en s'appauvrissant, plus souvent en s'enrichissant. La littérature universelle est comparable à une sorte de capitalisation à intérêts composés. On n'a jamais interdit aux capitalistes de se retracer l'histoire de leur fortune; les historiens de la littérature universelle ont le devoir d'établir les bilans périodiques de ce qui a constitué ici et là l'avoir des groupes humains et enfin de l'humanité. C'est, semble-t-il, du milieu de notre siècle que date réellement une littérature universelle. La connaissance que Goethe avait d'une telle littérature peut nous paraître singulièrement pauvre. Sans doute a-t-on toujours joué aux « dix livres qu'on emporterait si... ». Mais ces dix livres ont changé, et la gamme des littératures qu'ils représentent s'est étendue. Définir à chaque âge de l'humanité et pour ses groupes linguistiques les plus importants et les plus différents ce qui constitua les bibliothèques de ces groupes, voilà une tâche capitale. Dans l'obscure transformation d'une bibliothèque en une autre, on ne négligera pas ces manifestations qui évoquent la loi de l'offre et de la demande : ces faims littéraires qui veulent être assouvies, et qui ne le peuvent être que par la découverte de ressources jusqu'alors insoupçonnées. On sera attentif aussi aux divers éléments actifs qui permettent à une même œuvre de jouir, avec plus ou moins d'éclat, d'un perpétuel présent (la Bible, Virgile, saint Augustin).

Fritz Strich, dans une excellente étude [1], a montré que la littérature universelle se composait d'œuvres caractérisées et par le succès international qu'elles ont remporté et par la qualité durable qu'elles présentent. En effet, le seul critère du succès est insuffisant : Kotzebue a eu plus de spectateurs que Goethe, et *Werther* plus de lecteurs que *Faust*. Aujourd'hui, Kotzebue (malgré la thèse d'Andrée Denis) est oublié; *Werther* émeut encore les âmes sensibles; c'est *Faust* qui réunit tous les suffrages. Mais si *Faust* n'avait pas connu le succès et n'avait pas bénéficié du succès remporté par les autres œuvres de Goethe, ce drame ne se serait pas imposé, et le temps n'aurait pas pu le consacrer.

Il existe une sociologie des littératures nationales. Pourquoi ne pas prévoir une sociologie de la littérature universelle qui mettrait au premier rang des écrivains lus, non pas Shakespeare, Racine et Goethe, mais Kotzebue, Jules Verne et la baronne Orczy?

La qualité d'une œuvre que retiendra la littérature universelle n'est pas due entièrement au génie de son créateur : elle est liée à son universalité originelle. Le classicisme français, grâce à son rationalisme apparent, a été adopté sans difficulté par l'Europe et il offre encore à l'ensemble du monde une valeur de pensée et d'art qui éveille et stimule la réflexion. Le romantisme allemand n'a pas une moindre valeur absolue; pourtant, ce qu'il contient de typique et d'individuel s'est heurté et se heurte encore à des résistances étrangères. L'association étroite d'une littérature et d'une civilisation hégémonique favorise l'accession de cette littérature au niveau de la littérature universelle. Les difficultés de traduction la contrarient comme, généralement, l'appartenance à une minorité linguistique. Il s'en faut donc que la qualité soit le facteur déterminant. Cependant, la littérature universelle idéale doit chercher partout les œuvres qui méritent à ce titre une audience internationale et qui ne l'ont pas encore obtenue.

## Grands ensembles littéraires

Avant de décrire la littérature de l'univers, on constituera de grands ensembles littéraires dont les cadres naturels sont fournis par les limites des groupes ethniques ou linguistiques, à l'intérieur desquels les relations ont été étroites et fréquentes : l'Europe occidentale et les États-Unis, l'Europe centrale et orientale. Sans oublier que les relations entre ces deux grandes régions n'ont jamais été interrompues au cours des siècles, grâce au rôle de l'Allemagne, grâce à la vocation historique de la Pologne et de la Hongrie — pays tournés vers l'ouest au moins autant que vers l'est —, grâce à l'existence de littératures en langue latine. En Extrême-Orient se formeront d'autres ensembles; et d'autres encore sur l'ère islamique définie par des concepts religieux. Bien entendu, les littératures africaines, polynésiennes, etc., occuperont d'autres chercheurs. Et de synthèses partielles en synthèses partielles on parviendra enfin à une synthèse générale, à une histoire littéraire de l'humanité. Et même à une poétique générale, car il est possible ou bien que les moyens fondamentaux à utiliser pour émouvoir les hommes, pour les faire rire, pour exalter leur imagination, etc., ne soient pas intrinsèquement différents d'une aire à l'autre, ou bien qu'ils se constituent en grands ensembles.

L'histoire littéraire de l'humanité a été bien des fois tentée, en Allemagne surtout : par Julius Hart (*Geschichte der Weltliteratur,* 1894), par Carl Bosse (même titre, 1910), par Paul Wiegler (même titre; sous-titre : *Dichtung fremder Völker,* 1914; 2e éd., 1920); ce sont là de simples juxtapositions de littératures nationales, comme la gigantesque compilation de Giacomo Prampolini (*Storia universale della letteratura,* 1933-1938, puis 1948-1953) qui expédie l'Orient et l'Extrême-Orient, des origines à nos jours, dans le premier volume, rattrape de justesse la Russie, des origines à nos jours, dans le septième et dernier, et offre en guise de conclusion un appendice polynésien. Le *Handbuch der Weltliteratur* de H. Eppelsheimer (1937, puis 1960) est un guide de lecture, un manuel raisonné de bibliographie qui donne quelques indications élémentaires sur les courants et sur les œuvres. Soulignons-le : l'histoire universelle de la littérature n'est pas l'histoire de la littérature universelle.

On accordera plus d'attention à la *Geschichte der Weltliteratur* (3e édition dans la collection de l'éditeur munichois Knaur) d'Erwin Laaths, qui a cherché à tenir compte à la fois de la valeur absolue (parfois purement nationale) des œuvres, du rayonnement de leur influence, de leur présence dans l'incessante métamorphose de la littérature grâce aux types et aux mythes qu'elles imposent : bilan dynamique d'un passé toujours présent, bilan qui doit donc être perpétuellement repris. La fécondité de l'idée fait excuser la hardiesse imprudente du projet, qui dépasse évidemment les connaissances d'un seul homme.

A cette entreprise téméraire, on préférera des synthèses partielles, surtout si elles se présentent sous la forme d'esquisses, comme l'*Outline of Comparative Slavic Literatures* de Dmitry Cizevsky (1952) qui en moins de cent cinquante pages ouvre bien des voies, établit bien des concordances, en un mot, indique la problématique du sujet. L'*Histoire littéraire de l'Europe et de l'Amérique de la Renaissance à nos jours* de Paul Van Tieghem (1941) qui répondait au vœu de Valery Larbaud (voir *Sous l'invocation de saint Jérôme*) paraît assez fragile en raison du peu de champ que s'est donné l'auteur et d'un inextricable enchevêtrement de constatations positives et d'opinions personnelles; dans l'étude de la fortune successive des genres, elle est cependant d'une lecture nécessaire. Fragiles aussi, quoique toujours suggestifs, les livres de Paul Hazard : *La Crise de la conscience européenne de 1680 à 1715* (1935) et *La Pensée européenne au XVIII<sup>e</sup> siècle* (1946). En fait, ces entreprises ne sont plus guère concevables, si on ne les confie à des équipes travaillant sous une direction prudente et acceptant des concepts et une terminologie d'extension vraiment européenne. Ce vœu est exaucé en partie grâce à la collection « Art Idées Histoire » chez Skira et dans laquelle a été justement remarquée *L'Invention de la liberté* par Jean Starobinski : on ne se plaindra pas que la perspective adoptée soit celle de l'histoire de la civilisation; on regrettera seulement que la littérature y soit subordonnée aux rapports qu'elle entretient avec les idées et avec les autres arts.

L'*Outline of Comparative Literature* de W. P. Friederich et D. Malone (1954) constitue une belle réalisation, mais malgré sa densité, son faible volume (450 pages) en fait encore, comme le titre l'indique, une esquisse ou une ébauche, plutôt une table des matières à demi-raisonnée, un catalogue critique de titres et de noms, un répertoire de sujets de thèses et de mémoires, bref un précis qui aurait précédé le traité au lieu de le suivre. Tel quel, en attendant qu'une équipe internationale puisse un jour le développer, l'*Outline* stimule vivement l'esprit. Il nous fait concevoir un lecteur omnilingue et omniscient parcourant toute la littérature imprimée de tous les temps et de tous les pays, mais comme l'expression unique d'une seule humanité où les langues nationales et les génies individuels ne représenteraient, pour ainsi dire, que des variantes dialectales ou tribales. Un tel lecteur, de plus, s'il n'oublie ni l'Afrique ni l'Asie (l'*Outline* se limite à l'Europe), en demeurant toujours sensible à l'interdépendance des phénomènes, c'est-à-dire fidèle au point de vue comparatiste, se trouve enfin sur le même pied que l'auditeur de musique ou le visiteur de musée, personnage universel et anonyme, mais parfaitement réel, présent dans toute étude générale sur les arts.

La notion de musée a d'ailleurs été adoptée pour la présentation des littératures nationales, de leur origine jusqu'à nos jours, dans les pays de l'Est. L'Europe occidentale, qui a beaucoup de maisons d'écrivains, n'a de comparable que le musée de la Littérature à Bruxelles et le très riche Schiller Nationalmuseum (Marbach/Neckar, près de Stuttgart) qui, loin de se borner à l'écrivain né en ce lieu, montre la littérature allemande, du XVIIIe au XXe siècle. Ce sont, ici et là, d'admirables réalisations muséographiques, doublées de bibliothèques et d'archives. A la limite, on peut rêver à un musée de la littérature universelle qui présenterait celle-ci chronologiquement.

Il n'est pas interdit de tenter actuellement des synthèses; il est même recommandé de s'y essayer, parce que la synthèse n'intervient jamais sans relancer l'analyse, sans souligner les lacunes de celle-ci. Il y a entre l'histoire des littératures nationales et la littérature comparée d'une part, les synthèses de la littérature universelle d'autre part, comme un jeu de va-et-vient qui est utile aux unes et aux autres. Ainsi, quel profit n'y a-t-il pas à offrir le tableau de la littérature romantique en Europe! On s'en aperçoit bien vite : ce que les manuels français définissaient comme une littérature romantique (Chateaubriand, Lamartine, le premier Hugo), n'est qu'un avatar du classicisme. A la lumière des romantismes anglais et allemand, les historiens de la littérature française sont obligés ou de s'enfermer à l'intérieur de leurs frontières — et le temps est passé de ces cloisonnements —, ou de reviser leur conception du romantisme. Ils sont alors amenés à reconnaître un premier romantisme qui va de Rousseau à Senancour, puis, par l'effet des découvertes archéologiques, et bien plus sous l'impulsion politique de la Révolution et de l'Empire, un raffermissement des positions classiques, avant de déceler l'apparition d'un second romantisme, issu du premier grâce à des relais nationaux (Nodier) et à des excitations étrangères (Hoffmann), — un second romantisme qui peut recevoir le nom de surnaturalisme et qui est l'âge de Nerval et de Baudelaire, un peu plus tard celui de Rimbaud et de Lautréamont. Albert Béguin, dans *L'Ame romantique et le Rêve,* allait même au-delà en incluant le surréalisme. Du même coup, le tableau du romantisme européen s'élargit : il ne saurait plus se borner à quelques années du XIXe siècle, il doit s'étendre en deçà et au delà, sur plus d'un siècle, s'approprier le *Sturm und Drang,* les écrits à tendances révolutionnaires de l'Allemagne, de l'Europe centrale et de l'Italie, les idéologies socialistes et utopiques. Et, en face de ce tableau, l'historien en placera un autre, celui du classicisme : classicisme weimarien, classicisme français de l'Empire et de la Restauration, presque contemporains et qu'il serait intéressant de mettre en rapport. Deux courants ont ainsi coexisté à l'intérieur de plusieurs littératures, tantôt renforcés, tantôt affaiblis, de toute manière complémentaires.

## Les « éons » littéraires

Le danger de ces élargissements n'est-il pas — objectera-t-on — de résorber l'originalité d'une époque dans l'océan d'un concept imprécis? Si l'on date le romantisme de *La Nouvelle Héloïse* ou même du premier discours de Jean-Jacques, ne sera-t-on pas porté à remonter jusqu'aux premières œuvres de l'abbé Prévost, puis, sautant par-dessus le classicisme, jusqu'au baroque, étant donné que l'on a pu voir dans les romans de Prévost comme une tardive floraison du baroque? Et découvrira-t-on, ainsi le voulait Eugenio d'Ors, un *éon* (une substance éternelle) baroque dans toutes les civilisations et dans tous les temps, c'est-à-dire un *éon* dionysiaque s'opposant à l'*éon* apollinien du classicisme? Et ne devra-t-on pas, pour nommer l'activité ludique (cf. l'*Homo ludens* de Huizinga) se proposant elle-même pour objet, créer un *éon* maniériste, caché sous l'asianisme, l'alexandrinisme, l'art de grande rhétorique, la préciosité, le rococo (qui n'est pas une dégradation du baroque), la fantaisie de quelques poètes — de Banville à Giraudoux —, l'étrangeté recherchée de certains surréalistes? G. R. Hocke nous y invite (*Die Welt als Labyrinth. Manier und Manie in der europäischen Kunst*, 1957). Plus modestement, Louis Cazamian nous engageait déjà (*L'Évolution psychologique et la Littérature en Angleterre*, 1920; *Essais en deux langues*, 1938) à voir dans la littérature anglaise, comme dans la française et même dans la grecque, une oscillation entre deux pôles, le romantisme et le classicisme.

Dans ces conditions, que devient l'histoire de la littérature, vu qu'il n'y a d'histoire que du particulier? N'est-ce pas se livrer, pieds et poings liés, à une philosophie de la littérature aussi vaine que la philosophie de l'histoire?

Nous répondrons que la philosophie de l'histoire, après avoir connu une vogue excessive à l'époque romantique, après avoir été répudiée à l'âge positiviste comme entachée d'imprudence, a trouvé de nos jours des défenseurs de poids (Toynbee, notamment) et qu'il n'est pas interdit de déterminer les grandes pulsations de l'humanité, les vagues de fond qui la soulèvent périodiquement, les constantes qui s'affrontent en elle dans un rythme de systole et de diastole.

Déterminer, dans l'évolution de la littérature, des constantes, des *éons*, n'est plus coupable, si, après avoir isolé des essences, on a la sagesse de les incarner pour leur rendre vie : langues, nations, sociétés, traditions, individus sont là pour particulariser historiquement une abstraction. Les définitions des romantismes nationaux ont été l'objet d'innombrables disputes. Rien là que de normal : on achoppe aux accidents, et aux plus extérieurs. Il vaudrait mieux dégager les caractères principaux du romantisme pour montrer comment il se manifeste différemment à des époques différentes et dans les différentes littératures.

Ainsi a procédé Wylie Sypher (*Rococo to Cubism in Art and Literature*, 1960), au sujet des esthétiques et des œuvres qui apparaissent avant et après le romantisme, considéré par lui comme une vaine succession d'expériences individuelles : le rococo est à ses yeux le dernier style (vision du monde et non pas seulement technique) à traduire en Europe l'universalité de la conscience intellectuelle de son époque, dans les arts aussi bien que dans la littérature. Il fallut attendre ensuite un siècle et demi pour que le cubisme, réincarnation de l'état d'esprit du rococo, affirmât sa volonté d'une saisie complète de l'objet, soumis à la loi formelle de l'intellect : ce que montrent les toiles de Braque non moins que *Les Faux Monnayeurs* et *Six Personnages en quête d'auteur.*

A l'exception de cette tentative, riche en suggestions, ce qui vient d'être énoncé représente le but idéal qui se devine seulement aux confins du possible. A se proposer un but moins lointain, on reste néanmoins placé devant un problème délicat, celui de la périodisation, un problème qui se pose au plus humble auteur de manuel tout comme au plus ambitieux rêveur de synthèse, un problème qui résulte de la nécessité de grouper les faits pour les présenter selon un ordre à la fois logique et conforme au réel. Ces groupements ont d'ailleurs été constitués bien avant qu'on ne s'interrogeât sur leur validité.

## LES PROBLÈMES DE LA PÉRIODISATION

Ainsi qu'on l'a constaté dans d'autres secteurs, les historiens de la littérature ont emboîté le pas aux historiens des civilisations. Le pionnier semble être Richard M. Meyer qui publia dans *Euphorion* en 1901 des *Prinzipien der wissenschaftlichen Periodenbildung, mit besonderer Rücksicht auf die Litteraturgeschichte.* En 1935, le second congrès international d'histoire littéraire, tenu à Amsterdam, inscrivit à son programme : « Les Périodes dans l'histoire littéraire depuis la Renaissance » : sous la présidence de Baldensperger, — Ed. Wechssler, J. Hankiss, K. Wais, L. Folkierski, notamment, prirent la parole (voir *Bulletin of the International Committee of Historical Sciences,* t. IX, septembre 1937). L'exposé le plus détaillé est dû au Hollandais H. P. H. Teesing : *Das Problem der Perioden in der Literaturgeschichte* (1949). On rappellera aussi à ce sujet la *Theory of Literature* (1re éd., 1943), de Wellek et Warren (traduit en français vers le titre « La Théorie littéraire », 1972).

En fait, le terme *périodisation* est mal choisi, puisque, étymologiquement, il assigne à l'évolution un trajet circulaire. Or, même aux yeux de qui croit à l'éternel retour, la dimension temporelle exige que cette circonférence soit transformée en une spirale ou en une sinusoïde. Quant à ceux qui pensent que, dans l'état actuel de nos connaissances, la durée et l'espace littéraires perceptibles sont trop limités pour qu'un rythme y soit introduit, ils se représentent plutôt l'évolution sous une forme linéaire non circulaire et comme une succession d'époques dont l'orientation peut changer. Pourtant, l'usage a créé une quasi-synonymie entre « période » et « époque » (distinguées par Péguy selon une formule qui ne s'adapte pas à notre propos). Faute de pouvoir forger un barbare « époquisation », qui aurait le mérite d'une moindre pétition de principe, « périodisation » est donc employé ici dans son sens étymologique aussi bien que dans le sens dérivé : détermination des époques de l'histoire littéraire. L'époque elle-même se définit par opposition à ce qui la précède et à ce qui la suit et trouve son unité dans un trait dominant (une vision du monde, un style), lequel n'est pas la somme des caractères élémentaires qui la constituent.

## La périodisation internationale à court terme

Quoi qu'il en soit de la méthode employée, J. Hankiss a raison d'observer que la périodisation obéit à certains mobiles, dont il est urgent de prendre conscience, afin de ne pas devenir le jouet d'impulsions traditionnelles. Trop souvent, la périodisation littéraire se soumet à la périodisation politique, pour laquelle les Français ont un penchant déplorable : 1610, 1715, 1814 ou 1815, 1914, il n'est que d'ouvrir un manuel pour y trouver des dates, bien qu'elles ne signifient rien dans le domaine des lettres : le couteau d'un fanatique n'est pas un objet littéraire, pas plus que n'est un événement littéraire la mort d'un roi dont la monarchie, depuis trente ans, montrait des lézardes. Du reste, c'est en transportant hors des frontières ces schémas politiques nationaux qu'on en voit à nu l'inopportunité. Il faudrait au moins utiliser des faits politiques d'une portée internationale : les traités de Westphalie et de Vienne, les traités qui ont mis fin à la première guerre mondiale (et non pas le début de cette guerre), car, en concluant une époque troublée, en remaniant la carte de l'Europe, ils ont eu des répercussions diverses sur l'ensemble des littératures.

Ces repères ne sont pas à dédaigner; ils doivent cependant le céder à des limites vraiment littéraires. Dans l'avertissement de son *Manuel de l'histoire de la littérature française* (1898), Brunetière, qui substituait la division par époques littéraires à la division traditionnelle par siècles, avait raison d'écrire que ces époques doivent être datées « de que l'on appelle des événements littéraires : l'apparition des *Lettres provinciales,* ou la publication du *Génie du Christianisme* ». Mais ici se produit une autre difficulté : la périodisation purement littéraire n'est pas toujours parallèle dans deux ou plusieurs littératures, ne serait-ce qu'en raison du jeu des influences qui suppose un certain décalage chronologique (le classicisme anglais est postérieur au classicisme français considéré dans une acception étroite). La *Goethezeit* (expression dont l'analogue est inconcevable en français), apogée de la littérature allemande, n'a pas son répondant exact de l'autre côté du Rhin.

Devra-t-on, par conséquent, renoncer à toute périodisation par époques? Oui, si l'on veut découper l'évolution en minces tranches et placer entre elles des murailles infranchissables. Oui, si l'on néglige au profit de cet aspect statique l'élément dynamique, ces courants que ne saurait arrêter aucune étanchéité. Dans *Les Grands Courants* [en danois : *Hovedstrømninger*] *littéraires au XIX^e siècle* (1872-1890, 6 vol., dont seul a été traduit en français celui qui concerne *L'École romantique en France*), Georg Brandes, ayant le sentiment du caractère indissoluble de la littérature européenne, a montré le flux et le reflux du libéralisme depuis la Révolution française jusqu'aux révolutions du milieu du siècle. Certes, l'idée qui anime cette œuvre peut nous paraître extra-littéraire : Brandes veut prouver que le libéralisme doit triompher de l'hydre réactionnaire et la noyer dans ses flots généreux. Et sans doute ce disciple de Taine use-t-il aussi d'une conception trop utilitaire de l'œuvre d'art, « signe de l'état mental d'une époque », qui doit lui permettre de donner l'esquisse d'une psychologie du XIX^e siècle européen. Mais la largeur de ses vues et l'ampleur de sa documentation lui permettent de définir la place relative que les écrivains français, allemands et anglais occupent dans l'ensemble de l'évolution. Si l'idée directrice — politico-morale — est contestable, la réalisation la fait oublier : ce tableau mouvant s'impose encore à l'attention du lecteur et il nous donne un exemple remarquable de la dialectique des éléments dynamiques à l'intérieur d'une époque.

*Die Philosophie der Aufklärung* d'Ernst Cassirer (1932; trad. anglaise, 1951; trad. française, 1966) a sur l'ouvrage de Brandes l'avantage de ne pas adopter un postulat extra-littéraire pour dégager les traits constants de cette tendance européenne qui a nom « Lumières » en France, *Enlightenment* en Angleterre [2].

« Tendance » est un autre mot à valeur dynamique. De courant, on rapprochera encore et surtout mouvement, à condition de lui rendre son sens premier qui traduit la qualité essentielle de la vie et, par suite, de la littérature, dont le devenir associe les transformations imperceptibles aux négations passionnées. Il y aurait une belle étude à écrire sur le classicisme européen (XVI^e-XIX^e siècles) où les tendances conservatrices apparaîtraient en lutte avec les tendances libératrices, le couple des unes et des autres produisant un mouvement au contenu et à la substance bien différents selon qu'on le percevrait, par exemple, à Versailles ou à Weimar.

## Les générations

De tous les procédés de périodisation, le plus simple est celui qui considère les générations auxquelles ont appartenu les écrivains. C'est d'ailleurs le plus ancien, puisqu'il est le fruit même des observations des enfants placés en face de leurs parents et de leurs grands-parents, — et inversement. Sans remonter jusqu'à la Bible, ni jusqu'à Hérodote, pour qui un siècle contient trois générations, on rappellera que, dès son *Cours de Littérature,* Frédéric Schlegel distinguait trois générations dans la seconde moitié du XVIII^e siècle, et que l'expression : « génération de 1898 », employée par Azorín en 1913, est adoptée depuis 1920 environ pour désigner un groupe de grands écrivains espagnols qui prirent conscience de leurs responsabilités au moment de la défaite de leur pays par les États-Unis. Une fois encore, la pratique est antérieure à la réflexion théorique. Pour se livrer à celle-ci, l'histoire de la littérature a suivi l'exemple de l'histoire de l'art. A *Das Problem der Generation in der Kunstgeschichte Europas* de W. Pinder (1926) répond *Die literarischen Generationen* de Julius Petersen (1930). En France, l'idée de génération, d'abord exploitée par un sociologue, François Mentré (*Les Générations sociales,* 1920), utilisée allusivement par Focillon (*La Vie des Formes,* 1934), fut chère à Thibaudet qui organisa d'après ce principe son *Histoire de la littérature française de 1789 à nos jours* (publiée posthume en 1936). Jean Pommier a élaboré cette notion avec le sens critique qu'on lui connaît (*Publications de l'E.N.S.,* Lettres, II, 1945); parallèlement, Henri Peyre (*Les Générations littéraires,* 1948) tentait de l'appliquer aux littératures occidentales. C'est pour cette raison qu'il convient de s'arrêter à son livre, après avoir remarqué que d'un historien à l'autre varie la durée des générations (de quinze à trente ans, trente-trois ans même, s'il est vrai, comme l'écrivait Claude-Edmonde Magny [3], que les générations littéraires ont l'âge du Christ) et que, s'il est relativement facile de périodiser par générations une littérature nationale, les obstacles se dressent plus nombreux devant celui qui veut étudier cette succession d'écrivains indépendamment des frontières.

H. Peyre distingue onze générations de 1490 à 1660, dix-huit de 1660 à 1900. La douzième, celle des écrivains nés entre 1660 et 1685, donc, en France, au temps de l'apogée classique, offre chronologiquement les noms suivants : Dancourt, Rollin, Lesage, Du Bos, J.-B. Rousseau, Brossette, La Motte-Houdar, Crébillon père, Saint-Simon, Destouches. En Suisse, celui de Béat de Muralt, qui s'attaque à l'hégémonie française et y oppose l'exemple anglais, que n'oubliera pas l'autre Rousseau. L'Angleterre elle-même, si elle est en politique moins favorisée que la France (il n'est que de rappeler Charles II, qui fut dans la dépendance de Louis XIV), voit naître ceux qui l'illustreront : Defoe, Swift, Shaftesbury, Steele et Addison, puis le futur Dr. Young, Berkeley, Pope, Richardson, c'est-à-dire à la fois des classiques influencés par la France, et, pour la France encore ainsi que pour l'Allemagne, des initiateurs aux Lumières et au Romantisme. En Espagne, Feijoo, un Bayle catholique. En Italie, des imitateurs de la tragédie française (le classicisme italien est, comme l'anglais, postérieur d'une génération au classicisme français, lui-même issu en partie de la Renaissance italienne), des critiques qui élaborent sur l'imagination des théories menaçant le primat esthétique de la raison (voir J. G. Robertson, *Studies in the Genesis of Romantic Theory in Eighteenth Century,* 1923). La treizième génération, celle des écrivains nés autour de 1695, renverse les accents : elle est « féconde en France » (Voltaire, Montesquieu, Prévost), « stérile en Angleterre ». Les pays de langue allemande unissent un classicisme d'emprunt (Gottsched) à son antidote (Breitinger), tandis que le classicisme se prolonge en Italie et en Espagne.

On le voit, ce procédé n'est pas l'application d'une computation mystique; produit d'un empirisme qui ose dire son nom, il a une indéniable valeur pratique, puisqu'il n'oblige pas les faits à se soumettre ou à s'omettre et qu'il reconnaît à l'intérieur d'une même époque des tendances divergentes et même contradictoires, et dans la succession des époques, des rythmes syncopés. On reproche à H. Peyre de définir les générations par les dates de naissance des écrivains et d'écarter la possibilité que ceux-ci se rassemblent en groupes (« cénacles », « écoles », etc.), indépendamment de leur âge, par la cristallisation d'idées et de sentiments analogues. Du moins, il n'est pas interdit au chercheur qui utilise la périodisation de Peyre de la conjuguer avec la notion de groupe pour mieux rendre la complexité de l'évolution littéraire.

Quelque méthode que l'on adopte, une périodisation ne vaut que par l'esprit de finesse de qui l'invente et surtout de qui l'applique. Puisse-t-il être attentif aux publics à qui sont destinées les œuvres, aux différents arts qui ont avec la littérature des rapports aussi secrets que nécessaires, enfin à l'histoire générale de la civilisation, au rythme de laquelle doivent s'accorder les vagues qui mènent aux rivages de l'humanité les chefs-d'œuvre dont elle s'enorgueillit!

# NOTES

1. "Weltliteratur und vergleichende Literaturgeschichte" dans *Philosophie der Literaturwissenchaft,* publié par E. Ermatinger, Berlin, 1930. Voir aussi, dans des orientations légèrement différentes : Albert Guérard, *Preface to World Literature* (New York, 1940) et Werner Milch, "Europäische Literaturgeschichte, ein Arbeitsprogramm", dans *Schriftenreihe der Europäischen Akademie,* Heft 4, Wiesbaden, UNA, 1949.

2. Voir aussi René Pomeau : *L'Europe des Lumières. — Cosmopolitisme et Unité européenne au XVIIIᵉ siècle,* Stock, 1966; Slatkine reprints, 1981.

3. *Histoire du roman français depuis 1918,* Le Seuil, 1950, p. 45.

# Chapitre 4

# HISTOIRE DES IDÉES

Appliquée dès 1931 par Paul Van Tieghem à une certaine orientation de la littérature comparée, l'expression « histoire des idées » acquit droit de cité en 1940, avec la création du *Journal of the History of Ideas*.

Pour éviter toute équivoque, nous prenons idée au sens le plus large, sans rigueur philosophique ni référence à une doctrine particulière : simple outil commode pour désigner connaissance et réflexion abstraite à côté du plaisir esthétique, ou encore la représentation intellectuelle d'un état de sensibilité.

Tout le monde comprend ce que veut dire les idées « philosophiques » de Shelley, « religieuses » de Lessing, « scientifiques » de Lucrèce, « politiques » de Goethe, « esthétiques » de d'Annunzio. Plus confuses sont les « idées sentimentales », ou formes d'expression littéraire de la sensibilité. Ajoutons enfin les « idées littéraires » proprement dites : doctrines, écoles, tendances, mouvements, dénommés, exposés et discutés par les écrivains eux-mêmes, ou encore les systèmes inventés par la critique pour mieux saisir une réalité fuyante, par exemple le « baroque ».

La difficulté réside moins dans les rapports entre la littérature et les autres activités intellectuelles, domaines dont les frontières restent pourtant incertaines, que dans le concept d'idée appliqué à la littérature. Pour sortir du vieux dilemme du fond et de la forme, maladroitement entretenu sous les noms de prose et de poésie pures, les Modernes ont voulu réunir une fois pour toutes les deux notions par l'invention d'une troisième, généralement appelée « structure », le mot et la pensée constituant les deux faces artificiellement séparées d'une seule et unique réalité.

Ce retour à une perception globale du fait littéraire, qui n'a pas laissé de susciter l'attention du comparatiste, lui cause une gêne non moins considérable. Que la littérature comparée devienne philologie pour étudier les migrations et contaminations de mots, ou, au contraire, faisant abstraction de la langue, ne s'attache qu'aux migrations des idées, elle risque de détruire l'unité organique des textes en ne comparant plus que des débris de cadavres mutilés. Plus un texte serait « littéraire » (on dit encore « poétique »), c'est-à-dire plus la pensée et l'expression s'y imbriquent indissolublement, moins il se prêterait à l'analyse comparatiste. Au culte du texte unique, incomparable, ou « poème », certains historiens des idées ripostent par une politique niveleuse du pire, réduisant toute littérature au rang de « document » subordonné à l'histoire de la pensée abstraite.

Le tour souvent scolastique de ces disputes obscurcit inutilement les observations du simple bon sens. Le penseur pur ou le poète pur n'existent que dans l'imagination. L'union intime du Mot et de l'Idée, valable pour le créateur sans doute, peut et doit être analysée par le critique. Croire que l'Art forme un univers autonome, coupé de la philosophie, de la politique, de la religion, revient à l'isoler de la Vie, à laquelle il participe, malgré qu'il en ait. Traiter la Beauté comme une dégradation de l'Idée sent son philistin. Entre ces deux extrêmes, le comparatiste constate que les « idées » servent de truchement et de dénominateur commun.

## Idées philosophiques et morales

Assez rares sont les philosophes, comme Bergson, Bachelard ou Sartre, qui usent fréquemment de documents littéraires. En revanche, nul comparatiste ne saurait se passer des philosophes pour l'intelligence d'innombrables textes. Entre les grands systèmes sans patrie ni frontières, patrimoine de l'humanité, et la littérature concrète, particulière, pittoresque, alourdie par la langue, la liaison s'effectue par tout un dégradé d'auteurs qui ont lu les grands philosophes, ou du moins leurs vulgarisateurs (Villiers de l'Isle-Adam ne connaît Hegel que par Pontavice, son cousin), à moins qu'ils ne retrouvent simplement les éternels problèmes et leurs réponses par une méditation personnelle.

Quoi de plus clos en apparence que l'Olympe des philosophes, où Platon, Aristote, saint Thomas, Descartes, Spinoza, Locke, Kant, Hegel, Marx et Kierkegaard, pour n'en citer que quelques-uns, siègent loin du profane? Et pourtant, comment comprendre Fénelon ou Shelley sans Platon, Dante sans saint Thomas, Corneille sans Descartes, Pope sans Leibniz, Diderot et Sterne sans Locke, Goethe sans Spinoza, Schiller sans Kant, Coleridge sans Schelling, Taine sans Hegel, Kafka sans Kierkegaard, Brecht sans Marx? Tous les Grecs, de Pythagore aux stoïciens, la plupart des Modernes ont engendré une vaste postérité littéraire. Peu importe la fidélité ou la subtilité de ces disciples, simples amateurs éclairés pour la plupart. Il ne s'agit pas d'intelligence critique, mais de transposition inventive. Mais les préjugés sont tenaces. Victor Hugo philosophe? le seul mot, naguère, faisait sourire. Or, dès le début du siècle, Renouvier, qui n'était pas un ironiste, intitule ainsi un ouvrage. Son exemple a été suivi.

A côté des grands écrivains, grands parce qu'ils reflètent, en les faisant jouer, les lumières philosophiques de leur époque, le comparatiste « récupère » une foule d'ouvrages secondaires, menue monnaie des grands systèmes aux yeux du spécialiste, sans qui cette grandeur échapperait à la mesure, sans qui le commerce des idées s'étiolerait.

La nature de la source philosophique explique une fortune littéraire plus ou moins grande. Platon, par la forme familière de ses exposés, l'essor de son imagination, les registres variés de son style, tient du poète. Ses images, ses mythes, ses personnages se prêtent à une interprétation technique, mais aussi à une adaptation littéraire. Même trahissant ses sources et confus, le néo-platonisme n'en a pas moins suscité une grande famille de chefs-d'œuvre, au temps de la Renaissance surtout, de l'*Olive* à *The Faerie Queene*, de Bembo à Camoëns, de Garcilaso de la Vega à Kochanowksi, sans oublier Donne au siècle suivant. Contenu dans des limites plus étroites par la religion et les traditions spirituelles du Grand Siècle, le système reprend sève et vigueur dans le climat rêveur et mystique d'un certain XVIIIᵉ siècle, malgré les sarcasmes d'un Voltaire, en particulier sous la forme de la « Grande chaîne des êtres », métaphore dynamique et féconde, dont les travaux de Lovejoy ont admirablement suivi les variations.

A côté de Platon, la sécheresse scientifique d'Aristote semble moins propice à l'exploitation littéraire. Sans lui, pourtant, une bonne part de la culture occidentale et de l'histoire du classicisme devient inintelligible. Plus près de nous, l'influence de Schopenhauer, directe ou indirecte, toucha des dizaines d'écrivains, et que dire de Nietzsche, difficile à ranger sans nuances dans les catégories routinières de nos manuels? Tenons compte encore des écrivains philosophes : Montaigne, Pascal, Coleridge, Hume, Herder, T. Huxley, Renan, Sartre, etc., intimement liés aux idéologies de leur temps, dispensateurs d'idées toujours vivantes aujourd'hui.

C'est à dessein que nous mettons le XVIIIᵉ siècle en vedette. Les travaux de Barber sur Leibniz, de Vernière sur Spinoza, de Lovejoy sur Platon, de Cassirer en général, redonnent un sens à ces faiseurs d'épopée dont la tête n'était pas épique, à ces auteurs de poèmes sans poésie, de tragédies sans tragique, bref à ce siècle vraiment « philosophique », même s'il a vulgarisé plus que créé. Les méthodes ordinaires de la critique purement littéraire donnent ici de mauvais résultats. Non que les prétentions à la beauté, ou plutôt à l'émotion, soient absentes; on les regroupera sous l'étiquette de romantisme. Mais tout le reste, Lumières, *Aufklärung, Illuminismo,* combinaison unique de littérature et d'idéologie, doit être embrassé dans son ensemble par des lecteurs ne craignant pas l'érudition, la polémique et l'abstraction, prenant au sérieux la curiosité et les ambitions encyclopédiques d'un siècle profondément sérieux lui-même. Touche-à-tout si l'on veut, le XVIIIᵉ siècle l'a été avec passion, souvent avec talent, parfois avec ferveur et génie. L'histoire des idées y trouve l'occasion de ses plus belles réussites.

La diffusion des grands systèmes parmi le vulgaire ne constitue pas toute l'histoire des idées philosophiques. La réflexion abstraite commune aussi a ses thèmes. Certains termes de la liste qui va suivre ont déjà fait l'objet d'ouvrages importants : Raison, Nature (R. Mercier; J. Ehrard), Vertu, Bonheur (R. Mauzi), Honnêteté (Magendie), Sagesse, Progrès (Bury), Génie (Grappin; mais l'influence en Europe des *Conjectures* de Young attend un chercheur), Imagination, Goût, Nécessité, Liberté, Pessimisme et Optimisme, Machine (et son corollaire l'Animal), Suicide, Éducation. La carrière s'ouvre, immense. Telle littérature nationale, l'allemande pour le Génie par exemple, fournit plus d'illustrations qu'une autre, mais on constatera avec surprise à quel point les idées essaiment, sous des noms d'emprunt quelquefois, qu'il convient d'abord de démasquer. Ainsi sont regroupés des textes rédigés en diverses langues, avec leurs nuances et leurs déformations, plus significatives que l'analyse toute théorique d'un concept abstrait. Sans dénier l'utilité des monographies consacrées aux idées d'un seul écrivain, le comparatiste actuel s'efforce d'étudier une chaîne assez longue (Vico, Herder, Michelet), ou, mieux encore, dégage la mentalité d'une génération (le positivisme), d'un siècle (le sensualisme), voire d'une civilisation (le thomisme).

## Idées religieuses

Aucun domaine n'est plus universel. Esclave d'un vocabulaire et d'un tour d'esprit, la philosophie, même vulgarisée, ne touche pas les foules. Rares sont les lecteurs que n'émeut pas un élan religieux, toute théologie et apologétique mises à part. Avant d'être nationales, les idées religieuses sont simplement humaines, d'où leurs libres allées et venues entre l'Occident, la Méditerranée et l'Orient.

Pascal, Fénelon, Rousseau, Chateaubriand, Péguy, Claudel, Bernanos ou Mauriac ne sont pas des Pères de l'Église. Leur œuvre littéraire, toutefois, est inséparable de la foi qui les a inspirés. Klopstock, Lessing et Novalis, Milton et Blake, Hawthorne, Calderón, Dante, Dostoïevski, autant d'écrivains qui ont placé les préoccupations religieuses au centre de leur œuvre. Pensons encore à l'influence purement littéraire exercée par les raisonnements, exemples, thèmes, images et formules, des grands fondateurs : Bouddha, Confucius, le Christ, Mahomet, Luther et Calvin.

Plus précisément encore, certaines tendances de l'esprit et du sentiment religieux se sont mieux exprimées sous des formes littéraires : puritanisme ou méthodisme en Angleterre, piétisme en Allemagne. N'a-t-on pas étudié le rôle des jésuites dans la littérature et dans les beaux-arts et parlé d'un « style janséniste »? Parallèlement aux religions officielles, non moins riches pour la production littéraire ont été la Maçonnerie, la Kabbale, les sectes illuministes, ésotériques, occultistes et spirites, de l'abbé de Villars au Sâr Péladan et à Élémir Bourges.

Fait remarquable, encore mal étudié, à ces mouvements religieux, et d'autant plus qu'ils se cristallisent en chapelles ou en sectes, correspondent un vocabulaire, un ton, un entraînement à telle forme de méditation, d'argumentation ou d'évocation, fidèlement reflétée par une rhétorique et une poétique. Songeons à l'influence littéraire des *Exercices spirituels* de saint Ignace, par exemple, qui se décèle jusque dans *Un homme libre* de Barrès. La rêverie de Rousseau, la méditation de Lamartine, la contemplation de Hugo fondent idée, image et style dans un genre original, chez les écrivains dont l'ambition, d'essence religieuse, consistait à reconstruire l'univers par la seule puissance du Verbe et de la Vision.

Source d'une grande partie de ces élans et de cette expression, la Bible, inépuisable réservoir de sentiments, d'idées, de mots et d'images, a créé des genres littéraires avec le livre de Job, le Cantique des Cantiques, l'Apocalypse, et engendré un style que chaque littérature a tourné à sa guise. Rares sont les livres bibliques qui n'ont pas fourni intrigues, personnages, thèmes. Certes, l'on n'a pas attendu la littérature comparée pour explorer ce domaine, mais il reste encore beaucoup à glaner si l'on rapproche les conséquences idéologiques, poétiques et linguistiques de l'Ancien et du Nouveau Testament.

Certains types religieux sont universels, tels le Juif, le Musulman, ou bien encore le Prêtre, le Saint (opposé au Héros, par exemple). Faut-il ranger ces travaux dans la thématique ou la typologie littéraire, plutôt que dans l'histoire des idées? C'est selon, car les distinctions empiriques que nous suggérons faussent la complexité des problèmes. L'essentiel est de faire des coupes obliques dans la matière littéraire.

### Idées scientifiques

Nul ne niera les relations étroites entre science et littérature, qui firent l'objet d'un congrès entier de la F.I.L.L.M. en 1954. Nous ne parlons pas seulement des savants reconnus comme membres de la République des Lettres grâce à l'élégante précision de leur style, comme Buffon, ou d'hommes de lettres, tels Voltaire ou Goethe, temporairement tentés par la physique ou la géologie, mais de l'empire exercé sur les esprits et les imaginations par les théories et les découvertes scientifiques, fausses ou vraies, extravagantes ou plausibles, les moins solides pouvant se révéler poétiquement les plus fécondes. Shelley rêve sur les élucubrations d'Erasmus Darwin, Zola prend pour bible les théories plus que hasardeuses du D$^r$ Lucas sur l'hérédité, et Wagner tire son image de l'aryen supérieur des obscurs et douteux systèmes de Gleïzès.

Pour observer la Nature, les écrivains ne se sont pas contentés du secours des peintres. Depuis Lucrèce, nombreux sont ceux qu'ont enflammés et inspirés les ouvrages scientifiques : Chénier, Hoffmann ou Samuel Butler. Expirante à la fin du XVIIIe siècle, la poésie scientifique avait eu, depuis la Pléiade, une belle carrière. Le roman d'anticipation n'a pas tardé à la relayer, non sans emprunts aux procédés du roman noir. Depuis *Franken-stein* de Mary Shelley [1] jusqu'à Aldous Huxley, la littérature d'imagination a bien mérité de la science.

Dès la Renaissance, on peut parler d'idées scientifiques en littérature, même si les connaissances de cette époque, astrologie, médecine humorale, alchimie, entourées d'un halo de mystère et de magie, ont aujourd'hui perdu tout prestige. Le mécanisme est l'une des composantes du « rationalisme classique » et, peu après, le système de Newton connaîtra une extraordinaire popularité. L'évolutionnisme au temps du naturalisme, la psychiatrie pour les Décadents, puis la psychanalyse prenant la relève de la divination et de l'onirique, autant de contaminations entre science et littérature.

Du côté des techniques, n'y a-t-il pas une littérature des chemins de fer, comme de la navigation à voile ou à vapeur, tandis que s'esquissent celles de l'automobile et de l'aviation, en attendant l'atome et l'exploration de l'espace? De Fontenelle à Balzac, quelques objets : la lunette astronomique, le microscope [2], le prisme et la mongolfière; certaines théories suggestives : le mesmérisme, la physiognomonie, ont suscité des œuvres littéraires. A l'heure actuelle, la science n'alimente guère qu'une production romanesque populaire de basse qualité. Le sociologue, au moins, y trouve son compte. Mais pourquoi serait-il interdit à ce fumier de recéler quelque perle?

Si les savants du XXe siècle ne se piquent plus, hélas! de beau langage, l'écrivain continue à faire partie d'une société où la science règne en souveraine. La poésie des espaces infinis, les essais sur la place de l'homme dans un monde bouleversé par la technique, le roman d'une existence quotidienne envahie par la machine, voilà les œuvres nouvelles qui prennent la place des exposés didactiques de jadis. La littérature comparée ne peut rester insensible à ces formes modernes d'un besoin éternel de connaissance et d'action.

## Idées politiques

Le mot doit être pris au sens large, comme chez les Grecs. L'écrivain appartient à une famille, à une ville, à une société, à une nation. Écrire seulement pour un cénacle, ou même pour un lecteur unique et choisi, c'est encore se faire du rôle politique de la littérature une idée personnelle. De Platon à Malraux, que de variantes sur le thème de l'écrivain (ou du poète) dans la Cité!

Les idées politiques proprement dites n'ont pas été stériles en littérature. Que l'on songe à Platon, Bacon, Th. More, Hobbes, Machiavel, Locke,

Vico, à l'abbé de Saint-Pierre, à Montesquieu, E. Burke, Auguste Comte, Hegel, Marx, et à leur postérité. Dramaturges et romanciers par vocation concrète, essayistes et moralistes par profession, tous leur doivent beaucoup.

Particulièrement vivantes, les années 1800-1848, foisonnent de doctrines, grâce aux relations étroites entre théoriciens, publicistes et grands écrivains, aux hautes ambitions politiques de nombreux auteurs : Joseph de Maistre, Fourier, Saint-Simon, Pierre Leroux, Lamennais, puissants foyers, brasiers même, propagèrent idées fécondes et images hardies dans l'Europe entière. Pendant la même période, les exilés de tous genres sillonnèrent l'Europe. Paris les voit à peu près tous. Tandis que les uns sèment le nationalisme, les autres se rattachent à la très ancienne tradition du voyage imaginaire et de l'utopie, prétexte à satire et à châteaux de cartes idéologiques, bien connus des comparatistes, matière non moins récréative qu'instructive. Depuis l'Eden, sous les noms d'Age d'or, Paradis perdu, pays de Cocagne, Eldorado ou Atlantide fabuleux, Robinsonade classique, Lilliput philosophique, Élysée, Schlaraffenland, Erewhon ou Nirgendwo, autant de variantes d'un instinct universel.

Sans atteindre cet extrême de l'imagination créatrice, on se demandera comment la littérature a peint la société de son temps, depuis la féodalité jusqu'aux temps modernes, débattu des grands problèmes sociaux, tels que le féminisme (Euripide, Boccace, Molière, Dekker, Dolce et G. B. Shaw) ou l'enfant, traité de certaines questions internationales : esclavage, luttes entre races, occupations militaires, révoltes et guerres civiles; les tâches ne manquent pas. Grandes découvertes, guerres de religion, guerre de Trente ans, République de Cromwell (et Cromwell lui-même), Indépendance américaine, Révolution française, révolutions de 1830 et de 1848, guerre d'indépendance grecque et philhellénisme (une page d'histoire écrite par les poètes), jusqu'aux deux dernières guerres mondiales, sans oublier la guerre d'Espagne, tous ces événements ont laissé de profondes traces dans la littérature. Patriotisme et cosmopolitisme, nationalisme et régionalisme, voici enfin d'autres biais pour aborder une gamme de textes qui vont de la *Araucana* d'Ercilla (XVIᵉ siècle) à *Colette Baudoche* de Maurice Barrès.

Toutes ces questions appartiennent d'abord aux historiens, mais la littérature comparée prend leur suite et commence où ceux-ci s'arrêtent, lorsque l'opinion commune se fait optique individuelle, que les faits se déforment, interprétés par l'imagination et transmués par l'alchimie du verbe. Le personnage devient figure, puis héros; la bataille, épopée; la barricade, symbole; le gouvernement, utopie. Non content de mettre en lumière la part des écrivains dans la vie politique ou diplomatique (de Baïf le père à Saint-John Perse), le comparatiste observe le passage de l'histoire à la légende et au mythe.

Ce passage dépend chez les écrivains d'une certaine philosophie personnelle de l'histoire. Tout auteur penché sur le passé, qui peut être son passé, à des fins érudites ou divertissantes, adopte une attitude qui peut aller de la désinvolture sarcastique au positivisme rigide. L'historien professionnel fait peu de cas d'une foule de confrères plus ou moins poètes, romanciers ou dramaturges, que l'historien des idées juge hautement significatifs. Les prétentions historiques du drame ou du roman à l'époque romantique, par exemple, n'ont peut-être pas fait avancer la science (encore doit-on en discuter), mais les images qu'ils ont données du passé, l'interprétation qu'ils ont répandue dans le public, ne sont pas négligeables. Dans un autre domaine, les œuvres qui traitent du bon sauvage, malgré les sourires des ethnologues, ont plus fait pour notre conception de l'évolution de l'humanité que les traités des spécialistes. La mentalité historique, au sens large, dépend donc de ces textes moyens que l'historien des idées découvre, et souvent exalte.

## Traditions et courants de sensibilité

A bon droit, la littérature se targue d'être autre chose, et mieux encore, qu'une idéologie ou un système. Réduites à leur contenu abstrait, nombre des plus belles pages de la littérature universelle n'offriraient que d'insipides paraphrases d'une demi-douzaine de lieux communs sentimentaux sur la Mort, la Vie, la Souffrance, l'Amour, Dieu et le Temps. Cette remarque désabusée condamne-t-elle l'histoire des idées inconsidérément appliquée à toute littérature lyrique? Tout est question de mesure et de finesse. *La Pensée de Dante* va de soi. *Les Idées de Marceline Desbordes-Valmore* prête à sourire.

L'étude des sentiments littéraires, cependant, déborde largement celle des sentiments en littérature. Dans ce dernier cas, on s'efforce de distinguer entre le fond et la forme, de rompre l'alliance des idées et des émotions. Vertu, bonheur, mort, suicide, liberté, autant de thèmes ambivalents, selon le tempérament de l'écrivain, qui tantôt raisonne et tantôt s'épanche. Derrière tout état affectif se cache une attitude globale que les spécialistes analyseront en religion, psychologie ou morale.

Mais un sentiment littéraire, théoriquement confondu avec un sentiment tout court, soulève une autre question. Nous le définissons comme un sentiment qui resterait vague, peut-être inexprimé, si des lectures antérieures ne l'avaient éduqué, voire créé; dont la figure et la forme verbales dépendent d'une tradition écrite, d'une mode, d'un style. « Personne n'aimerait, a-t-on dit, s'il n'y avait pas de romans d'amour » : une boutade qui mérite quelques égards. A l'étude ordinaire de l'affectivité, il faudra donc ajouter celle de la sincérité. De même qu'un acteur joue ses rôles dans sa vie, les écrivains mêlent imitation et invention. Qui dira ce qu'éprouve un poète pétrarquisant?

Comme les idées, en effet, les sentiments circulent, s'empruntent, se travestissent d'un pays ou d'une civilisation à l'autre. Notre idéal moderne de sincérité chez l'Artiste nous empêche trop souvent de voir qu'une très grande partie de la littérature a consisté pendant des siècles — et consiste aujourd'hui beaucoup plus qu'on ne voudrait le faire croire — à verser un vin modérément nouveau dans de vieilles outres, en imitant, c'est-à-dire en traduisant de plus anciens modèles.

C'est au comparatiste de faire la part du génie « sentimental », des routines de langage, de la mode, du climat intellectuel, que la source soit un livre unique (*Il Cortegiano* ou *Werther*), un homme (rousseauisme, tolstoïsme, gidisme), un cénacle (Heidelberg), ou qu'il s'agisse d'un « courant de sensibilité » complexe, à analyser jusque dans ses lointaines résurgences affectives ou stylistiques.

Certains sentiments, d'emblée, sont devenus littéraires parce qu'ils ont eu la bonne fortune de trouver leur incarnation géniale en des personnages-types : le Cid, Don Quichotte, Don Juan, Clarissa, Beau Brummell, ou de correspondre à une génération et à un état de la société (le Mal du siècle). Ces sentiments appartiennent au fonds commun de l'humanité, qui les éprouve à l'état brut, pour ainsi dire, mais il revenait à la littérature de les enrichir, de les nuancer, de les caractériser. Le dégoût de la vie, par exemple, est passé par cent nuances de l'*acedia* médiévale au *Weltschmerz* germanique, du *spleen* aux soupirs des *Désenchantées*. La fuite du temps s'incarne dans la mélancolie qu'inspirent les ruines et les tombeaux. Le sentiment de la Nature (sous sa forme moderne, la *pathetic fallacy* de Ruskin, qui prête à la Nature des sentiments humains) a été inventé de toutes pièces par les poètes. Ajoutons encore l'amour, né de la poésie courtoise; les sentiments sociaux (honneur, famille, patrie, et leurs contraires, la solitude en particulier); l'exotisme et l'invitation au voyage. La liste est inépuisable. Il nous faut donc continuer à écrire l'histoire de la sensibilité littéraire en Europe.

Au cours d'une telle étude, on s'efforcera de maintenir l'équilibre entre trois points de vue : la part du tempérament original de l'auteur, l'influence de la société qui l'entoure, le poids de la tradition littéraire propre à l'expression des sentiments, dont souvent dépendent le registre et la structure choisis pour donner forme à ce qui serait autrement resté vague ou incommunicable. Depuis le romantisme, ces deux derniers aspects, le dernier surtout, avaient été trop négligés. Quoi qu'il en soit, la littérature comparée ne souffre pas de l'alliance avec la psychologie ou la sociologie, car son objet reste l'expression individuelle et artistique de l'âme collective.

## Littérature et beaux-arts

Pourtant évidentes (dès 1810, Sobry publiait un *Cours de peinture et littérature comparées*), leurs relations demeurent mal explorées. La France en a fait une branche de l'esthétique et les enveloppe d'abstraction, alors que l'on peut s'en tenir utilement aux rapports de fait. Le bon sens se borne à de vagues constatations : les arts s'adresseraient à l'homme en général; la littérature, en dépit des traductions, à des groupes limités; les premiers aux sens, la seconde à l'esprit. Entre ces extrêmes, éclairer un livre, une école littéraire par leur contexte artistique, incorporer l'iconographie et les illustrations musicales à l'histoire littéraire, étudier la naissance et le développement de la critique d'art, comparer la poésie et la musique, le théâtre et l'architecture, mettre en lumière correspondances et affinités, autant d'entreprises précises et révélatrices.

Peinture et sculpture « littéraires », musique à programme, les dernières décennies seulement en ont vu la fin. « Virgile en France », cette étude est incomplète tant que l'on n'a pas recensé tous les tableaux où s'inscrit la séparation d'Énée et de Didon. « Faust en France » se doit de répertorier les poèmes symphoniques et les opéras (Berlioz, Gounod) ainsi que les peintures et les lithographies (Ary Scheffer, Delacroix) qui s'inspirent du drame de Goethe. Si les artistes et les compositeurs ont beaucoup emprunté aux écrivains, la dette de ceux-ci n'est pas moins élevée : transpositions d'art (les poésies de Gautier d'après les toiles espagnoles qu'il a contemplées pendant son voyage en Espagne), salons (un genre littéraire bien attesté au XIXe siècle), description de musées étrangers (par Thoré-Burger, Taine, Fromentin), essais de critique d'art (Claudel, Malraux) disent assez que le musée imaginaire des littérateurs a presque l'importance de leur bibliothèque.

Il est intéressant de relever le nombre, d'apprécier la qualité des illustrations qui accompagnent les œuvres dans le texte original ou en traduction. Comment Gravelot a-t-il vu le théâtre de Shakespeare, et Hogarth, celui de Molière? Comment Gustave Doré a-t-il exprimé le génie de Dante et celui de Cervantès, comment, le surnaturalisme qui anime l'admirable poème de Coleridge, *The Rhyme of the Ancient Mariner?* Voilà qui peut nous en apprendre long sur une vision qui, dans une civilisation de l'image, s'impose facilement aux lecteurs. Certaines représentations tendent même à transformer le sens d'une œuvre. Paul Van Tieghem a remarqué que le caractère « nocturne » et « sépulcral » des *Nuits* était plus accentué dans l'adaptation de Letourneur que dans l'original et que cet accent nouveau était dû en partie aux frontispices des deux volumes français.

Parmi les modes d'expression esthétique étroitement associés à la littérature, citons la musique et l'art des jardins.

Dans le premier cas, outre l'intérêt porté par tel ou tel écrivain à la musique et aux musiciens, nous pensons surtout à une rivalité permanente entre les deux formes d'expression, à moins qu'elles ne cherchent à collaborer, en annexant parfois le spectacle, le chant et la danse, selon des modes aussi divers que la tragédie grecque, le *masque* anglais, l'opéra, le ballet ou le poème symphonique. Ajoutons certains courants esthétiques européens, comme le wagnérisme, lui-même fortement tributaire de la pensée de Schopenhauer.

Du côté des jardins, le paysage, façonné selon des règles et des normes en vue d'un effet esthétique ou sentimental, accompagne les grands courants littéraires, et se prête à la réflexion autant qu'à l'émotion, depuis le langage symbolique des parterres de la Renaissance jusqu'aux « fabriques » du XVIIIᵉ siècle, avant d'être abandonné à de simples techniciens.

Rapports de la poésie et de la musique, différents des relations entre les poètes et les musiciens, rivalité du Verbe et de la Peinture (l'éternel débat sur *Ut pictura poesis*), harmonie de l'architecture, du décor de théâtre et de l'œuvre écrite, méthodes et portée de la transposition cinématographique des œuvres littéraires, autant de problèmes généraux que l'on traitera à l'aide d'exemples empruntés à toutes les cultures.

Avant qu'un Allemand n'inventât le mot au XVIIIᵉ siècle, l'esthétique existait déjà dans les écrits des philosophes, mais l'impulsion décisive vint de Locke et des sensualistes, qui firent passer la Beauté de l'objet, c'est-à-dire d'une combinaison de normes et de proportions quasi mathématiques et extérieures à nous, dans le sujet qui la perçoit, en qui se rencontrent des sensations, un plaisir et un jugement. Cette révolution dans la pensée se manifeste clairement dès les *Réflexions* de l'abbé Du Bos (1719) et trouve sa parfaite application littéraire avec l'œuvre de J.-J. Rousseau.

Dès que l'on aborde ces questions, philosophie, beaux-arts et littérature doivent être étudiés corrélativement. Francis Claudon a bien montré le lien qui existe entre l'histoire des idées et l'histoire comparée de la littérature et de la musique quand il a intitulé sa thèse *L'Idée et l'influence de la musique chez quelques romantiques français et notamment Stendhal* (1979). De nombreuses recherches restent à faire, sur le modèle des travaux de Folkierski.

## Dangers et limites

L'histoire des idées ne doit pas nous entraîner trop loin. On acceptera *Les Écrivains peintres et juges du jeu et des joueurs,* mais *L'Attitude du XVIIIᵉ siècle devant l'usure* appartient à l'histoire des mentalités en général. De même que l'on ne produit pas de bonne littérature avec de bons sentiments, il ne suffit pas d'avoir des idées, et même de les exprimer, pour être bon écrivain. A Degas qui se plaignait de ne pouvoir écrire des vers alors qu'il débordait d'idées, Mallarmé répondit que l'on ne fait pas de poésie avec des idées, mais avec des mots. Inversement, pasticheurs et imitateurs, ces grands manieurs des mots d'autrui, ne fabriquent que des corps sans âme, tandis que d'authentiques penseurs usent d'une langue absolument impersonnelle. N'oublions donc pas que dans littérature comparée, il y a littérature.

Si l'on admet une hiérarchie des valeurs littéraires depuis la poésie, union indissoluble d'une pensée, d'une vision et d'un langage strictement individuels, en descendant jusqu'à la prose la plus platement nécessaire à la communication collective, mieux vaut franchement reconnaître, affirment certains, que le haut de l'échelle échappe au comparatiste qui devra se satisfaire de textes « moyens », véhicules neutres, ou faiblement colorés, d'idées et d'opinions.

Si le seul fait d'écrire ressemble déjà à une traduction qui laisse perdre l'essentiel de l'inspiration pour ne conserver que la substance significative, comparer des textes équivaut à les traduire une seconde fois, à s'éloigner encore de l'Idée génératrice. Entre les mains du comparatiste ne passerait jamais qu'une monnaie-papier, symbole commode, mais factice, d'un or poétique inaccessible.

A ceux qui prétendent que les littératures, pas plus que les poètes, ne communiquent jamais vraiment entre elles, on répondra qu'elles échangent au moins des traits prosaïques et superficiels, mais féconds. D'utiles contre-sens valent bien une impossible communion.

En appelant idée la transcription intellectuelle et abstraite d'un texte d'abord esthétiquement ou sentimentalement donné, l'histoire des idées, seules entités assez impersonnelles pour être transmises sans pertes, constitue l'une des voies nouvelles les plus sûres et les plus loyales. Mais tous les pays et tous les siècles ne se prêtent pas également bien à ces études. Le XVIIIᵉ siècle en est l'âge d'or, tant la coloration poétique y est atténuée. Sans brosser d'aussi vastes fresques que *La Crise de la conscience européenne,* on choisira un support défini et stable d'une idée, comme *vertu* ou *honnête homme,* ou la *grande chaîne des êtres,* à travers lequel les avatars d'une idée puissent être suivis à la trace.

Quelle que soit la méthode — et la méthode sémantique reste l'une des plus solides —, filiations et parentés seront minutieusement établies, pour éviter de promener des abstractions à travers le monde au gré de fallacieuses similitudes. Par l'analyse du véhicule sensible de l'idée, de sa structure typique, par un dosage prudent de l'influence positive et des constantes humaines éternelles, on veillera à ne comparer que le comparable.

L'intérêt de telles enquêtes est de briser les catégories étroites, voire étriquées, imposées par la spécialisation pédagogique. Petit à petit, l'historien, le philosophe, le théologien, le psychologue, le sociologue, l'esthéticien, le philologue se sont taillé, dans le domaine jadis globalement étiqueté « belles-lettres », des enclaves de plus en plus envahissantes, ne laissant au « littéraire pur » que la « littérature », c'est-à-dire, en fin de compte, la poésie, « pure » elle aussi.

Ce découpage scolastique a fini par rompre l'unité de la vie, alors qu'il ne manquait pas autrefois de « poètes » hommes d'État, philosophes, savants, voyageurs, théologiens, historiens. Ne sommes-nous pas victimes du mythe de l'*Artiste pur,* inventé par Baudelaire et les Symbolistes, qui nous empêche de voir que les écrivains ont été très souvent « engagés » dans tous les aspects de la vie intellectuelle, politique et sociale, de leur temps? Quête du Beau, non pas conquête du Vrai ou du Bien, la littérature, dit-on, ne doit pas se commettre; ce qui fait, malgré l'exemple de W. Dilthey au siècle dernier, que certains comparatistes hésitent à aborder l'histoire des idées.

Si la littérature touche aux frontières des arts, le comparatiste se heurtera à de nombreuses figures comme Léonard de Vinci, Lessing, Blake, Baudelaire. Sommes-nous encore dans le domaine de la littérature comparée? N'y a-t-il pas abus de langage? Dans littérature comparée, l'adjectif ne peut vouloir dire que littérature (nationale) comparée (à une autre littérature nationale), à la rigueur littérature comparée (à elle-même). Comprendre : comparée (à ce qui n'est pas littérature), conduit à l'esthétique.

Pour se tirer de ce mauvais pas, d'aucuns s'en tiendraient volontiers à la comparaison d'œuvres issues de nations différentes. Ainsi : *Littérature et Musique en Europe au temps de la Renaissance,* ou encore : *Les Illustrations de la Divine Comédie en France, en Allemagne et en Angleterre.* Selon cette règle, *Mallarmé et Wagner, Rilke et Rodin* relèveraient de la littérature comparée, mais non, à première vue, *Baudelaire et Delacroix* ou *Rousseau et Rameau,* bien qu'en réalité, la présence de Shakespeare dans le premier cas, de la musique italienne dans le second, incite à de prudentes nuances. Ces simples exemples démontrent le danger des étiquettes nationales lorsque les arts entrent en ligne de compte. Tel critique présentera l'alliance de la poésie et de la musique comme un pur produit de l'âme germanique, sans s'aviser de l'existence des troubadours languedociens.

N'en déduisons pas trop vite l'universalité du langage artistique, pas plus que celle des idées. La littérature comparée nous fait prendre conscience des échanges intellectuels comme des correspondances entre la littérature et les arts, nous aide à les rapprocher ou à les opposer. La langue, la race, la patrie, le climat peuvent jouer un rôle, mais on fera bien de rechercher avant tout les causes purement esthétiques.

## NOTES

1. Sur Mary Shelley, on consultera la thèse de Jean de Palacio, *Mary Shelley dans son œuvre,* Klincksieck, 1969.
2. Voir le livre de Max Milner, *La Fantasmagorie,* P.U.F., 1981.

97

# Chapitre 5

# UNE RÉFLEXION SUR LA LITTÉRATURE

Après les relations entre la littérature et les autres formes de connaissance et d'expression, la logique place celles de la littérature avec elle-même, c'est-à-dire la critique, qu'elle soit exercée par les écrivains ou par des professionnels.

De tout temps, la littérature fut réflexive autant qu'inventive. Certains ont eu une vocation de théoriciens, tels Castelvetro, Boileau ou Gottsched. Chez d'autres, surtout chez les modernes, la dualité du créateur et du critique prend des formes plus complexes au point de se résoudre parfois (Coleridge, Baudelaire, Valéry) en une fructueuse collaboration.

Sans entrer dans le mystère de ces laboratoires littéraires, tandis que d'innombrables traités, préfaces, manifestes, défenses et proclamations indiquent un effort des écrivains pour prendre conscience de leur art et métier, les spécialistes de l'interprétation dégagent nombre de notions abstraites de l'œuvre d'autrui : concepts de la création (originalité, invention, imitation, source, etc.); formes de l'expression (sublime, burlesque, romanesque); attitude devant la réalité (réalisme, naturalisme, symbolisme, surréalisme); doctrines (imagisme, expressionnisme) ou courants (pétrarquisme); grandes périodes (humanisme, baroque, romantisme).

A force d'usage, la plupart de ces mots familiers n'évoquent plus rien de précis. On en fera d'abord l'étude sémantique, à l'aide de nombreux exemples datés et situés. On notera leur origine diverse. « Surréalisme », terme pseudo-philosophique, fut fabriqué par les auteurs eux-mêmes, tandis que « picaresque » n'apparaît en français qu'au milieu du XIXe siècle pour désigner les romans comiques, histoires véritables, aventures singulières ou autres des époques antérieures. « Rococo », « baroque », « maniérisme » proviennent de l'histoire de l'art. Seule l'analyse comparatiste permet des dénombrements entiers et précis.

## LA LITTÉRATURE GÉNÉRALE

On a parfois utilisé l'expression de « littérature générale » pour désigner soit le survol de l'histoire universelle de la littérature, soit des études d'histoire littéraire générale, soit encore la quête vague et vaine d'un « air de famille » (Simon Jeune, *Littérature générale et Littérature comparée*, 1968, p. 14) commun à des chefs-d'œuvre qui, par essence, devraient être singuliers.

La confusion entre histoire littéraire générale et littérature générale est sensible chez Paul Van Tieghem, qui fut pourtant le promoteur de cette dernière notion. Dans un article intitulé « La Synthèse en histoire littéraire : littérature comparée et littérature générale », publié en 1921 dans la *Revue de synthèse historique,* il entendait par « littérature générale » l'étude des mouvements et des modes littéraires qui transcendent les limites nationales, par « littérature comparée » celle des relations qui unissent deux ou plusieurs littératures. Wellek et Warren ont noté à juste titre la fragilité de la distinction; car « comment déterminer si l'ossianisme par exemple ([...]) relève de la "littérature générale" ou de la "littérature comparée"? On ne peut distinguer valablement entre l'influence de Walter Scott hors d'Angleterre et la vogue internationale du roman historique. Inévitablement, littérature "comparée" et littérature "générale" se recouvrent. A la limite, il vaut mieux parler tout simplement de "littérature" » (*La Théorie littéraire,* p. 68).

Aux États-Unis, le manuel de Simon Jeune, *Littérature générale et Littérature comparée,* n'a pas toujours été bien accueilli. On lui a reproché, outre la place trop importante accordée à la France, une distinction jugée artificielle entre la littérature comparée, étude de « rapports binaires », et la littérature générale, étude de « faits communs à plusieurs littératures ». François Jost a noté à juste titre que la théorie de Jeune n'était qu'une variante de celle de Van Tieghem. Les Américains considèrent tantôt que la littérature générale n'est qu'un synonyme de littérature comparée, tantôt qu'elle se confond avec la littérature universelle (Wellek et Warren parlent p. 67 de « littérature "générale" ou "universelle" »), tantôt qu'elle tend vers la théorie de la littérature (c'était le point de vue de Haskell Block en 1976), tantôt qu'elle n'existe pas. Werner Friederich lui-même, quoique se trouvant à la tête du *Yearbook of General and Comparative Literature,* était obligé d'avouer :

> « Je ne sais pas très bien ce que c'est que la « littérature générale » et depuis plusieurs années je suis à la recherche d'un article documenté qui pourrait débrouiller l'écheveau des diverses définitions. [...] Peut-être ainsi pourrions-nous après coup savoir quelle est exactement la tâche de notre *Yearbook.* »

Cet écheveau, nous voudrions à notre tour tenter de le débrouiller.

On ne peut qu'être sensible, tout d'abord, à une métaphore implicite. Il existe des médecins de médecine générale et des médecins spécialistes. On imagine qu'il puisse exister, de la même façon, à côté des spécialistes de telle ou telle littérature (germanistes ou slavisants, japonologues ou arabisants), des esprits curieux de tout qui connaîtraient les littératures d'Asie par la collection « Connaissance de l'Orient » ou les littératures scandinaves par les excellentes traductions de Maurice Gravier ou de Régis Boyer. Sans doute ne seraient-ils pas capables (ou rarement) de rendre compte du détail du texte, de résoudre un problème philologique, ou même d'éclairer un ouvrage donné par la connaissance approfondie d'une tradition nationale. Mais ils sauraient d'autant plus largement parler de la *saga* qu'ils auraient pratiqué, aussi bien la *Saga de Njall le brûlé* que la *Forsythe Saga* de John Galsworthy, qu'ils auraient, grâce aux *Einfache Formen* de Jolles, inclus la *saga* dans l'ensemble des récits rattachant l'aventure individuelle à celle du clan, ou qu'ils auraient compris que le retournement opéré par Halldor Laxness dans *La Saga des fiers-à-bras,* quand il entonne un hymne non plus à la gloire des ancêtres guerriers mais à celle des travailleurs qui arrachent de la terre gelée et des hautes vagues de quoi nourrir la communauté, est celui-là même qu'accomplissait Miguel Angel Asturias dans *Hommes de maïs.*

L'usage des traductions jette le discrédit sur ces curiosités de dilettante et sur l'enseignement qui en est issu. Et il est vrai que les applications pédagogiques d'une telle formation apparaissent comme de plus en plus indispensables. Yves Chevrel s'est penché sur ce problème dans un article intitulé « Littérature générale et comparée et Rénovation des études de lettres », paru dans *L'Information littéraire* en novembre-décembre 1976. Les manuels en usage dans le second cycle du second degré en France font place, fût-ce marginalement, à des textes étrangers traduits, que ces ouvrages restent historiques (*La Littérature française depuis 1945* chez Bordas), ou qu'ils adoptent la présentation par thèmes ou par genres (*Approches littéraires* chez le même éditeur). L'enquête menée aux États-Unis par Leland Chambers prouve que le marché du travail, outre-Atlantique, est et sera de plus en plus ouvert à ceux qui ont reçu une formation large. Il arrive par exemple qu'on rejette à l'avance les titulaires de Ph. D « trop étroitement spécialisés » et qu'on réclame des « généralistes ».

Ainsi conçue, la littérature générale adopte une démarche essentiellement réflexive. Ce qui compte n'est pas tant une connaissance exhaustive ou encyclopédique, rêve des historiens ou des linguistes, qu'une réflexion significative. En cela elle peut être formatrice pour de jeunes esprits et intéresser l'homme cultivé. Elle part de coïncidences qui arrêtent l'esprit, et que la comparaison se charge de faire apparaître.

Ces coïncidences peuvent permettre l'étude d'un thème. On peut constater par exemple la permanence du thème de la jalousie dans la littérature amoureuse, mais aussi ses variations : un amour qui monte vers la jalousie, une jalousie dont on finit par se demander si elle accompagne un amour véritable, telle est la distinction qu'établit Roland Barthes dans les *Fragments d'un discours amoureux* entre Werther et le narrateur proustien. Est-il vrai, dans ces conditions, qu'on ne puisse aimer sans être très exclusif, ainsi que le notait Freud dans sa *Correspondance,* faisant pour une fois sa propre psychanalyse? On sera sensible, dans le détail du récit, à d'autres analogies frappantes : la « paresse d'esprit » de Swann, par exemple, qui l'empêche de se rendre compte qu'Odette est une femme entretenue ou d'admettre les insinuations de la lettre anonyme qu'il a reçue; l'aveuglement d'Emilio Brentani, dans *Senilità* (1897) d'Italo Svevo, qui lui fait imaginer Angiolina comme une jeune fille aussi honnête que menacée. C'est que les deux personnages se targuent de n'être pas des débutants en amour, d'être protégés par leur expérience, au fond d'être atteints d'une vieillesse précoce au sein de laquelle la jalousie, précisément, va faire apparaître « la possibilité d'une sorte de rajeunissement » (*Un amour de Swann,* 1913). Cette thématique conduit à s'interroger sur la connaissance intime que les deux écrivains peuvent avoir de la jalousie : la jalousie de Swann est la préfiguration de celle du narrateur de la *Recherche* à l'égard d'Albertine (il n'y manque même pas la représentation de possibles aventures homosexuelles d'Odette); celle de Brentani, reflet d'une souffrance qu'a fait connaître en 1892 à Svevo une nommée Giuseppina Zergo, est encore celle que vit le romancier au moment de ses fiançailles avec Livia en 1896 et dans les premiers temps de son mariage.

Le rapport entre roman et autobiographie, ce que Philippe Lejeune a appelé « le pacte autobiographique », relève des études de genres. Lejeune a travaillé sur un *corpus* purement français. Mais la problématique est suffisamment riche pour qu'on puisse avoir recours à un *corpus* comparatiste. Au lieu de poursuivre dans tous ses méandres l'analyse des *Confessions* ou des *Mots,* l'étude de littérature générale pratiquera plus volontiers ce qu'on pourrait appeler une coupe transversale. Elle s'intéressera par exemple au portrait de l'artiste : portrait en jeune homme (*The Portrait of the Artist as a Young Man* de Joyce), mais tout aussi bien en vieil homme (*Der Tod in Venedig* de Thomas Mann); portrait direct (celui que Borges fait de lui-même au début du *Libro de arena*) ou indirect (Proust se peignant en Bergotte). Tous ces rapprochements permettront de poser quelques questions fondamentales : celle de l'histrionisme, peut-être indissociable de l'écrivain (voir la belle étude de Jean Starobinski, *Portrait de l'artiste en saltimbanque*); celle du maintien nécessaire de la fiction (Marthe Robert fait observer, dans *Roman des origines et Origines du roman,* 1972, que Swift, Hoffmann, Kafka « fondent leur vérité sur la négation de l'expérience commune, au bénéfice du fantastique et l'utopie »).

« La littérature générale, écrivait Étiemble, ne consiste point à bafouiller des généralités sur les littératures. » L'avertissement est salutaire. Et l'invitation est féconde, à pratiquer ce qu'il a appelé la « poétique comparée ». Nous n'entendons pas par là, comme Lucien Dällenbach, « une théorie générale des formes littéraires », mais bien plutôt une pratique du texte littéraire, ou, en l'occurrence, des textes littéraires, dans ce qu'ils ont de plus concret. Une étude spécialisée analysera comment un texte est fait (celle des « Chats » par Jakobson et Lévi-Strauss est restée tristement célèbre). Erich Auerbach dans *Mimesis* (1946), Leo Spitzer dans ses *Études de style* (1970) restent à mi-chemin : ils juxtaposent des explications de textes appartenant à différents domaines linguistiques. On aurait une idée déjà plus nette de ce que pourrait être une étude de poétique comparée en lisant *Le Récit spéculaire* de L. Dällenbach (1977). Partant du célèbre texte de Gide à propos de la « mise en abyme » et rectifiant l'interprétation foisonnante, mais trop peu rigoureuse, qu'en avait donnée Claude-Edmonde Magny, il étudie à travers un corpus très large (de *Don Quichotte* au nouveau roman) cette présence dans le texte narratif d'un miroir interne qui réfléchit l'ensemble du récit « par réduplication simple, répétée ou spécieuse » (p. 52). Inspirée (comme la réflexion de Gide) par la présence du « Meurtre de Gonzague » dans *Hamlet,* la représentation théâtrale décrite dans *Titan,* microcosme du roman, fait de Jean-Paul un « virtuose méconnu de la mise en abyme avant la lettre ». Et quand dans *Ulysse* Joyce imagine qu'au cours de la discussion sur *Hamlet,* qui déjà réfléchit le livre, le bibliothécaire invoque l'interprétation réflexive de *Hamlet* dans le *Wilhelm Meister* de Goethe, il « élève la réflexion au carré » (p. 22, n).

C'est certainement dans ce dernier domaine que les limites de la compétence linguistique se font le plus sentir. Mais c'est là aussi qu'il apparaît le plus clairement que la littérature générale ne peut que gagner à l'examen particulier du texte en langue originale. Les analyses contenues dans les *Questions de poétique* de Jakobson (celles de textes de Brecht, d'Eminescu ou de Pessoa) sont pour la plupart exemplaires à cet égard. Et George Steiner ou Étiemble ont bien montré que la traduction n'est pas seulement cet obscur intermédiaire que Wellek et Warren considéraient avec quelque condescendance dans les études de littérature comparée au sens étroit du terme, mais une pierre de touche de la poétique comparée.

Répétons-le : la littérature générale est l'étude des coïncidences, des analogies; la littérature comparée (au sens étroit du terme) est l'étude des influences; mais la littérature générale, c'est encore la littérature comparée. Et même si l'on n'entend sous ce dernier terme que l'étude des relations de fait, on s'aperçoit qu'il n'existe pas de solution de continuité.

Paul Van Tieghem, qui a contribué à promouvoir le concept de « coïncidences », se rendait bien compte que la littérature générale telle qu'il la concevait n'excluait pas la recherche des influences. « Cette méthode, écrivait-il dans son volume sur *Le Romantisme dans la littérature européenne,* rapproche intimement les idées, sentiments, tendances, les œuvres et les formes d'art analogues à travers les frontières nationales ou linguistiques. » Mais il ajoutait aussitôt après : « Elle tient le plus grand compte des influences étrangères que la littérature comparée a découvertes et analysées.

Elle replonge les écrivains dans l'atmosphère littéraire internationale que les plus rebelles en apparence aux appels de l'étranger n'ont pas manqué de respirer. »

## ÉPISTÉMOLOGIE

Étudier le développement d'un certain arbre, d'un type d'arbre, d'une espèce ou d'un genre de plantes, est une chose; déterminer la nature et les conditions de la vie végétale en est une autre. Remplaçons *arbre* par *œuvre*, et *vie végétale* par *vie littéraire,* nous découvrons un autre type de connaissance, auquel l'anglais donne le nom de *theory of literature* (parfois *general literature;* voir le sous-titre du *Yearbook*), l'allemand d'*allgemeine Literaturwissenschaft* (science littéraire générale). En français, à côté de la « littérature générale » proprement dite, nous distinguerons une science de la science littéraire, une épistémologie, dont le nom n'est pas fixé par l'usage. On pourrait l'appeler, faute d'une meilleure expression, « philosophie de la littérature ».

Précisons par un autre exemple. Certains historiens se contentent de fouiller le passé, d'établir des faits et des dates, d'expliquer telle bataille ou tel traité. D'autres, comme Vico, Montesquieu, Voltaire, Michelet ou Toynbee, échafaudent de vastes synthèses, posent de grandes questions : Qu'appelle-t-on civilisation? Les civilisations suivent-elles un cycle? L'humanité va-t-elle vers un but? Quel sens a l'histoire, providentiel ou non? D'autres, enfin, s'interrogent sur la nature et la valeur de la connaissance historique en général; qu'entend-on par liberté ou déterminisme? Par événement, personnage, document historiques? En quoi la mentalité historique modifie-t-elle notre perception du temps, de l'action?

A ces trois catégories correspondent l'histoire littéraire, la littérature générale, la philosophie de la littérature.

Il s'agit bien, en effet, d'une réflexion abstraite sur les phénomènes littéraires, sur des concepts, des formes, des méthodes. Pour examiner cette philosophie de la littérature, la table des matières de l'ouvrage désormais classique de Wellek et Warren, *Theory of Literature,* va nous servir de guide.

D'abord et avant tout, qu'appelle-t-on littérature? Somme de lectures pour les uns (encore nommée culture); tout texte imprimé pour les autres, ou simplement trésor des grands textes; tantôt appartenance à la République des lettres (et des lettrés), tantôt participation à la vie esthétique; imitation de la réalité ou création d'un univers imaginaire; mode d'action, de connaissance ou d'existence; ce n'est pas en quelques lignes que nous en ferons le tour. Si, au lieu d'une définition abstraite, nous en observons les variantes au cours des âges, nous trouvons autant de réponses que de périodes et de pays, parfois que de littérateurs.

On voit s'esquisser la différence entre l'historien, le philosophe et le comparatiste. Le premier tend vers une conscience de plus en plus aiguë des cas particuliers irréductibles et ne s'élève aux normes et aux lois qu'avec la plus extrême prudence. Les deux autres se hâtent vers des formules toujours plus synthétiques, mais le philosophe, plus déductif, part de la notion générale et l'explore par l'exemple, le comparatiste, plus inductif, découvre, circonscrit, analyse des faits.

Sans quitter les fondements, on s'interrogera encore sur la fonction de la littérature : divertissement gratuit ou enseignement utile, activité autonome ou épiphénomène de la vie économique, forme de sagesse ou folle ambition, activité positive ou évasion; et, en troisième lieu, sur les méthodes : comment connaissons-nous et étudions-nous la littérature? La littérature comparée, cette fois, devient un objet parmi les autres.

La suite de la table des matières nous satisfait moins. Tout ce que ce manuel range sous le titre *Traitement extrinsèque de la littérature :* rapports entre la littérature et la psychologie, la société, les idées et les autres arts, relève à nos yeux d'une littérature comparée élargie. En revanche, nous retrouvons notre philosophie de la littérature avec la rubrique *Traitement intrinsèque.* On y traite de problèmes d'expression, et surtout d'expression poétique (euphonie, rythme, mètre; style et stylistique); d'invention (images, métaphores, symboles, mythes); de composition (genres, et surtout genres narratifs); d'appréciation enfin (critique littéraire proprement dite).

Soit une figure littéraire, Don Juan par exemple. Le simple fait de la présenter sous une étiquette empruntée à une œuvre, la limite et la définit. La philosophie de la littérature parlera de séducteur, et tous les séducteurs ne sont pas Don Juan. Cette variété particulière apparaît en Espagne dans un texte du début du XVIIe siècle. D'où le désir de la relier à son contexte national, religieux et social. Don Juan est-il le produit de la féodalité, d'un système aristocratique, de la monarchie? Est-il espagnol, arabe, voire italien? Est-il chrétien ou musulman? Les interprétations abondent, divergentes. Tandis que le comparatiste débrouille les filiations entre toutes les œuvres qui se réclament du prototype, directement ou à travers des œuvres intermédiaires, le sociologue, le psychologue, le psychanalyste, le médecin, le théologien, auront leur mot à dire. Le philosophe littéraire fera la synthèse.

La morphologie littéraire présente moins de risques. Étudier l'invention de la tragédie en Grèce, sa transplantation à Rome, sa résurrection au XVIe siècle, sa diffusion dans toute l'Europe, son regain de faveur de nos jours, c'est faire œuvre de comparatiste. Méditer sur la notion de tragique, comme Nietzsche dans *La Naissance de la tragédie,* ou, plus récemment, George Steiner, dans *La Mort de la tragédie,* en conclure, comme celui-ci, que l'idée chrétienne détruit le tragique et qu'il n'y a pas de tragédie chrétienne authentique, bien que nous ayons des tragédies à sujet chrétien ou écrites par des chrétiens, c'est être philosophe littéraire. Mais, dira-t-on, pourquoi cette répartition scolastique? Si la tragédie classique renouvelée des Grecs se range parmi les formes littéraires définies, le tragique s'exprime partout, dans le roman comme dans l'épopée, et, si l'on parle de la condition tragique de l'humanité, pourquoi ne pas l'illustrer par Kierkegaard ou les *Upanishads* autant que par Sophocle ou Brecht? Disons donc que le philosophe étudie le tragique en soi ou chez les philosophes, le philosophe littéraire choisit des exemples littéraires, le comparatiste rapproche un certain nombre de tragédies en bonne et due forme, mais chacun a besoin des autres.

Considérons encore les formes sous un autre angle. Ne peut-on pas, d'un mot, caractériser la plupart des œuvres littéraires et artistiques de l'Occident comme aristotéliciennes? Autrement dit, elles ont, ou avaient, un commencement, un milieu et une fin, comme les organismes vivants évolués. Un sonnet, une symphonie de Beethoven, une cathédrale, un tableau de Van Gogh, sont construits selon ce même principe. Mais un gratte-ciel, un morceau de jazz, une pièce de Ionesco, un poème de Saint-John Perse, un film de Robbe-Grillet, relèvent d'une autre esthétique. Ils n'ont, pour redonner vie à une métaphore vulgaire, ni queue ni tête. Leur unité, si elle existe, est ailleurs. Avons-nous, dira-t-on, inventé une nouvelle manière de créer? Parlera-t-on d'esthétique africaine ou asiatique? Ou simplement de deux systèmes permanents plus ou moins pratiqués suivant les temps et les lieux? Nous laissons les réponses au philosophe de la littérature.

Dans un autre domaine, aux confins de la littérature et des arts, Étienne Souriau nous invite à étudier la *Correspondance entre les arts* (1947). Peut-on parler de rythme d'une façade; que signifient les diverses tentatives des poètes pour reprendre à la musique son bien, comme le veut Mallarmé; sur quels fondements repose la synesthésie depuis « les parfums, les couleurs et les sons se répondent » jusqu'au sonnet des voyelles de Rimbaud; l'impressionnisme a-t-il son correspondant en littérature; quelle concurrence le cinéma fait-il au roman? Ces questions, et mille autres, peuvent être posées en France, en Europe, en Occident. Les mondes slaves, orientaux, africains en posent d'autres, analogues. La simple notion de goût, par son ambiguïté sensorielle, restée fortement culinaire dans notre pays; celle de critique, qui, comme son nom l'indique, sépare; celle d'interprétation, proche de la musique; de plaisir esthétique : toutes intéressent le comparatiste autant que le philosophe.

Pour ne pas quitter un terrain familier, la distinction entre prose et poésie ne va pas sans dire. Dans de nombreux cas, poésie signifie combinaisons réglées de syllabes, de sons et de rythmes, ou usage exclusif d'un certain vocabulaire. Pendant plus d'un siècle, de Malherbe à Chénier, le Français crut qu'un bon poète était un bon fabricant de vers. L'oreille se crispait en décelant des alexandrins dans la prose de l'abbé Prévost.

Mais lorsque nous trouvons plus de poésie dans une phrase de la cinquième *Promenade* de J.-J. Rousseau que dans toute la *Henriade,* nous renversons les valeurs. Cette révolution dans le goût n'a pu s'opérer que grâce à l'évolution de la poésie elle-même, à partir de la fin du XIXᵉ siècle, terme d'une longue crise que Suzanne Bernard a pu étudier à travers le poème en prose. A côté de cet ouvrage, qu'un comparatiste pourrait élargir en sortant du domaine français, l'abbé Bremond, dans sa *Poésie pure,* se conduit en philosophe de la littérature. Toujours dans cette enquête sur la nature de la poésie, tandis que le P. Jousse travaille en physiologiste sur la respiration et le rythme, le verset claudélien se prête à des définitions plus stylistiques. Tel est le perpétuel va-et-vient entre le concret et l'abstrait, le général et le particulier.

Que voulons-nous prouver par ces quelques illustrations? D'abord, que la littérature, avec ses formes, ses lois, son développement, constitue un univers original parmi les manifestations de l'esprit humain, mais qu'on ne saurait comprendre sans le relier à tout le reste.

Ensuite, que le comparatiste occupe ici une place privilégiée. Comment une littérature qui ne puiserait ses exemples que dans un seul domaine national pourrait-elle se prétendre « générale »? *A fortiori* une philosophie littéraire. Tout système d'enseignement qui lie impérieusement l'étude de la littérature à l'acquisition d'une langue, en jetant l'anathème sur les traductions, met une entrave fatale aux idées générales. Ce sont donc des chaires de Littérature (tout court) qu'il nous faudrait, comme il existe une médecine générale à côté de la médecine de spécialité.

Ce qui compte n'est pas tant une connaissance exhaustive ou encyclopédique, rêve des historiens ou des linguistes, qu'une réflexion significative. A cette fin, pouvoir citer plus d'une littérature revient à faire un pas décisif vers le moment idéal où on les citerait toutes, et, pour les besoins pédagogiques, quelques textes bien choisis, examinés de près, suffisent pour traiter des questions apparemment aussi monumentales que la structure de la tragédie, la technique du récit indirect dans le roman, les images de lumière en poésie, l'expression de la durée, style écrit et style parlé, etc. En faisant varier l'auteur, la langue et les dates, on s'élèvera progressivement jusqu'à la philosophie de la littérature proprement dite, avec des sujets tels que littérature et réalité, poésie et musique, biographie et création. L'essentiel, en tout cas, reste de stimuler la réflexion du public sur les données fondamentales de toute littérature ce qui, après tout, devrait demeurer le but principal et le résultat tangible d'études dites « littéraires ».

## VERS LA THÉORIE DE LA LITTÉRATURE

La question posée par Sartre dans un long essai publié en 1948, *Qu'est-ce que la littérature?* n'a cessé depuis cette date de préoccuper les esprits. Il n'est pas sûr en effet que la réponse donnée dans *Situations II* ait paru pleinement satisfaisante. Et, en admettant qu'« un écrit soit une entreprise » et la littérature une *« praxis »*, il reste encore à faire la théorie de cette pratique. Cette réflexion abstraite sur les phénomènes littéraires, sur les concepts, les formes, les méthodes qu'ils mettent en jeu, Wellek et Warren l'ont conduite dans *Theory of Literature*. Là encore, il n'existe pas de solution de continuité entre littérature comparée et théorie de la littérature.

### Des théories à propos de la littérature

Une réflexion sur la littérature peut fort bien dériver d'une philosophie proprement dite. Ainsi, Wilhelm Dilthey, qui est le premier, peut-être, à avoir tenté d'établir en 1914 une théorie systématique sur des bases philosophiques, a affirmé tour à tour au nom de sa « philosophie de la vie » *(Lebensphilosophie)* que « la vraie poésie est l'expression et la représentation de la vie » et que « la vraie poésie exprime une conception du monde » — les conceptions du monde pouvant se réduire à trois types fondamentaux : le type naturaliste (Balzac), le type idéaliste-subjectif (Schiller), le type idéaliste-objectif (Goethe) [1]. Peut-être en effet le style est-il une question de vision. Proust l'avait suggéré. Peut-être l'objet n'existe-t-il en littérature que dans la mesure où il est l'élément d'une représentation : les romans de Robbe-Grillet, les réactions positives (Barthes) ou négatives (Ernesto Sabato) qu'ils ont suscitées accentueraient l'évolution contemporaine vers une phénoménologie littéraire. Mais cette représentation peut être héritée, partiellement du moins, déterminée par l'appartenance à telle civilisation ou à telle tradition. L'œuvre d'art n'est pas créée à partir de la seule vision de l'artiste, mais aussi à partir d'autres œuvres : cette affirmation célèbre de Malraux a pu permettre de définir l'intertextualité. Et cette intertextualité, quand elle mêle plusieurs langues et plusieurs cultures, est le domaine même du comparatiste.

Invitant à un repli du texte sur lui-même, le formalisme peut apparaître comme une volonté de rupture avec l'intertextualité. Les travaux des formalistes russes ont commencé au cours de l'hiver 1914-1915, lorsque quelques étudiants fondèrent, sous les auspices de l'Académie des sciences, le Cercle linguistique de Moscou, appelé à promouvoir la linguistique et la poétique. Ils ont surtout pris forme à partir de la constitution, en 1917, de la « Société d'étude du langage poétique » *(Opoiaz)*. Dans une première phase, dominée par Chklovski, le texte littéraire est considéré comme un donné indépendant de la position du lecteur et isolé du contexte de l'histoire littéraire dont il faisait partie [2]. Cette phase s'achève en 1925, l'année de la *Théorie de la littérature* de B. V. Tomachevski (1890-1957), titre qu'a sciemment repris T. Todorov quand il a publié son anthologie des formalistes russes en 1965 [3].

Wellek et Warren connaissaient l'ouvrage de Tomachevski quand ils ont écrit leur *Theory of Literature.* Ils y font allusion dans la préface de la première édition (1942). Ils ont voulu s'en démarquer, en renonçant à donner des connaissances de base sur certains sujets techniques comme la prosodie. Et ils sont plutôt tributaires de la conception du texte-monument par laquelle Dilthey avait voulu s'opposer à l'historicisme, et qui a été reprise par l'école de l'interprétation immanente, Emil Staiger en tête. Le principe de Wellek et Warren est que « toute œuvre littéraire ressortit à la fois au général et au particulier ». L'effort des études littéraires et de l'histoire littéraire pour dégager l'individualité d'une œuvre, d'un auteur, d'une période ou d'une littérature nationale « ne peut être accompli qu'en termes universels, sur la base d'une théorie littéraire » (p. 22). La littérature est une, comme l'art et l'humanité. Elle constitue un tout (p. 68-70). Mais qu'est-ce que la littérature? Tout ce qui est imprimé (p. 29). Ce serait identifier la littérature à l'histoire de la civilisation et rejeter les littératures orales, que Wellek et Warren situent en bonne place. La littérature mondiale? Ce serait retomber dans le piège « grandiose » de la *Weltliteratur.* Wellek et Warren se rabattent donc sur les « œuvres majeures », ces monuments dont ils voudraient qu'ils constituent la littérature tout entière.

## La « littérarité »

Le critère du goût, qui détermine l'élection des « chefs-d'œuvre », a été contesté par ce qu'il est convenu d'appeler la « nouvelle critique », en particulier par Roland Barthes dans *Critique et Vérité* (1966). La tâche la plus importante ne serait plus de juger au nom d'une norme, mais de décrire l'objet littéraire, de préciser en quoi il est littéraire. Cette interrogation, qui n'est qu'une variante de la question fondamentale, « Qu'est-ce que la littérature? », occupe une place importante dans l'œuvre de Roman Jakobson. Continuateur du formalisme russe au sein du « Cercle de Prague » (1926-1948), Jakobson a cherché à définir la spécificité de la littérature, sa « littérarité » *(literaturnost').* Dans le post-scriptum écrit pour ses *Questions de poétique,* il précise le sens de sa démarche :

> « La « littérarité », autrement dit, la transformation de la parole en une œuvre poétique, et le système des procédés qui effectuent cette transformation, voilà le thème que le linguiste développe dans son analyse des poèmes. Contrairement aux invectives soulevées par la critique littéraire, la méthode en question nous mène vers une spécification des « codes littéraires » soumis à l'examen et ouvre en même temps la voie vers des généralisations qui s'imposent d'elles-mêmes. »

Cette enquête, qui est celle-là même de la théorie de la littérature, n'exclut nullement l'apport du comparatisme. Heinrich F. Plett a pu faire appel à « une critique historique et comparée de la littérature, qui a[urait] pour objet d'analyse tous les codes qui participent au procès littéraire, ainsi que leurs rapports réciproques, leurs causes et leurs effets [4] ». Le « Cercle linguistique de Prague » a d'ailleurs compté un comparatiste authentique parmi ses membres en la personne de Jan Mukarovski, qui place le texte littéraire dans le contexte de l'histoire littéraire et de tout le système culturel. Enfin Teun A. van Dijk reconnaît l'existence d'un « contexte culturel » et d'un « facteur de variation culturelle » que peut faire apparaître une analyse anthropologique ou ethnographique de textes et de formes de communication : « Une telle analyse nous apprend quels genres de textes peuvent être utilisés dans des situations sociales déterminées et quelles sont les propriétés spécifiques de ces textes, par exemple dans le but de les comparer à ceux utilisés dans des situations comparables dans d'autres cultures [5]. »

Conçue comme une recherche sur la « littérarité », la théorie de la littérature fait en tout cas place à la comparaison. Elle cherche en effet à préciser « l'hiatus possible entre le langage réel (celui du poète) et un langage virtuel (celui qu'aurait employé l'expression simple et commune) [6] ». La rhétorique ancienne établissait un système de règles pour la production de textes. La *rhetorica nova* se soucie d'analyser les textes pour y délimiter ce que Gérard Genette appelle « un espace de figure ». Au transcendantalisme de Roman Ingarten, pour qui l'idée de l'œuvre littéraire résidait dans le rapport essentiel entre une situation représentée et une qualité métaphysique [7], à l'immanentisme du *close reading* qui, selon certains tenants du *New Criticism,* permet au lecteur une approche poétique de ce qui est proprement littéraire dans l'œuvre se trouve substituée une tentative pour rattacher les effets textuels répertoriés à certaines caractéristiques structurelles du texte, comme conditions de leur possibilité d'existence. Samuel R. Levin, désireux de repérer les caractéristiques structurales des objets littéraires, a mis en place les concepts de cohésion, d'écart et de densité. Il reprenait ainsi des intuitions éparses chez d'autres théoriciens de la littérature.

## Cohésion / Écart / Densité

La notion de cohésion est impliquée dans la volonté de considérer la littérature comme une structure de signes. La théorie de la littérature est liée en effet à la sémiotique littéraire. Là encore, le Cercle linguistique de Prague a joué un rôle de pionnier. Mais, par une voie différente, le *New Criticism* est arrivé à des intuitions analogues. I. A. Richards, l'un de ses ancêtres *(Principles of Literary Criticism,* 1924), invitait déjà à considérer le texte comme une unité cohérente. Ses successeurs ont étudié comment les éléments constitutifs d'un texte littéraire se rapportent les uns aux autres d'une manière particulière et se modifient mutuellement : c'est le concept d'ironie [8]. En France, Barthes, s'efforçant dans sa brillante analyse de *Sarrasine* de montrer qu'un texte est un ensemble complexe mais cohérent de codes, a fait du système un système ouvert, souple : en définitive, un texte littéraire pourrait se définir par sa disponibilité.

La notion d'écart *(Abweichung deviation)* fixe une intuition de Iouri Tynianov, quand, dans la seconde phase du formalisme russe (1925-1930), il insistait sur la qualité différentielle. On la trouve chez Mukarovsky [9], chez Siegfried J. Schmidt [10]. Elle résulte d'une prise de conscience de la différence entre le langage de tous les jours et le langage littéraire. « Ce sont les mots de tous les jours, et pourtant ce ne sont point les mêmes », s'écriait Claudel dans les *Cinq Grandes Odes*. La stylistique de l'écart a suscité des réactions parfois assez vives : où se situe exactement la norme? Ne peut-il y avoir des écarts sans effets de style, et des effets de style sans écart? Raymond Queneau, au cours de son voyage en Grèce de 1932, découvrait que la langue démotique est celle de la rue et des poètes; l'autre n'est que celle des fonctionnaires.

La notion de densité appartient en propre à S. R. Levin. Il affirme que les objets littéraires « contiennent dans une proportion supérieure à la moyenne des transformations d'effacement, que l'on ne peut reconstruire [11] ». La part de l'ellipse, du sous-entendu, de la suggestion serait plus importante dans le texte littéraire que dans le simple message verbal. Certaines déclarations de Mallarmé allaient exactement dans ce sens.

Toutes ces préoccupations ne peuvent laisser indifférent le comparatiste, surtout s'il s'intéresse à la poétique comparée. Il pourra se demander, par exemple, quel est le degré de cohérence d'une œuvre qui pratique le collage de citations étrangères (*The Waste Land* de T. S. Eliot). Il retrouvera le même type d'écart dans les *portmanteau-words* de Lewis Carroll *(slithy, condensé de lithe et de slimy dans Through the Looking-Glass)* et les mots-valises de Laforgue (« la céleste Eternullité ») ou de Boris Vian (le « pianocktail »). Il comparera la densité des ruptures syntaxiques dans les drames de Shakespeare et dans ceux de Claudel. Toutefois, l'écart auquel il sera le plus sensible sera la différence entre deux textes, ou deux fragments de textes, d'auteurs et de langues différents.

## Les « niveaux de littérature »

Le concept de « niveau de langue » est fréquemment utilisé en linguistique. On pourrait créer le concept symétrique de « niveau de littérature ». Quand elle se mue en littérature universelle, la littérature comparée peut difficilement laisser de côté le problème de la distinction entre « littérature savante » et « littérature populaire ». Wellek et Warren admettent même que le terme « littérature comparée » fasse référence à l'étude de la littérature orale, des pérégrinations des thèmes des contes folkloriques, des circonstances diverses de leur incorporation dans la littérature « artistique », la « grande » littérature (p. 64-65).

Or cette question des « niveaux de littérature » requiert aussi le théoricien de la littérature, puisqu'elle doit permettre de préciser encore davantage le sens même de ce mot. Ouvert à toutes les formes de la paralittérature, le comparatiste ne saurait s'en tenir à une définition étroite. Il sait qu'il existe des éléments qui relèvent du roman policier dans *Crime et Châtiment* de Dostoïevski ou dans *L'Emploi du temps* de Butor (il y a même dans ce livre la présence d'un roman policier, le *Bleston Murder,* que Revel achète à son arrivée dans la ville [12]). Il sait comment la science-fiction américaine a pu aider Ionesco à figurer au théâtre des rêves et des angoisses, des interrogations sur l'être et sur le monde. Ou encore comment Queneau a introduit dans ses *Exercices de style* des exclamations analogues aux bulles des *comics.*

La littérature populaire, d'ailleurs, n'est pas une. A. Kibédi Varga a rappelé opportunément que l'expression recouvrait à la fois la littérature folklorique et la littérature de grande consommation. La différence entre les deux est flagrante : la première est « l'expression profonde et authentique du récit populaire », la seconde « un article imposé du dehors au peuple pour des raisons commerciales et idéologiques » : l'une est plus ancienne, issue d'une société rurale et postféodale, l'autre reflète « les rêves et les besoins des classes populaires dans une société industrialisée »; mais n'existe-t-il pas entre elles un parallélisme, dans la mesure même où elles répondent à l'appel d'un certain public [13]?

Le concept de littérature orale, enfin, retient l'attention. Mircea Eliade appelle ainsi « tout ce qui a été dit, et ensuite retenu par la mémoire collective ». Mais a-t-on le droit, malgré le lien que la langue latine établit entre *littera* et *litteratura,* et la confusion que le mot chinois *wen* entretient entre écriture et littérature, de parler de littérature orale? Un linguiste, comme Barthes, fera observer que le texte *(textum)* peut fort bien n'être, étymologiquement, qu'un tissu de paroles [14]. Un comparatiste montrera, à l'aide d'exemples parallèles, comment des traditions orales ont pu, à un moment donné, accéder à l'écrit (c'est le cas des poèmes homériques ou, à une date relativement récente, du *Kalevala*). Et il se pourrait bien, comme le notait Etiemble, que « la littérature écrite obé[î]t aux mêmes lois que le folklore, et ne trouv[â]t son lieu, sa formule, qu'à mi-chemin du profane impur et du sacré tout pur : laïcisée, par rapport avec les textes des rituels, sacralisée par rapport au fait divers » *(Essais de littérature (vraiment) générale,* p. 73).

Wellek et Warren partent de la théorie de la littérature pour aller vers la méthodologie des études littéraires. Cette démarche est peut-être plus philosophique que comparatiste. En effet, le comparatiste, inductif là où le philosophe est plus volontiers déductif, aboutit à la notion générale après avoir exploré le champ des exemples. Il ne cesse d'interroger des textes, quand le théoricien de la littérature s'interroge sur le texte. Mais il est persuadé, comme lui, qu'on n'a pas le droit de traiter d'un objet sans s'interroger sur la nature de cet objet, son essence, ou, plus modestement, ses conditions d'existence.

# NOTES

1. *Das literarische Kunstwerk*, 1914, 2ᵉ édition, Tübingen, 1960.
2. Pour les limites chronologiques et la caractéristique essentielle de cette « phase formaliste » proprement dite, nous suivons l'exposé de Elrud Ibsch et D. W. Fokkema : « La Théorie littéraire au xxᵉ siècle », dans l'ouvrage collectif dirigé par Aaron Kibédi Varga, *Théorie de la littérature*, A. & J. Picard, 1980, p. 39.
3. *Théorie de la littérature*, Le Seuil, coll. « Tel Quel ».
4. « Rhétorique et stylistique », dans *Théorie de la littérature* (dir. Kibédi Varga), p. 173. Du même auteur on consultera *Textwissenschaft und Textanalyse. — Semiotik, Linguistik, Rhetorik*, Heidelberg, 1975, 2ᵉ éd. Quelle & Meyer, 1979.
5. « Le texte : structures et fonctions », dans *Théorie de la littérature* (dir. Kibédi Varga), p. 66. Du même auteur voir *Text and Context*, London, Longman, 1977.
6. Gérard Genette, *Figures*, Le Seuil, 1966, p. 207.
7. Roman Ingarten, *Das literarische Kunstwerk*, Halle, 1931, rééd., 1960.
8. Voir Cleanth Brooks : *The Well-Wrought Urn : Studies in the Structure of Poetry*, London, Methuen, 1947; rééd. 1968.
9. Voir « Standard Language and Poetic Language », dans L. Garvin, *A Prague School Reader on Esthetics, Literary Structure and Style*, Washington, Georgetown University Press, 1964, p. 17-30.
10. « Alltagssprache und Gedichtssprache », dans *Poetica*, 1968, p. 285-303.
11. « Die Analyse des „Kompromierten" Stils in der Poesie », dans *Zeitschrift für Literaturwissenschaft und Linguistik*, 3, 1971, p. 59-80.
12. Voir l'étude de M. A. Grant : *Butor : L'Emploi du temps*, p. 22-26.
13. A. Kibédi Varga : « La Réception du texte littéraire; les arts et les genres », dans *Théorie de la littérature*, p. 231.
14. Article « Texte » dans l'*Encyclopædia universalis*.

# Chapitre 6

# THÉMATIQUE
# ET THÉMATOLOGIE

La littérature comparée, surtout quand elle évolue vers la littérature générale, se plaît à opérer des regroupements par thèmes. « Le point de départ
de ces recherches est d'abord thématique, et il n'est plus qu'accidentellement
national » (Jeune, p. 14). Il y a là quelque chose de séduisant pour l'esprit
et une manière de passer par-delà les frontières linguistiques ou culturelles.
Ajoutons que la pédagogie s'est emparée de ce mode de présentation et a
cru, par là, pouvoir pallier ce qu'avait d'aride pour de jeunes esprits une
approche trop exclusivement historique de la littérature.

On s'étonne, dans ces conditions, des controverses suscitées par l'étude
des thèmes chez les comparatistes eux-mêmes. Benedetto Croce y voyait les
« sujets de prédilection de la vieille critique [1] », Paul Hazard un jeu
permettant tout au plus d'aboutir « à des rapprochements curieux, à des
différences amusantes [2] ». Pour un peu, comme le rappelle M.-F. Guyard,
ce dernier eût même volontiers interdit aux comparatistes l'étude des
thèmes, ne voyant en eux que la matière de la littérature qui commence avec
leur mise en valeur grâce aux genres, à la forme, au style.

Aussi a-t-il fallu de vigoureux plaidoyers en faveur de ce genre de
recherches, en particulier ceux de Raymond Trousson [3] ou de Harry Levin [4].
Ils tendaient à réhabiliter un domaine qu'avaient exploité avec enthousiasme
les Allemands au début du xxᵉ siècle avec la revue de Max Koch [5],

115

*Zeitschrift für vergleichende Literaturgeschichte* (1886-1910), la collection des *Studien zur vergleichenden Literaturgeschichte* (1901-1909), la série de seize volumes publiés de 1929 à 1937 par Paul Merker sur la *Stoff- und Motivgeschichte der deutschen Literatur* et encore en 1931 avec une monographie comme celle de Kurt Wais sur *Das Vater-Sohn-Motiv in der Dichtung*.

Cette marque laissée par les travaux germaniques explique que le nom de *Stoffgeschichte* reste attaché à l'étude des thèmes. Les Anglo-Saxons hésitent entre *thematics* et *thematology* (Prawer, p. 99).

Nous retiendrons l'équivalent français « thématologie », réservant « thématique » pour désigner une méthode. Le danger, en ce domaine, est peut-être de parler allemand en français. S. S. Prawer, pour y voir plus clair, proposait de distinguer entre l'étude de la représentation littéraire, les motifs itératifs, les situations, les types et les personnages porteurs d'un nom. Nous savons bien, avec Philippe Sollers, que « toute terminologie est une mythologie », qu'arbitraire, elle est toujours révisable. Mais il nous semble opportun de faire un nouvel effort de clarification et, du moins nous l'espérons, de simplification.

Si la thématologie est l'un des champs d'études pour le comparatiste, la thématique est l'une des méthodes auxquelles il peut avoir recours.


## LA MÉTHODE THÉMATIQUE

Après avoir connu son heure de gloire et alimenté la querelle de la « nouvelle critique » entre 1964 et 1967, la thématique perd actuellement du terrain dans les études littéraires. Depuis longtemps, Barthes était allé au-delà des propositions de méthode qu'il faisait dans son *Michelet par lui-même* (1954). Le dernier livre de Jean-Pierre Richard, *Micro-lectures* (1978), montre que l'auteur de *Poésie et Profondeur* a évolué vers la psychanalyse et le recours à l'anagramme. L'analyse thématique continue pourtant d'exister. C'est, avec l'analyse rhétorique et l'analyse narrative, l'un des grands types d'analyse du texte mentionnés par Ducrot et Todorov [6].

### Thématique et thématologie

La thématique peut servir l'étude des thèmes. Mais elle ne reste pas confinée dans ce domaine. L'erreur serait encore plus grave si on la cantonnait dans un certain secteur de la littérature.

### a) *Les méthodes de la thématologie*

Quand Raymond Trousson réduit le mythe de Don Juan à l'incarnation du « motif du séducteur », quand Jean Rousset en dégage trois constantes structurales (la mobilité, la multiplicité des femmes, la rencontre avec le mort [7]), quand Clements propose à ses étudiants un certain nombre de *topics* donjuanesques à appliquer à une liste allant d'*El Burlador de Sevilla* à *Don Juan oder Die Liebe zur Geometrie* de Max Frisch [8], ils utilisent la méthode thématique pour un sujet de thématologie.

Cette méthode, tout à fait légitime, comporte ses dangers. Le plus grave est de réduire à un thème ou à un petit nombre de thèmes un ensemble beaucoup plus foisonnant. La présence du valet, Catalinon, Sganarelle ou Leporello, celle du double, étudiée par Otto Rank, ne sont-elles pas également indispensables à la constitution du mythe de Don Juan? La signification de l'objet d'étude peut se trouver limitée ou même faussée : dans la *comedia* de Tirso de Molina il s'agissait beaucoup moins de « séduire » (comme l'a cru le premier traducteur français Ch. Poitvin) que de « tromper », d'« abuser » *(burlar),* les femmes, certes, mais aussi le marquis de la Mota, le roi et peut-être Dieu lui-même. De même on ne saurait réduire Tristan au « thème courtois de l'amour réciproque malheureux », ou à « l'adultère [9] », ou même à « l'amour fatal qui balaye toutes les contraintes morales ou sociales, et qui finalement s'affirme plus fort que la mort même [10] » : il y a un bonheur de Tristan et Iseult, une préférence accordée à la mort, cette passion de la nuit qui a trouvé son expression la plus sublime dans le drame musical de Wagner. On a plutôt affaire à une pluralité de thèmes virtuels qui peuvent se révéler contradictoires.

Cette méthode, enfin, n'est pas la seule. La méthode historique conserve tous ses droits dans le domaine de la thématologie : les « dénombrements entiers » (M.-F. Guyard), sur lesquels il est trop facile d'ironiser, ou du moins une solide bibliographie chronologique, sont un point de départ indispensable. D'où l'utilité de répertoires comme les *Stoffe der Weltliteratur* d'E. Frenzel. D'ailleurs même un tenant de la méthode thématique comme Jean Starobinski reconnaissait que « si l'on veut suivre dans le détail l'expansion d'un thème [...] rien n'oblige à octroyer aux grands auteurs et aux œuvres réussies une situation privilégiée; les *minores* et les minuscules auront également droit à toute notre considération [11] ».

Les méthodes dites « structurales » ne seront pas davantage exclues, soit qu'elles empruntent à Lévi-Strauss la notion de « paquets de relations », soit qu'elles établissent des rapports entre le thème retenu et ceux dont, dans le réseau du texte, il est indissociable, soit qu'elles cherchent à définir par un équivalent linguistique la structure de l'objet étudié : après le répertoire de R.B. Matzig (*Odysseus, Studie zu antiken Stoffen in der modernen Literatur, besonders in Drama,* 1949), après la présentation « classique » de W.B. Stanford (*The Ulysses Theme. A Study in the Adaptability of a Traditional Hero,* 1954), on est en droit d'attendre un ouvrage sur le mythe littéraire d'Ulysse qui tienne compte de la structure oxymoronique qu'y a découverte Roman Jakobson en s'appuyant sur le poème de Fernando Pessoa intitulé « Ulysse » (dans *Questions de poétique*).

## b) *L'application de la méthode thématique à d'autres domaines*

La méthode thématique a son champ d'application en dehors de la thématologie. Mario Praz a par exemple tenté d'étudier le décadentisme — donc un mouvement, ou ce qu'on pouvait être tenté de considérer comme tel — en se fondant sur le retour de certains types, de certains thèmes, de certains mythes. Les titres des chapitres de son livre (I. La beauté de la Méduse; II. Les métamorphoses de Satan; III. L'ombre du « divin marquis »; IV. La belle dame sans souci; V. Byzance) sont révélateurs à cet égard. Mais le titre même de l'ensemble est thématique : *La Carne, la Morte e il Diavolo nella letteratura romantica* (1930). Seule la traduction anglaise, *The Romantic Agony* [12], lui substituera une notion d'histoire littéraire.

L'étude d'un genre, comme la comédie baroque, passe aussi par la thématique. Après E. R. Curtius, Ross Chambers a montré quelle place y occupait le *topos* du *theatrum mundi*. La sentence de Pétrone, « *totus mundus agit histrionem* », fut inscrite en 1599 sur le fronton du théâtre du Globe, à Londres. Jacques le misanthrope, dans *As you like it,* explique que le monde entier est une scène. C'est « le grand théâtre du monde », titre d'un autosacramental de Calderón, c'est aussi, dans la deuxième journée de *La vida es sueño,* la conscience de soi-même comme acteur qu'acquiert Sigismond : la vie est un théâtre, mais un théâtre où l'homme, sans refuser son rôle, sait qu'il le joue et, d'une certaine manière, tout intérieure, se regarde le jouer.

L'étude d'un style, même, est beaucoup plus liée à la thématique qu'on ne l'a dit. C'est toujours à propos de la littérature baroque, de la poésie cette fois, que Gérard Genette a proposé la notion de « thèmes-formes » — le vertige, par exemple — pour bien montrer que les deux types de recherches étaient indissociables [13]. Les quatre critères retenus par Jean Rousset pour définir l'œuvre baroque (l'instabilité, la mobilité, la métamorphose, la domination du décor) recouvrent des processus esthétiques avant d'ouvrir des perspectives thématiques : d'ailleurs, ils ont été dégagés à partir de l'architecture bernino-borrominienne avant de servir de fondement à une méthode que l'auteur qualifie de « transposition indirecte [14] ».

## c) *Contre la notion de « littérature thématique »*

Parmi les quatre modes de la critique que distingue Northrop Frye (critique historique, critique éthologique, critique des archétypes, critique rhétorique) on ne trouve pas la critique thématique. C'est que la thématique constitue pour Frye un domaine réservé de la littérature : le qualificatif s'applique, pour lui, « à des ouvrages littéraires où aucun personnage n'apparaît comme distinct de la personnalité de l'auteur placé face à son public ». Ce serait le cas des œuvres lyriques, des essais, « ou encore d'ouvrages littéraires où le comportement des personnages est fonction d'une conception théorique défendue par l'auteur, comme dans le cas de la parabole ou de l'allégorie [15] ».

Une œuvre serait thématique à partir du moment où l'intérêt ne serait plus centré sur ce qu'Aristote dans la *Poétique* appelait le *muthos* (l'affabulation), mais sur la « pensée inspiratrice » ou *dianoïa*. C'est ce dernier terme que Frye propose de traduire par « thème ». Mais il en fait également un équivalent de « sens », puisque quand on pose la question « Qu'est-ce que cette histoire signifie? » elle touche à la *dianoïa* et « indique que l'on peut trouver dans les thèmes, tout comme dans l'intrigue, des éléments de révélation [16] ».

Comment admettre que la tragédie grecque ne permette pas l'approche thématique, ou que la seule manière d'aborder la littérature « thématique » soit de l'enfermer dans un schéma diachronique (premier temps, mythologique : le *vates* et la poésie oraculaire; deuxième temps, *mimesis* supérieure : la poésie de service, le poète courtisan; troisième temps, *mimesis* inférieure : le romantisme; quatrième temps, la « période ironique » : le pur artiste et la théorie du « masque poétique » chez Yeats)?

### Spécificité de l'approche thématique

Le propre de toute analyse est de séparer. Mario Praz en avertit loyalement son lecteur : « Cette étude doit être considérée comme une monographie, non comme une synthèse. » Il y manque cette vision globale du texte dont rêve maint théoricien de la littérature. Il y manque même une vision globale de la thématique décadentiste, puisque l'auteur a choisi de privilégier l'érotisme. Dégagée de l'idéologie, dégagée de la poétique, une telle étude thématique finirait-elle par être dégagée de la thématique elle-même?

### a) *Thématique et idéologie*

Parmi les reproches qui ont été faits à Mario Praz, le plus grave est peut-être celui de Benedetto Croce [17] : d'avoir fait de la décadence un simple avatar du romantisme en considérant seulement le romantisme comme une nouvelle sensibilité, sans s'interroger sur ses fondements idéologiques et sans voir la différence qui existe entre les fondements idéologiques du romantisme et les fondements idéologiques du décadentisme. Pour prendre l'exemple le plus simple : une idéologie du progrès dans le romantisme (« Pleine Mer — Plein Ciel » dans *La Légende des siècles*), une idéologie de la décadence dans le décadentisme (la certitude, chez Barbey d'Aurevilly, d'être « une race à sa dernière heure »; la vision de Schopenhauer complétée par celle de Hartmann).

En fait la thématique est ici indissociable de l'histoire des idées. Pierre Macherey, étudiant le « thème révélateur » de l'île chez Jules Verne, a bien montré que c'était aussi un thème « démonstrateur », exhibant un « motif idéologique » constitué depuis le XVIIIe siècle [18]. Il n'en demeure pas moins, et Macherey le reconnaît, que le thème est en quelque sorte le degré zéro de l'idée, et que l'idée vient l'investir : « Le thème, dans son rapport à l'œuvre idéologique ou représentative, a la même consistance que le concept par rapport à l'œuvre théorique » (p. 230 n.). Sur le thème neutre de la décadence (ou de ce que Montaigne appelait la décrépitude) peut se constituer une idéologie du progrès (qui nie la décadence et lui fait obstacle) ou une idéologie de la décadence (qui affirme la décadence et la favorise). Ces idéologies, Nietzsche a pu les renvoyer dos à dos, vilipendant l'idéologie « roturière » du progrès et reprochant à l'idéologie décadentiste de sacraliser le néant, donc de tenter de tuer la volonté de vie.

L'œuvre littéraire exprime rarement l'idéologie pure. Elle est, comme l'a suggéré Mikhail Bakhtine, plus « dialogique » que « monologique [19] ». Dans *The Picture of Dorian Gray* la duchesse de Monmouth prend le parti du progrès, Lord Henry celui de la décadence. Dans *Il Piacere*, Sperelli croit découvrir l'immuable à Schifanoia, mais il retrouve à Rome la « loi » de la « mutabilité ». Le nouvel hédonisme auquel se ralliait Walter Pater dans la conclusion de ses *Études sur la Renaissance* ne saurait être qu'une étape dans la carrière du personnage romanesque. L'étude thématique comparée sera alors étude d'une attitude changeante, donc vivante, à l'égard de l'idée.

### b) *Thématique et poétique*

Il y a un autre reproche, et même un double reproche, qui est fait à l'approche thématique : de privilégier les « thèmes » aux dépens des « procédés » et, de toute façon, de séparer le fond de la forme, le signifié du signifiant. Henri Meschonnic a très judicieusement renvoyé dos à dos les excès de la stylistique (monographies des procédés) et ceux de la thématique (monographies des thèmes) qui conduisent dans les deux cas « à une cécité partielle sur l'objet même de la recherche et sur le tout de l'œuvre [20] ».

Ce reproche est évidemment fondé, et il constitue pour les comparatistes une mise en garde nécessaire, puisqu'ils sont tentés de passer du particulier au général. Il faut éviter, par exemple, de niveler sous le mot « ennui » le sentiment que Baudelaire appelait « spleen » (au sens propre, une crise d'humeur noire; et les quatre poèmes des *Fleurs du Mal* qui s'intitulent « Spleen » correspondent à quatre moments de crise par des journées pluvieuses) et le *taedium vitae* de la fin du siècle [21]; « le ver secret des existences comblées » selon Paul Bourget *(Essais de psychologie contemporaine)*, l'ennui « qui assaille ceux à qui la vie ne refuse rien » selon Oscar Wilde qui le prête à l'empereur Domitien errant dans une galerie de miroirs de marbre (le « petit livre jaune » dans *Le Portrait de Dorian Gray).* L'orientation dans l'espace et dans le temps est différente, la situation dans le siècle est bien précise, et chaque mot fait entendre une note musicale différente.

D'une manière générale, « la forme est jaillissement des profondeurs », comme l'écrivait Jean Rousset [22] — nous serions tentés de dire, en jouant sur les mots : jaillissement du fond. Il n'est de thématique qu'exprimée par une poétique, et toute thématique est porteuse d'une poétique virtuelle. L'imagination, la « reine des facultés » selon Baudelaire, n'apporte pas un matériau thématique neutre, mais un matériau déjà ordonné selon les schèmes structuraux qui lui sont propres [23].

## c) *Les complexes thématiques*

Dans une œuvre prise isolément, un thème n'est jamais isolé, il interfère avec d'autres, et il serait plus juste de parler de complexes thématiques. D'où la notion de réseau, proposée par Charles Mauron [24], ou les chaînes de motifs mises en valeur par Jean-Pierre Giusto dans l'œuvre de Rimbaud [25]. De plus, dans une même œuvre, un thème peut se trouver diversement investi : le « teint fleuri » de Jupien ne permet pas de l'agréger au groupe des « jeunes filles en fleurs »...

On pourrait reprocher à l'étude comparatiste de procéder à des mutilations, tout aussi regrettables que la séparation de la thématique et de l'idéologie, ou que la séparation de la thématique et de la poétique. Pour retrouver le même thème dans plusieurs ouvrages (la nuit chez Novalis et chez Musset, par exemple), on le dégage des complexes où il est pris, on le simplifie en le réduisant à l'un ou à l'autre de ses aspects. Mais une pareille conception procède d'un comparatisme simpliste et caricatural. Il faut rappeler, avec S. Jeune, que l'explication de textes conserve, en littérature comparée, toutes ses exigences : on ne doit ni réduire, ni fausser le sens.

Une explication comparatiste cherchera même à être plus complète : au réseau thématique dans l'œuvre, elle ajoutera un réseau intertextuel qui dépasse l'œuvre, l'auteur et le domaine linguistique étudiés. Dans les deux premiers vers du poème de Rilke, « Don Juans Kindheit » (« L'Enfance de Don Juan »), des *Neue Gedichte,*

> *In seiner Schlankheit war, schon fast entscheidend,*
> *Der Bogen, der an Frauen nicht zerbricht*
> (Dans sa sveltesse il y avait, dans sa forme déjà presque définitive,
> L'arc qui ne se brise pas au contact des femmes.)

on reconnaîtra un motif rilkéen, présent dans la première des *Élégies de Duino,*

> « N'est-il pas temps, pour nous qui aimons, de nous libérer de l'objet aimé, vainqueurs frémissants : comme le trait vainc la corde pour être, concentré dans le bond, plus que lui-même? Car nulle part il n'est d'arrêt »

mais aussi une imagerie mythologique complexe (l'arc d'Eros, l'arc d'Héraklès — présent dans les *Cahiers de Malte Laurids Brigge* —, l'arc d'Ulysse dont bientôt Gabriel Fauré va donner une représentation impressionnante dans sa *Pénélope*). C'est la splendide courbure du corps adolescent prêt à lancer l'arme d'amour, l'emblème d'une intraitable liberté, l'épiphanie de ce qui appartient à un être et à lui seul.

Ce qui est vrai d'une étude ponctuelle l'est tout autant d'une étude d'ensemble. Il ne viendrait pas à l'esprit de traiter du thème de l'amour dans le théâtre de Corneille sans étudier ses multiples combinaisons avec le thème de l'honneur. On ne saurait se passer non plus de la référence à la doctrine jésuite du libre arbitre, à cette *concordia liberi arbitrii cum Gratiae donis* dont traitait Molina et qui pourrait bien être un *topos* commun à Corneille et à Calderón.

## Modalités de l'étude thématique

La thématique ne saurait se contenter de quelques thèmes fanés. Sans doute elle sait que le thème est un donné, un dépôt, si l'on veut : le mot « thème », dont l'équivalent en grec n'est pas attesté, se rattache à la racine du verbe *tithèmi,* qui signifie « poser ». Mais ce dépôt est vivant, irrigué. S'interroger sur les sources de cette vie, c'est aller à la recherche des modalités de l'étude thématique.

Dans son article sur « La Création littéraire et le Rêve éveillé », Freud établissait une distinction fragile entre « les auteurs qui, tels les anciens poètes épiques et tragiques, reçoivent leurs thèmes tout faits et ceux qui semblent les créer spontanément [26] ». Mais les thèmes tout faits et les thèmes personnels coexistent dans l'œuvre d'un même auteur. Rodriguez Monegal [27] montre bien, par exemple, à propos de Borges, qu'à des mythes universels (le mythe de l'éternel retour, celui d'Œdipe, celui du labyrinthe crétois) viennent s'ajouter dans l'œuvre de l'écrivain argentin des « mythes locaux » (disons plutôt une imagerie historique et topographique commune à tous les Argentins de son temps) et des symboles qui lui sont propres (comme celui du miroir, du sablier ou du tigre). En systématisant, on pourrait dire que l'étude thématique dégagera plusieurs strates : une thématique personnelle, une thématique d'époque, une thématique ancestrale, et peut-être éternelle.

### a) *Une thématique personnelle*

Confession ouverte ou cryptogramme, l'œuvre littéraire est tissée des fils d'une thématique personnelle que Barthes définit comme « la structure d'une existence » (et il prend soin de préciser « je ne dis pas d'une vie »), « un réseau organisé d'obsessions [28] ». La vie d'un écrivain, c'est sa biographie, artificiellement recomposée, inévitablement lacunaire. Son existence, c'est son émergence dans l'instant : la page qu'il écrit est inséparable de l'instant qu'il vit, mais aussi d'un passé dans lequel il plonge ses racines. Pour Baudelaire, l'horloge est à la fois l'allégorie de son temps qui s'use,

> « Chaque instant te dévore un morceau de délice
> A chaque homme accordé pour toute sa saison »

et le signe d'une invitation au remords,

> « Trois mille six cents fois par heure, la Seconde
> Chuchote : *Souviens-toi.* »

Dissocier son moi, disloquer son passé, autant de jeux qui illustrent une conception ludique de l'écriture. Mais Freud a bien montré que la création littéraire, comme le jeu de l'enfant, est un « rêve éveillé » : l'écrivain « se crée des fantasmes ». La tâche de l'étude thématique ne sera pas seulement de rechercher les impressions actuelles et les souvenirs d'enfance. Elle aura à faire apparaître des processus inconscients. Freud lui-même, après avoir analysé un cas, celui de Norbert Hanolt, le héros de la *Gradiva* de Jensen, a eu, dans l'appendice à la seconde édition de son commentaire (1912), l'idée de procéder à des rapprochements avec d'autres textes du même auteur pour faire apparaître des constantes, et parmi elles l'obsession, liée aux années d'enfance, de la sœur aimée. C'était inaugurer une psycho-critique qui, n'en déplaise à Charles Mauron, n'est pas coupée de la thématique [29].

Mais Freud, dans le texte cité plus haut, parlait moins de thèmes personnels que de thèmes qui *semblent* personnels. L'obsession de la sœur aimée, elle passe chez Byron, chez Chateaubriand, dans *L'Homme sans qualités* de Musil. Le tigre n'est pas un motif propre à Borges : on le trouve chez William Blake, chez Rilke. Il serait donc, dans la plupart des cas, préférable de parler de l'investissement personnel d'un thème.

b) *Une thématique d'époque*

En intitulant son livre *Miroirs du sujet,* Catherine Clément justifiait fort bien l'emploi du pluriel par le choix volontaire d'un titre ambigu : car « l'on ne sait pas si le sujet s'y reflète ou s'il se reflète pour lui autre chose que lui-même » [30]. Son obsession peut être l'obsession de ses contemporains, ou du moins de certains d'entre eux : la bombe atomique pour la littérature postérieure à Hiroshima... Georges Poulet, qui fixait comme tâche à la critique thématique, de « dégage[r] et de révéle[r] certaines hantises person-nelles, point de départ de mille idées ou images rayonnant à partir d'un centre de pensée individuel », s'est pourtant efforcé de montrer le retour chez divers écrivains romantiques d'obsessions piranésiennes.

Cette thématique pourra être constituée par l'actualité politique, sociale, mais tout aussi bien littéraire et artistique. Qu'on songe par exemple à ce que fut la mort de Wagner pour Verlaine, pour D'Annunzio *(Il Fuoco),* ou pour Thomas Mann qui s'en souvient dans *La Mort à Venise.* Elle reflète les idéaux d'une époque, ses chimères parfois (la charité romantique dont on trouve la trace jusque dans l'œuvre de Dostoïevski). Elle en révèle les mensonges.

Ces thèmes d'époque peuvent s'exprimer à l'aide d'images qui sont elles-mêmes à la mode : l'orage pour les romantiques (depuis les « orages désirés » de *René* jusqu'à celui que fait éclater Liszt dans ses *Années de pèlerinage*); les personnages de la comédie italienne à la fin du siècle (le *Pierrot pendu* de Morgenstern, les Pierrots de Laforgue, le *Pierrot lunaire* de Schoenberg). Mais il est frappant de constater que cette imagerie est une imagerie d'emprunt : les Pierrots viennent de la *commedia dell'arte,* l'orage est aussi vieux que le monde...

c) *Une thématique éternelle*

Selon Baudelaire, Constantin Guys, le « peintre de la vie moderne », s'emploie non tant à peindre la femme moderne que « la femelle de l'homme », ou mieux encore, « une divinité, un astre qui préside à toutes les conceptions du cerveau mâle ». Ce n'est point la littérature comparée qui généralise, c'est la littérature elle-même, et l'art.

Mythologique, la littérature de telle époque peut l'être plus visiblement que celle de telle autre. Mais elle l'est toujours, et même à l'époque moderne peut-être, comme le suggérait Nietzsche, parce que « l'homme privé de mythes, éternellement affamé, fouille toutes les époques passées pour y déterrer des racines, dût-il fouiller jusqu'aux antiquités les plus reculées » *(Naissance de la tragédie)*. En plein XXᵉ siècle, Yeats, Daumal ou Hermann Hesse se tournent vers les livres sacrés de l'Inde, et l'*Épopée de Gilgamesh*, péniblement déchiffrée à la fin du XIXᵉ, devient, à la fin du XXᵉ, un spectacle théâtral pour le public du palais de Chaillot.

S'il en est ainsi, c'est que les thèmes les plus anciens ont des résonances actuelles. C'est pourquoi Borges a pu émettre l'idée, qui n'est pas seulement un paradoxe, d'une histoire de l'esprit en tant qu'il produit ou consomme de la littérature, « et cette histoire pourrait même se faire sans que le nom de l'écrivain y fût prononcé [31] ». Toute la littérature serait un seul palimpseste sans cesse regratté et sans cesse récrit.

Privilégier la thématique personnelle, c'est en exagérer peut-être l'originalité. Insister sur la thématique d'époque, c'est au contraire vouer la littérature au stéréotype. Retrouver la thématique la plus ancienne, c'est faire subir à la littérature une cure de jouvence, lui faire retrouver ce que Freud appelait « les rêves séculaires de la jeune humanité [32] ».

# L'ÉTUDE DES MYTHES LITTÉRAIRES

Si le comparatiste se sent tout à fait chez lui *(« very much at home »)* dans le domaine de la thématologie (Prawer, p. 99), il en va de même quand il se trouve parmi les mythes. Le retour de cette image rassurante tente de conjurer une gêne que nous essaierons de dissiper en posant quelques questions préalables.

Quelle est la différence entre le thème et le mythe? La question est préoccupante puisque les deux termes sont souvent confondus dans les manuels (Simon Jeune, chapitre VI; Raymond Trousson, *Les Études de thèmes, passim*) et puisque les classiques de ce genre d'études peuvent s'intituler *Le Thème de Faust dans la littérature européenne* (Charles Dédéyan, 1954-1965) ou *Le Thème de Prométhée dans la littérature euro-*

*péenne* (Raymond Trousson, 1964, rééd. 1979). Par souci de clarté, nous définirons le thème comme un sujet de préoccupation ou d'intérêt général pour l'homme : l'idée sera prise de position intellectuelle par rapport au thème, le sentiment prise de position affective. A son degré zéro ou, si l'on préfère, au neutre, le thème est lieu commun. Nous appellerons mythe un ensemble narratif consacré par la tradition et ayant, au moins à l'origine, manifesté l'irruption du sacré, ou du surnaturel, dans le monde. Il se trouve qu'à un stade avancé de son développement le mythe peut se charger d'une signification abstraite : Prométhée devient l'emblème de la révolte, Sisyphe celui de l'absurde. Il est alors la proie d'un thème auquel il tend à se réduire.

Faut-il établir une distinction entre le mythe et le mythe littéraire ? Pierre Albouy a réservé le mot « mythe » pour le domaine religieux et rituel qui fut le sien à l'origine, le mythe littéraire restant confiné dans « le temps et l'espace littéraires [33] ». L'écrivain reprend bien l'ensemble narratif traditionnel, mais il le traite et le modifie avec une grande liberté, se réservant même le droit d'y ajouter des significations nouvelles. Denis de Rougemont, qui rêve d'un paradis perdu du mythe, considère que la littérature n'en est que le miroir déformant, l'image confuse. Elle ne s'installe qu'à la faveur d'une première profanation, qui est une première dégradation : « Lorsque les mythes perdent leur caractère ésotérique et leur fonction sacrée, ils se résolvent en littérature [34]. » Prométhée sur son rocher devient M. de Charlus enchaîné sur un lit dans un hôtel louche et s'y faisant flageller. Tristan n'est plus Tristan : il est Roméo, ou Humbert Humbert (dans *Lolita* de Nabokov), ou Ulrich (dans *L'Homme sans qualités* de Musil), ou Jivago (dans le roman de Pasternak) [35]. En fait, deux correctifs s'imposent. Tout d'abord, comme l'a rappelé Georges Dumézil, la mythologie reste de l'ordre du *logos* et nous n'avons accès au mythe que par lui : même si le mythe est antérieur à sa « carrière littéraire », même s'il a pour fonction première de justifier et d'exprimer l'organisation sociale et politique, avec le rituel, la loi et la coutume, il est perçu à travers le langage, et c'est surtout de « textes mythologiques » que l'on dispose [36]. Ensuite le mythe originel n'a rien de figé, ni d'univoque : il est une masse de significations virtuelles, une source de variantes ou de prolongements narratifs. C'est pourquoi Claude Lévi-Strauss a pu écrire qu'un mythe est constitué de l'ensemble de ses variantes [5].

En quoi la tâche du comparatiste diffère-t-elle de celle du mythologue ? Dans la seconde moitié du XIXᵉ siècle, et encore au début du XXᵉ, on appelait « comparatiste » le savant spécialisé dans l'étude comparée des religions et des mythes : un Max Müller par exemple, ou un Salomon Reinach. Ce serait le cas, aujourd'hui, d'un Mircea Eliade. Un souci de clarté, là encore, plus qu'une quelconque revendication corporatiste, nous amène à réserver le terme à celui qui pratique l'étude comparée des littératures. Il ne s'agira donc pas de prouver, à la manière de Max Müller, que tous les mythes de la famille indo-européenne sont des mythes solaires ou des mythes d'orage; ni de pratiquer, à la manière de Lévi-Strauss, la comparaison structurale entre le mythe d'Œdipe et les mythes amérindiens. Mais on suivra, dans diverses littératures, les avatars d'un mythe ou d'une figure mythique.

On a trop souvent considéré l'histoire littéraire d'un mythe comme l'histoire d'une dévalorisation : c'est l'irritante comparaison entre l'*Antigone* de Sophocle et l'*Antigone* d'Anouilh. Comme le remarque Henri Meschonnic, le mot « mythe », si galvaudé aujourd'hui, s'est « chargé d'un contenu péjoratif et mesquin » et a pris le sens de « tromperie collective ou non [38] ». Roland Barthes, avec ses *Mythologies,* n'y a pas peu contribué, traitant les « représentations collectives comme des systèmes de signes », afin de « sortir de la dénonciation pieuse et rendre compte en détail de la mystification qui transforme la culture petite-bourgeoise en nature universelle [39] ».

Il nous paraît sage de renvoyer au domaine de l'idéologie, donc de l'histoire des idées, toutes les dénonciations sémioclastiques et leur objet. Les démonstrations brillantes faites à propos d'un combat de catch, du visage de Greta Garbo, des jouets en plastique, de la réclame pour la margarine Astra et de la fascination qu'exercent en général sur nous les images transmises par les *mass-media* auront leur place dans une étude de l'aliénation de l'homme d'aujourd'hui ou, pourquoi pas, un jour, dans une recherche proprement comparatiste sur les livres qui ont mis en lumière cette aliénation.

Il arrive que, dans *Mythologies,* Barthes parle de littérature. Quand, par exemple, il étudie le cas Minou Drouet. Soutenue par une coalition de classiques attardés, de néophytes de la poésie irrationnelle et d'anciens militants de la poésie-enfance, Minou Drouet constitue apparemment un mythe du génie de l'enfance. Mais ce « mythe », selon Barthes, est en réalité constitué par des adultes pour qui « le temps, c'est de l'argent », et qui trouvent admirable qu'un enfant ait dépensé si peu de temps pour leur permettre de gagner tant d'argent. Minou Drouet n'est donc que « l'enfant martyr de l'adulte en mal de luxe poétique, c'est la séquestrée ou la kidnappée d'un ordre conformiste qui réduit la liberté au prodige ». En cela elle intéressera le sociologue des enfants prodiges ou de la machine capitaliste.

Quand Étiemble a consacré sa thèse au *Mythe de Rimbaud* (1955) et l'a enrichie par la suite de divers compléments, il a apporté au comparatisme une contribution majeure et originale. Mais il ne s'agissait encore que d'un mythe au sens péjoratif du terme : non de la vie multiple d'un ensemble imaginaire, mais des déformations d'un visage réel. Sous chacune de ces images il est facile de placer une idéologie latente ou avouée. Et l'ouvrage envisage bien, à sa manière, une étude de fortune littéraire.

La frontière, il faut l'avouer, est floue. Elle l'est aussi pour les personnages historiques : Napoléon sur qui Jean Tulard a pu écrire un petit livre intitulé *Le Mythe de Napoléon* (1971), Lawrence d'Arabie dont Maurice Larès s'est efforcé, par l'analyse objective d'une énorme documentation, de découvrir le vrai visage. Le Jules César de Shakespeare — revu par Voltaire —, le Wallenstein de Schiller — remodelé par Benjamin Constant —, le Néron d'Alexandre Dumas, de Renan ou de Sienckiewicz ne sont pas ceux des historiens. Et même si Albert Camus a volontairement emprunté à Suétone, il a fait de Caligula le porte-parole de certaines de ses hantises et l'instrument d'une démonstration philosophique. Comme les figures mythiques, les figures historiques se modifient à partir du moment où les écrivains s'en emparent. La sainte peut devenir sorcière (Jeanne d'Arc dans le *Henry VI* de Shakespeare), la pécheresse martyre (comme l'a montré Karl Kipka dans son étude sur *Marie Stuart im Drama der Weltliteratur,* 1907). Il arrive même que la figure historique se confonde avec une figure mythique : Néron se voulait Orphée, Napoléon devient Prométhée.

Même si on le restreint au mythe dans le sens strict du terme, le domaine ainsi défini est immense. Il n'a sans doute pas été encore assez exploré. Dans le livre de Simon Jeune, on relève les noms de Gendarme de Bévotte, de Leo Weinstein, de Charles Dédéyan, de Friedrich Gundolf, de Maurice Descotes et de Raymond Trousson, pour Don Juan, Faust, César, Napoléon et Prométhée. Mais *La Légende de Don Juan* du premier, dans l'une et l'autre de ses éditions (1906, 1911), et même s'il a été récemment reproduit par les Slatkine reprints, est un ouvrage vieilli, qui mérite d'être systématiquement refait. Jean Rousset a repensé le sujet dans son *Mythe de Don Juan* (1978). Mais, en raison de ses dimensions, ce livre ne pouvait pas plus que les autres ouvrages de la collection (P. Brunel, *Le Mythe d'Électre, Le Mythe de la Métamorphose;* André Dabezies, *Le Mythe de Faust;* Simone Fraisse, *Le Mythe d'Antigone;* Colette Astier, *Le Mythe d'Œdipe*) constituer la somme érudite dont on a besoin. Plusieurs thèses importantes ont été récemment achevées ou sont en cours d'élaboration. Par exemple, celle de Duarte Mimoso-Ruiz sur Médée [40] et celle de Jean-Michel Gliksohn sur Iphigénie [41] jusqu'à la fin du XVIIIe siècle.

Il faut avouer qu'il y a quelque chose d'effrayant, et même de décourageant pour le comparatiste dans l'étendue du domaine qui s'ouvre à lui. Croyait-il venir à bout de son étude du « mythe d'Ariane » en faisant le tour des grands textes qui l'ont illustré dans la littérature européenne, sans oublier ni l'Antiquité (l'*Épithalame de Thétys et de Pélée* de Catulle), ni la musique (la cantate *Ariane* de Haydn, l'*Ariane à Naxos* de Richard Strauss), ni les beaux-arts (*Ariane couronnée par Vénus* du Tintoret), il s'aperçoit qu'il existe une troublante analogie entre l'un des éléments constitutifs du mythe (le fameux fil) et un élément dramatique fréquent dans les *otogi-sōshi,* récits japonais du XVIe siècle : ainsi, dans une version du *Yokobue no sōshi,* la courtisane de Kanzaki, voulant retrouver l'amant inconnu qu'elle a rencontré au bord de l'étang Mizorogaike, pique dans le pan du vêtement du jeune homme un peloton de fil grâce auquel elle suit sa trace [42].

## L'ÉTUDE DES MOTIFS

Le fil, qu'il soit d'Ariane ou de la courtisane de Kanzaki, peut être appelé motif. Nous prendrons ici nos distances à l'égard de R. Trousson qui, parce qu'il veut calquer le mot allemand *motiv,* définit le motif comme « une toile de fond, un concept large, désignant soit une certaine attitude — par exemple, la révolte — soit une situation de base, impersonnelle, dont les acteurs n'ont pas encore été individualisés — par exemple, les situations de l'homme entre deux femmes, de l'opposition entre deux frères, entre un père et un fils, de la femme abandonnée, etc. ». Le concept large est pour nous le thème [43], lequel n'est pas « l'expression particulière d'un motif, son individualisation », mais appelle au contraire son expression particulière par des motifs.

Le motif est tout d'abord un élément concret, qui s'oppose à l'abstraction et à la généralité du thème. C'est ainsi que le peintre Basil Hallward pouvait présenter Dorian Gray à Lord Henry comme « un motif artistique » *(an artistic motive).* Il va être le sujet de toutes ses toiles, même de celles dont il est apparemment absent. Ou plutôt, il sera toujours là, même s'il s'agit de représenter Hadrien dans sa barque sur le Nil trouble et verdâtre [44]. Il sera un ingrédient de l'œuvre.

Tomachevski a proposé d'appeler « motif » la plus petite particule du matériau thématique [45] : la pierre précieuse, par exemple, dans les *Illuminations* de Rimbaud, ou le sang, les blessures, étudiées par Leo Spitzer dans l'œuvre de Henri Barbusse [46]. Itératif dans l'œuvre d'un même auteur, il peut aussi revenir d'un auteur à l'autre : la rose, dont le parfum, au début du *Portrait de Dorian Gray,* contribue à créer une atmosphère de détente heureuse et discrètement voluptueuse, est présente aussi, dès le début d'*Il Piacere* de Gabriele D'Annunzio, dans l'appartement où Elena Muti retrouve Andrea Sperelli. Le motif peut jouer dans l'œuvre un rôle de motif conducteur (*motivus,* en latin, a déjà ce rôle de propulseur). Il peut acquérir une signification allégorique, qui lui donne valeur d'emblème (la rose représente « quelque chose de féminin et de charnel » dans *Il Piacere).*

Attaché à un mythe, le motif peut, à la limite, jouer un rôle essentiel dans son organisation, tels le philtre ou la voile noire dans le mythe de Tristan. Mais, dégagé du contexte proprement mythique, il pourra alors signaler la présence du mythe : ainsi, ce champagne qu'on boit dans les mains de l'aimée (dans *L'Initiation sentimentale* de Péladan, et dans *Il Piacere,* où D'Annunzio s'est inspiré de très près du Sâr) est un avatar du philtre tristanesque, qu'on retrouvera encore dans *Le Triomphe de la mort.* Et si la ressemblance paraît vague entre le vin pétillant et le vin herbé, du moins reconnaîtra-t-on que dans tous les cas la fonction est analogue : c'est celle d'un sortilège d'amour.

C'est pourquoi certains théoriciens préfèrent définir le motif par sa fonction. Wellek et Waren (p. 304) rappellent que les formalistes russes et les analystes formels allemands comme Dibelius emploient le terme « motif » pour désigner les unités élémentaires d'intrigue. De fait, Tomachevski appelle également « motif » « l'unité thématique que l'on retrouve dans différentes œuvres (par exemple le rapt de la fiancée, les animaux qui aident le héros à accomplir ses tâches, etc.) ». Il est pour Gérard Genot [47] un élément récurrent, constitutif du mythe, pour Lévi-Strauss [48] un élément variable, non constitutif.

Ces recherches sont familières aux spécialistes du folklore. Dès 1910 paraissait une *Étude de folklore comparé* intitulée : *Le Conte de la chaudière bouillante et de la feinte maladresse dans l'Inde et hors de l'Inde.* Et l'on sait combien, depuis sa double traduction française, la *Morphologie du conte* de Vladimir Propp (1928) a suscité d'épigones désireux de retrouver ses fameuses fonctions dans les contes du folklore russe, mais aussi dans ceux de Chaucer ou de Boccace [49].

La plus grande prudence ici s'impose. Pas plus qu'ils ne se confondent avec les travaux du mythologue, les travaux du comparatiste ne doivent se confondre avec ceux de l'ethnologue. Mais l'étude des motifs impose de franchir les limites entre la littérature orale et la littérature savante : s'il existe une analogie entre la forêt où s'égarent le Petit Poucet et ses frères, dans un conte « savant » de Perrault, et la brousse où, dans certains récits oraux recueillis en Afrique, sont conduits les garçons pour être initiés (c'est-à-dire pour être tués et ressuscités symboliquement), c'est sans doute parce qu'à l'origine se trouve un rituel commun [50]. Et si, aussi bien dans *Roméo et Juliette* que dans le conte oriental de *Medjnoun et Leïla,* le fait d'appartenir à deux familles ennemies est un obstacle à l'amour que seule la mort permet de surmonter [51], c'est peut-être parce que c'est une situation-clé de la condition humaine : dernière définition que nous propose Mircea Eliade pour le « motif » [52].

# L'ÉTUDE DES THÈMES

Si l'on adopte cette dernière définition, le motif introduit à la généralité du thème. Cette généralité, qui semble devoir faire de l'étude des thèmes un canton privilégié de la littérature générale, peut effrayer par ce qu'elle a d'excessif. S'il est vrai, par exemple, que la mort, ou la guerre et la paix constituent des sujets de prédilection de la littérature, et que les index thématiques en enregistrent l'extraordinaire fréquence, on peut difficilement imaginer que des études d'ensemble en ce domaine, portant sur plusieurs littératures, puissent être menées à bonne fin. On ne retiendra que comme exemple de ce qu'on ne peut pas faire cette proposition d'une université

129

française dans le *Bulletin de liaison de la Société française de littérature comparée* en 1971 (II, 1, p. 22) : « L'île des bienheureux et l'invitation au voyage : étude de la persistance d'un thème lyrique à travers toute l'histoire littéraire. Interprétations de cette persistance anhistorique. Articulation avec des idéologies diverses. » D'ailleurs, si l'invitation au voyage est bien un thème, l'île des bienheureux est bien plutôt une image mythique (c'est l'une des représentations traditionnelles du paradis) qui peut devenir motif, par exemple dans la *Prose pour des Esseintes* de Mallarmé. C'est dire que le problème terminologique se trouve de nouveau posé.

*a) Le thème conçu comme sujet*

On identifie souvent le thème d'une œuvre à son sujet. Pour l'auteur de la brève notice sur le thème, dans le *Larousse du XXᵉ siècle,* c'est le « sujet », la « matière d'un discours, d'un développement ». Tomachevski prend soin, lui, de distinguer le thème du sujet, en restreignant le sens du second de ces termes (le sujet est la disposition des éléments thématiques dans la chronologie de l'œuvre); mais il se contente de voir dans le thème « ce dont on parle » : c'est que pour lui, et comme il l'écrit lui-même, « la notion de thème est une notion sommaire qui unit le matériel verbal de l'œuvre ».

Cette réduction présente déjà plusieurs inconvénients quand on traite d'une œuvre prise isolément : elle incite à la paraphrase, pour ne pas dire à la tautologie; de plus elle fait oublier, comme le rappelle Gilles Deleuze à propos de Proust, que « le vrai thème d'une œuvre n'est pas le sujet traité, sujet conscient et voulu qui se confond avec ce que les mots désignent, mais les thèmes inconscients, les archétypes involontaires où les mots, mais aussi les couleurs et les sons prennent leur sens et leur vie ».

Reprise par des comparatistes, cette conception conduit à de vaines juxtapositions de titres (*A la recherche du temps perdu* et *Years* de Virginia Woolf), à des résumés parallèles (la conduite du jaloux dans *Senilità* de Svevo et dans *La Sonate à Kreutzer* de Tolstoï) ou à de lassants catalogues. L'histoire des Pargiter est moins importante, en définitive, que cette histoire dont Eugénie ne pourra jamais raconter la fin à ses filles, alors que *Le Temps retrouvé* s'achève par une sorte de conquête du récit. Svevo place avant la banale jalousie ce sentiment de vieillesse précoce qu'il connaît bien, alors que Tolstoï fait sentir l'irritation que procure le premier *presto* de la sonate de Beethoven.

Les études d'ensemble ne trouveront leur point d'appui réel que si le champ d'étude est circonscrit dans l'espace et dans le temps. C'est ainsi que l'attitude des écrivains devant la guerre de 1914 ou la représentation romanesque de cette guerre a pu être étudiée par Charles Dédéyan (*Une guerre dans le mal des hommes,* 1971) ou par Léon Riegel (*Guerre et Littérature,* 1978). Encore ont-ils eu la sagesse, le second surtout, de ne pas vouloir tout dire et de privilégier certains auteurs (Ford Maddox Ford, par exemple). En ne retenant que quatre exemples (*La Nouvelle Héloïse,*

*Madame Bovary*, *Anna Karénine* et *Couples)* Tony Tanner dans son livre sur *L'Adultère dans le roman* (*Adultery in the Novel; Contract and Transgression*, John Hopkins University Press, 1979) a montré que la femme infidèle met en cause les rôles que la société lui a prescrits (épouse, mère et fille), compromet son identité et transgresse le contrat qui assure la stabilité de la société bourgeoise. Mais il aboutit à des conclusions morales peut-être plus que littéraires.

### b) Le thème conçu comme objet

Peut-être existe-t-il des œuvres sans thème — nous voulons dire sans sujet : ce serait le cas de ces œuvres que Tomachevski dit « transrationnelles [53] ». Il se trouve que la critique dite thématique s'y intéresse et voit des thèmes là où, selon le théoricien russe, il n'y en a point. Mais le sens du terme a changé : le thème est maintenant conçu comme objet ou, si l'on veut, comme l'une de ces « composantes d'essence matérielle » que, selon Bachelard, reçoit toute poétique.

L'erreur serait ici de céder à ce que Deleuze appelle justement l'illusion « objectiviste », ou de concevoir le thème comme un élément extra-littéraire de l'œuvre littéraire. Quand un romancier développe le thème de l'enfant pauvre, qu'il soit Dickens ou Jules Romains, il ne se contente pas d'annexer à son œuvre la description d'un comportement déjà doué de sens en lui-même et qu'on pourrait rencontrer tout aussi bien au coin de la rue prochaine qu'entre les pages du livre. L'important est la représentation de l'objet qui est personnelle, et en cela incomparable.

D'autre part, si la critique thématique, s'appliquant à une œuvre, peut révéler dans toute sa richesse le réseau des présences concrètes, ce que Barthes appelle « l'organisation réticulaire de l'œuvre », si elle peut montrer le subtil alliage dans *La Jalousie* de Robbe-Grillet d'un sujet de préoccupation et d'un objet matériel qui portent le même nom, une thématique comparatiste, ne retenant qu'une de ces présences pour la retrouver d'œuvre en œuvre, ne procèdera guère qu'à un vain recensement. A moins qu'elle ne montre — et c'est là sa raison d'être — qu'il existe comme une pré-perception de l'objet qui en in-forme la représentation dans des œuvres différentes : le soleil noir chez Blake et chez Nerval, par exemple.

Enfin, ainsi conçu, le thème tend à se confondre avec ce que nous avons plus haut appelé « motif » (du moins dans la première acception du terme). C'est dire qu'il existe moins en lui-même qu'en composition, soit qu'il soit pris dans une association de motifs, soit qu'une fonction lui soit assignée, soit qu'il vienne d'un contexte plus large à partir duquel peut se définir sa signification : ainsi le cygne, dans la littérature de la fin du XIXe siècle, est associé à la prison (la cage de Baudelaire, le lac dur de Mallarmé), il représente allégoriquement l'artiste, il est inséparable de Platon (le *Phédon*), du mythe de Léda (chez Yeats, par exemple), de l'imagerie wagnérienne (*Lohengrin* et *Parsifal*).

### c) *Le thème conçu comme topos : la topique*

Dans le préambule de son article sur « Piranèse et les poètes romantiques français », Georges Poulet affirme que « la critique thématique peut encore nous révéler ce qui se transmet d'une pensée à d'autres, ce qui se découvre en diverses pensées comme étant leur principe ou leur fond. Alors, elle tend à se confondre avec cette histoire des idées, des sentiments, des imaginations, qui devrait être toujours adjacente à l'histoire dite littéraire [54]. Entre l'objet et la conscience de l'objet s'établirait donc une zone intermédiaire qui serait le véritable domaine de la *Stoffgeschichte,* un « discours diffus », selon G. Genot, « dans lequel entrent en diverses proportions les comportements caractéristiques des valeurs d'une civilisation, leur expression ou leur image discursive, les jugements plus ou moins élaborés portés tant sur les comportements que sur leur image ». Tel serait le véritable référent de l'œuvre — non point le réel, mais un ensemble de « thèmes », c'est-à-dire de lieux communs qui circulent d'un auteur à l'autre, d'une époque à l'autre.

Au thème comme lieu commun on donnera le nom de *topos,* et à la thématologie ainsi conçue le nom de « topique ». Le classique de ce genre d'études est le livre d'Ernst Robert Curtius sur *La Littérature européenne et le Moyen Age latin* [55]. Il ne s'agit pas seulement des formules rhétoriques héritées de l'Antiquité — déclarations affectées d'humilité, formules de la *captatio benevolentiae,* euphémismes — qu'on retrouverait tant dans la *Consolation* de Malherbe à M. du Périer sur la mort de sa fille que dans l'accusation lancée par Phèdre contre Hippolyte devant Thésée, mais de thèmes lyriques (le *ubi sunt?*) ou de types (le *puer-senex,* l'enfant qui a toutes les qualités d'un vieillard, comme Jésus devant les docteurs de la Loi, comme Joas dans *Athalie*).

Plus récemment, Ross Chambers, entreprenant une étude thématique, *La Comédie au château* [56], a montré comment le *topos* du *theatrum mundi,* étudié par Curtius, est à l'origine d'un thème baroque qui, passant de *Hamlet* ou du prologue de *La Mégère apprivoisée* à *La vie est un songe,* exprime l'étrange incertitude des hommes de ce temps.

La thématologie tend-elle alors à devenir une « histoire de l'humanité » plus qu'une « histoire littéraire », comme en 1928 lui en faisait reproche E. Sauer [57]? Non, s'il est vrai que le thème n'existe qu'à partir du moment où il s'exprime (R. Trousson). Non, si « le thème est aussi un langage, pourvu de constantes structurales qui préexistent à toute tentative d'expression individuelle » (R. Chambers). Cela ne signifie pas que la littérature ne soit qu'un centon de clichés. *La Divine Comédie* existe en elle-même, malgré les fragments de traités moraux, politiques, historiques ou théologiques qui y sont entrés. Mais aussi à cause d'eux. Car il n'est point de thème sans variations. Et quand la thématologie aura recensé les thèmes, il restera à étudier les variations : ce pourrait être la tâche de la littérature comparée.

# NOTES

1. « *Prediletti dalla vecchia critica* », compte rendu par B. Croce de l'ouvrage de Charles Ricci, *Sophonisbe dans la tragédie classique italienne et française,* dans *La Critica,* II, 1904, p. 486.

2. « Les Récents travaux en littérature comparée » dans *La Revue universitaire,* XXIII, 1914, p. 220.

3. « Plaidoyer pour la *Stoffgeschichte* » dans la *Revue de littérature comparée* XXXVIII, janvier-mars 1964, pp. 101-104; *Un problème de littérature comparée : les études de thèmes, essai de méthodologie,* Lettres modernes, 1965; *Thèmes et Mythes,* éd. de l'université de Bruxelles, 1981.

4. « Thematics and Criticism », dans *The Disciplines of Criticism,* recueil de mélanges en l'honneur de R. Wellek, New Haven, Demetz, Greene & Nelson, 1968.

5. Voir *supra.,* p. 21.

6. *Dictionnaire encyclopédique des sciences du langage,* Le Seuil, 1972, p. 376.

7. Voir *Le Mythe de Don Juan,* A. Colin, 1978 et *L'Intérieur et l'Extérieur,* J. Corti, 1968, deuxième partie, chap. I.

8. *Comparative Literature as Academic Discipline,* p. 174-177.

9. D. de Rougemont, *L'Amour et l'Occident,* 1939, rééd. UGE, coll. « 10/18 », 1962, p. 14, 184.

10. S. Jeune, *Littérature générale et Littérature comparée,* p. 65.

11. « Les Directions nouvelles de la recherche critique », dans *Cahiers de l'Association internationale des Études françaises,* n° 16, 1964, p. 138.

12. La traduction française est plus proche du titre italien : *La Chair, la Mort et le Diable dans la littérature du XIXe siècle. — Le Romantisme noir,* Denoël, 1977; mais le sous-titre est malencontreux : il incite à penser au début du siècle (à Maturin ou à Ann Radcliffe) plus qu'à la littérature fin de siècle.

13. Voir « Raisons de la critique pure » dans les actes du colloque de Cerisy-la-Salle, *Chemins actuels de la critique,* U.G.E., coll. « 10/18 », 1967.

14. *La Littérature de l'âge baroque en France. — Circé et le paon,* p. 182.

15. *Anatomy of Criticism,* Princeton University Press, 1957, trad. G. Durand, *Anatomie de la critique,* Gallimard, 1969, p. 436.

16. *Ibid.,* « Les Modes thématiques », p. 70-88.

17. Dans *La Critica,* vol. XXIX, n° 2, 20 mars 1931, p. 133-134.

18. *Pour une théorie de la production littéraire,* Maspéro, 1971, p. 229; dans notre terminologie, l'île sera plutôt un motif.

19. *Problemy poetiki Dostoïevskovo,* 1929, 2e éd. 1963; trad. I. Kolitcheff, *La Poétique de Dostoïevski,* Le Seuil, 1970.

20. *Pour la Poétique I,* Gallimard, 1970, p. 14-15.

21. Charles Dédéyan pratique abusivement l'assimilation dans *Le Nouveau Mal du siècle de Baudelaire à nos jours,* S.E.D.E.S., 1968, t. I, p. 97.

22. *Forme et Signification,* José Corti, 1964, p. XI.

23. Voir Jacques Derrida : *L'Écriture et la Différence,* Le Seuil, 1967, p. 15.

24. *Des métaphores obsédantes au mythe personnel. — Introduction à la mythocritique,* J. Corti, 1962.

25. *Rimbaud créateur,* P.U.F., 1980.

26. Article paru d'abord dans la *Neue Revue* en 1908; repris dans les textes qui constituent la seconde série de la *Sammlung kleiner Schriften zur Neurosenlehre* et, en traduction française, dans les *Essais de psychologie appliquée,* coll. « Idées » n° 243, Gallimard, p. 76.

27. *Borges par lui-même,* Le Seuil, 1970, p. 28.

28. *Michelet par lui-même,* Le Seuil, 1954, p. 5.

29. *Des métaphores obsédantes au mythe personnel,* p. 26 sq.

30. U.G.E., 1975, coll. « 10/18 », n° 1004, p. 17.

31. « La Fleur de Coleridge », dans *Otras Inquisiciones* (trad. fr. *Enquêtes,* Gallimard, 1957).

32. *La Création littéraire et le Rêve éveillé,* p. 79.

33. *Mythes et mythologies dans la littérature française,* Armand Colin, coll. « U2 », 1969.

34. *L'Amour et l'Occident,* p. 203.

35. Pour le premier exemple, voir R. Trousson, *Le Thème de Prométhée;* G. Durand, *Figures mythiques et visages de l'œuvre,* Berg international, 1979. Pour la seconde série, D. de Rougemont, *Les Mythes de l'amour,* Albin Michel, 1961, rééd. coll. « Idées », Gallimard, 1972.

36. *Mythe et Épopée. — L'Idéologie des trois fonctions dans les épopées des peuples indo-européens,* Gallimard, 1968, p. 10.

37. *Anthropologie structurale,* Plon, 1958.

38. « Apollinaire illuminé au milieu des ombres », dans *Europe*, numéro spécial sur Apollinaire, nov.-déc. 1966.

39. *Mythologies*, Le Seuil, 1957, rééd. coll. « Points », p. 7.

40. Une version abrégée a été publiée sous le titre *Médée antique et moderne. — Aspects rituels et socio-politiques d'un mythe*, Ophrys, 1982.

41. Une version abrégée doit paraître aux Presses universitaires de France.

42. Voir l'édition du *Yokobue no sōshi* procurée par Jacqueline Pigeot : *Histoire de Yokobue. — Étude sur les récits de l'époque Muromachi*, P.U.F., 1972.

43. R. Trousson est d'ailleurs lui-même gêné par ce qu'il appelle une « terminologie ambiguë ».

44. Oscar Wilde : *The Picture of Dorian Gray*, chap. IX.

45. « Thématique », dans *Théorie de la littérature*, textes des formalistes russes recueillis par T. Todorov, *op. cit.*

46. *Studien zu Henri Barbusse*, Bonn, 1920. Voir Wellek et Warren, p. 252.

47. *Analyse structurale de Pinocchio*, Florence, Quaderni della Fondazione nazionale Carlo Collodi, 1970.

48. *Anthropologie structurale*, p. 240. Lévi-Strauss préfère le mot de « mythème » pour l'élément constitutif.

49. Voir Prawer, p. 133, qui cite à ce propos une recherche de Morton Bloomfield (1967) et la rapproche de la *Grammaire du Décaméron* de T. Todorov (1971).

50. Étiemble : *Essais de littérature (vraiment) générale*, p. 65.

51. Henry Bordeaux et Barrès, qui connaissaient sans doute ce conte oriental, *Le Fou de Leila*, par la traduction de Chézy, le rapprochaient plus volontiers de Tristan et Iseult. Comme dans les *Folies Tristan*, en effet, Keis se déguise et erre à travers le désert pour retrouver Leila.

52. *Histoire des littératures*, « Encyclopédie de la Pléiade », Gallimard, t. I, p. 9.

53. « Thématique », dans *Théorie de la littérature*, p. 263.

54. *Trois Essais de mythologie romantique*, José Corti, 1971, p. 135-136.

55. *Europäische Literatur und lateinisches Mittelalter*, 1948; trad. fr. par J. Bréjoux, 1956.

56. José Corti, 1971.

57. « Die Verwertung stoffgeschichtlicher Methoden in der Literaturforschung », dans *Euphorion*, XXIX, 1928, p. 223.

# Chapitre 7

# POÉTIQUE

La poétique comparée, nous l'avons vu, a sa place parmi les études de littérature générale. Plus technique, elle mérite pourtant d'être considérée à part dans ses objectifs et dans ses méthodes.

Récemment, Lucien Dällenbach a donné le nom de poétique à une « théorie générale des formes littéraires » (*Le Récit spéculaire,* p. 10). Cette définition est à la fois trop étroite et trop large. En effet, avant toute théorie il y a une pratique. On sait comment Paul Valéry, revenant à l'étymologie, s'est proposé d'exprimer « la notion toute simple de faire » (poïein), et de considérer la poétique comme « nom de tout ce qui a trait à la création et à la composition d'ouvrages dont le langage est à la fois la substance et le moyen ». La poétique comparée ne sera donc pas la comparaison des arts poétiques (laquelle présente d'ailleurs beaucoup d'intérêt), mais plutôt celle des pratiques littéraires, de l'écriture au sens où l'on emploie volontiers ce terme aujourd'hui [1]. L. Dällenbach le reconnaît lui-même, puisqu'il consacre la troisième partie de son étude à la pratique de la mise en abyme dans le nouveau roman.

« C'est un métier de faire un livre comme de faire une pendule », disait déjà La Bruyère. Peu d'auteurs aujourd'hui, imbus de leur originalité jaillissante, accepteraient de souscrire à cet axiome. Pourtant, artiste ambitieux ou honnête artisan de livres, qu'il use de sa matière, le langage, comme d'un outil créateur ou d'un instrument critique, l'écrivain appartient à la corporation des gens de lettres, où se côtoient maîtres et disciples, style personnel et recettes d'école, libre invention et technique apprise, modes d'un jour et besoins éternels, tempérament individuel et tradition reçue. Sous l'influence des sciences appliquées, notre siècle, plus pratique que spéculatif, a retrouvé le sens de la *technè*, lorsque l'artiste était aussi fabricant.

Étudier la technique de fabrication, c'est d'abord décrire les formes de composition (lyriques, dramatiques, narratives) ou d'élocution (vocabulaire, clichés, images, tons). Viennent ensuite les catégories individuelles de la transposition littéraire : comment, non avec des lignes, ou des volumes, mais avec des mots, l'on peut traduire la nature (le réel), en particulier le temps et l'espace, la vie profonde du moi, la vie d'autrui. On finira par les structures collectives et les liens entre la littérature et la société.

Reste un problème. N'importe quel être humain, fût-il incapable de les comprendre et de les goûter, perçoit les sons de la musique chinoise, les couleurs de l'art précolombien, les formes des masques nègres, tandis que le plus beau poème demeure lettre morte, grimoire ou cacophonie pour quiconque en ignore la langue. Comment est-on parvenu à faire passer quoi que ce soit d'une langue dans l'autre, comment a-t-on traduit ou tenté de traduire? Tel est l'objet de l'esthétique de la traduction, étude fondamentale pour le comparatiste, distincte de l'histoire des traductions elles-mêmes.

## MORPHOLOGIE LITTÉRAIRE

### Formes de composition

Nous donnons à « forme » un sens quasi technique, comme une forme de mouleur ou de maçon, à la fois plan ou schéma en vue de la disposition des matériaux, et prototype d'un genre restreint, inventés par le génie d'un grand écrivain, plus rarement par un théoricien, ou patiemment mis au point par plusieurs générations, afin de guider et de charpenter, voire de susciter, une inspiration évanescente ou invertébrée.

En poésie, le plus bel exemple est offert par le sonnet, rigoureux comme un mécanisme d'horlogerie, malgré de subtiles variantes. Son histoire européenne commence tout juste à être écrite.

Toutes les formes lyriques n'ont pas eu le même privilège de fixité et d'universalité. En dépit de sa prodigieuse variété, la poésie occidentale, au moins jusqu'à la fin du siècle dernier, a hérité du monde gréco-latin le respect fondamental de la notion de structure. La carrière est ouverte aux chercheurs. Il y faut plus que de patients dénombrements et de froides dissections du chant, du vers ou de la strophe, mais aussi l'amour du beau langage et le sens de la vie intérieure des œuvres.

Plus évidentes sont les formes dramatiques, le théâtre restant toujours tributaire des fécondes exigences d'un édifice, d'une troupe, d'un public, que l'auteur ne peut bousculer à sa fantaisie. Ce n'est pourtant qu'à une date récente que les études de technique théâtrale, au sens large, ont retrouvé une place d'honneur, après les sempiternelles analyses du caractère des personnages. Nous connaissons déjà beaucoup mieux le cadre matériel et moral des représentations dans les divers pays, sans quoi la dramaturgie occidentale, si différente de l'orientale ou de l'africaine, demeure une âme sans corps.

A l'intérieur même de l'Europe, acteurs, spectateurs et textes ont sans cesse voyagé, et, à leur insu parfois, transporté des germes de renouveau. L'ignorance des langues vivantes joue moins que dans les autres genres. En Allemagne, par exemple, seuls des comédiens anglais jouèrent dans leur langue jusqu'au début du XVIIe siècle, si nous exceptons le théâtre latin, celui des jésuites surtout, authentiquement international, encore méconnu. Placé au carrefour d'une tradition mi-littéraire mi-populaire fort concrète, d'une critique théorique toujours vigilante et des réactions immédiates d'un public souvent mêlé et toujours souverain, le théâtre se prête au comparatisme presque aussi spontanément que la musique.

Raconter une histoire, enfin, telle est l'une des fonctions fondamentales de la littérature. On la chante en vers ou en prose, on la récite de mémoire, ou bien, elle fournit une lecture de quelques pages ou de plusieurs volumes. Dans tous les cas, se combinent un sujet, un narrateur (parfois l'auteur lui-même) et un auditoire. Comme tout bon historien des littératures nationales, le comparatiste s'efforcera de déterminer les circonstances de la narration, les techniques employées, le rôle du public. Ce faisant, il mettra un peu d'ordre, donc de lumière, dans l'univers touffu des romans, contes et nouvelles du monde entier.

L'art du poète, du dramaturge, du conteur, bref, c'est tout un *Art poétique* descriptif et critique, au lieu d'être normatif, que nous envisageons ici.

Les genres y retrouveront leur place. Inventés par des théoriciens que subjuguait Aristote, battus en brèche par les romantiques et longtemps déconsidérés, les genres avaient repris vigueur vers 1900, grâce à Brunetière surtout, jusqu'au point dangereux où ils préexistaient à toute littérature. Seule la littérature comparée, par ses leçons de choses littéraires, peut en tenter la définition, quelque part entre l'entité abstraite et exsangue, et le foisonnement incohérent des créations individuelles.

Respectueuse de la complexité des faits, une distinction entre genres réel, virtuel et utile, peut aider à y voir clair. Nous appelons *réel* le genre historiquement défini et consciemment pratiqué, comme la tragédie classique, la ballade, l'ode, le dialogue des morts, tous organismes vivants incontestables. Plus flou, le genre *virtuel* se définit moins par sa structure ou sa forme que par sa fonction, son intention, sa matière ou son style. Tels sont la bucolique et la pastorale, le conte fantastique, le voyage imaginaire, l'autobiographie, le journal intime. Certains genres, comme l'épopée vers 1800, sont passés d'une catégorie dans l'autre. Le genre *utile,* enfin, tient davantage du tiroir ou du simple rayon de librairie, classement grossier, mais commode, propre à satisfaire l'esprit pratique, sans en faire un critère essentiel : histoire, roman, éloquence, théâtre.

Dans les deux premiers cas, pour maintenir la cohésion des œuvres à l'intérieur du cadre choisi, le comparatiste tiendra compte d'une multiplicité de traits au lieu de s'en tenir à une définition trop rigide. Plus on superpose les définitions nationales, en effet, plus la notion tend vers l'abstraction et s'appauvrit au lieu de s'enrichir, à force d'éliminer les caractères purement locaux. L'*essay,* par exemple, à la rigueur définissable dans son terroir britannique, se désintègre à l'échelon international. On mesurera, en conséquence, l'évolution historique nationale, la traduction culturelle, les besoins fondamentaux de l'esprit humain, le génie propre de l'auteur, les goûts de chaque public. La nouvelle française au XVIe siècle, au XVIIe ou au XXe, la *short story,* la *Novelle* allemande, la *novella* italienne, la *novela* espagnole tantôt se ressemblent et tantôt divergent. Comme une famille humaine, le genre, aux yeux du comparatiste, se développe en une série infinie d'œuvres particulières, ni absolument identiques, ni totalement différentes, avec ses branches nationales sédentaires, et même figées, ses déracinés, ses bâtards, ses voyageurs et ses lignées à bout de souffle.

Loin d'être une invention scolastique, le genre, proche de la forme et de la structure, commande souvent le choix du sujet, le ton, le style. Le roman par lettres, tout en prétendant se calquer sur le libre laisser-aller de la vie, impose souvent un type de personnages, de situations, d'analyses. Les contes fantastiques se laissent très aisément cataloguer. L'autobiographie, de Pepys à J. Green, sous les diverses formes de journal, confession, transposition déguisée d'expériences vécues ou *Bildungsroman,* n'obéit-elle pas à des constantes alors qu'on la croirait strictement individuelle?

Ainsi, le conflit entre la tyrannie du genre reconnu et l'invention originale de l'auteur permet de distinguer entre chef-d'œuvre et réplique insipide, avec toute la gamme intermédiaire. En littérature, comme dans les beaux-arts, une trouvaille fait école, devient style, se dégrade en imitation et en procédé, avant de se prolonger en fabrication commerciale bien au-delà du besoin qui l'a fait naître. Mais le comparatiste constate avec surprise qu'un genre ou une forme, dégénérés en un lieu, suscitent ailleurs la vie, parfois après une longue interruption, comme la tragédie shakespearienne en Allemagne, puis en France.

Aux yeux du comparatiste, un genre ne se prête à la synthèse que s'il exprime un trait profond de l'humanité, à défaut de structure constante : le tragique, le comique, le burlesque, l'élégiaque, le didactique, le bucolique, toutes notions à étudier sous leur aspect le plus général. De tels survols sembleront-ils chimériques ou illégitimes à certains? Ne soyons pas dupes de l'arithmétique en critique littéraire. La vérité n'a pas fatalement besoin de dénombrements entiers pour se révéler. Faut-il avoir lu toutes les tragédies pour connaître la tragédie? Quelques exemples significatifs peuvent fournir la clé d'une définition correcte. Passé un certain seuil de culture, le comparatiste se reposera de l'interprétation difficile des grands recensements par la perception intense de textes esthétiquement très riches. *Œdipe-roi, Phèdre, Hamlet, Adelchi, Le Prince de Hombourg* formeront une base suffisante pour un essai sur la tragédie européenne.

Au-delà de la foule confuse des œuvres, prisonnières de leur créateur et des frontières nationales, apparaissent des fonctions spirituelles vitales, d'où naissent les textes que nous étudions. Une forme, une structure, un genre ne sont pas des abstractions. Ils servent un besoin et s'incarnent en un lieu, en un temps, en une langue, mais savent aussi vagabonder, rencontrant des refus et des incompatibilités autant que des adhésions, qu'il faut expliquer dans un cas comme dans l'autre; puis ils évoluent et meurent. La littérature comparée s'efforce de saisir la vie des formes, dégage les constantes et les variables de la morphologie littéraire, et, sans prétendre, comme le faisait naguère la critique, diriger avec outrecuidance les mutations futures, tentera au moins de les expliquer.

## Formes d'élocution

Ce domaine tente peu la recherche. Entre les deux guerres, le Formalisme russe, dressé contre une critique marxiste dédaigneuse de la valeur expressive, tenta de revenir à l'étude des techniques de l'écriture, non sans verser plus d'une fois dans une rhétorique factice. Beaucoup plus accessible et solide, la *topique* de Curtius, étudiée plus haut, ouvre une voie nouvelle.

Portant sur des phrases isolées, parfois sur des fragments de phrases, rarement sur des paragraphes, ce genre d'étude doit passer d'une collection de détails curieux à une synthèse probante. Quiconque en rédigera la méthodologie rendra un grand service. En quelques mots, l'on doit rassembler des milliers, non des centaines d'exemples; renforcer par la statistique les faiblesses d'une interprétation trop symbolique; remplacer le lien détruit entre les parties de l'œuvre et l'œuvre, entre l'œuvre et son auteur, par un réseau de rapports qui ne soient point fortuits, et, pour cela, ne pas se hâter de sauter par-dessus les frontières et les siècles, mais commencer par mettre la méthode à l'épreuve sur de petites tranches chronologiquement circonscrites; passer ensuite à de plus hardies synthèses en montrant que le style, ce n'est pas seulement l'homme, mais l'époque, la nation, l'éducation.

Pour guider la recherche, nous définirions volontiers des modes de l'expression, au sens où les Grecs parlaient de dorique ou d'éolien. Les jeux mouvants du style, un ton, un vocabulaire, les rapports entre le mot, la pensée et le silence, apparentent des œuvres, manifestent des phénomènes baptisés ironie, parodie, burlesque, et, à certaines époques, grotesque, macaronées, fatrasie, nonsense ou dada (l'inverse connaît moins de variantes : sublime, sérieux, éloquence). L'*Orlando furioso, The Rape of the Lock, La Secchia rapita* et *La Pucelle d'Orléans* rentrent dans cette catégorie. L'expression métaphorique et ses dérivés que sont la fable, la parabole, l'allégorie, le symbole, sont universels. Ils élisent certains tours, préfèrent certaines images selon la période ou l'école, peuvent même devenir une doctrine de la connaissance. Enfin, chant épique, *commedia dell'arte*, impromptu, autant d'aspects de la littérature d'improvisation, différente par nature de la littérature imprimée, et l'on peut étendre l'étude aux spectacles destinés à la lecture dans un fauteuil, qui en sont les antipodes (S. Mercier, Musset, Renan, Hugo, en France).

Pourquoi ne pas rêver aussi d'une versification comparée? En 1841, dans son *Essai philosophique sur le principe et les formes de la versification,* Edelestand Du Méril déclare qu'« avant de rechercher sous quelles influences littéraires l'imagination d'un peuple a grandi, et quelle action elle exerce à son tour sur le développement des nations étrangères, on sent [...] la nécessité d'examiner quel rôle appartient à la versification dans l'histoire comparée des littératures ». Quatrain, tierce rime, distique, ces combinaisons si répandues; vers libre, vers blanc, rime, rythme, vocabulaire prosaïque ou poétique, problèmes de portée générale : tout ceci n'a été que rarement exploré. Comment la poésie est-elle liée à certaines techniques, qui finirent par cesser de plaire et de l'incarner, beau sujet pour un comparatiste médiéviste. Qu'entend-on par poème en prose suivant les littératures? A la limite, les notions même de prose et de poésie, comparativement étudiées, permettraient d'éclairer quelque peu la notion de littérature.

### Phénoménologie de la transposition littéraire

Des travaux de G. Bachelard, G. Poulet, J. Starobinski, J.-P. Richard, E. Staiger, E. Auerbach, W. Muschg, H. Levin, C. Brooks, pour ne citer que certaines recherches de l'avant-garde d'hier ou d'aujourd'hui, le comparatiste pourra tirer une utile leçon : par des exemples empruntés à toutes les littératures, sans distinction de provenance, chercher comment l'écrivain, miroir vivant de l'univers visible et invisible, lui-même théâtre de réalités spirituelles, s'efforce de transcrire le monde extérieur et intérieur à l'aide de simples petits signes noirs couchés sur le papier. Parmi ces réalités figurent le temps et l'espace, ainsi que le mouvement qui les combine, toutes les sensations, les objets (toujours le problème de la *mimesis*), les sentiments élémentaires profonds (comme la peur et le sentiment tragique de la vie), les relations du moi et d'autrui, du moi et de la nature, les rythmes intimes, etc.

Comparatiste encore par l'esprit est la psychanalyse de l'œuvre littéraire, chez Jung, Bodkin, Baudouin, Mauron, mais, tandis que les précédents traitent l'œuvre comme un objet absolu qui se suffit à lui-même, ceux-ci le rattachent à la personnalité de son créateur. Leurs conclusions, lorsqu'elles ne tiennent pas de la prestidigitation, font crier au miracle, l'issue dépendant un peu de l'habileté du manipulateur et beaucoup d'un choix heureux du texte analysé. A la différence de la psychanalyse clinique et thérapeutique, celle-ci ne peut ni interroger le patient, ni vérifier par l'expérience et la guérison le bien-fondé de ses hypothèses. Il lui faudra donc des surcroîts de preuves et une grande prudence. N'oublions pas non plus qu'une œuvre littéraire n'est jamais la transposition mécanique et univoque d'obsessions et de complexes, mais un acte créateur tributaire d'une langue et d'une tradition. Dans la mesure où cette méthode d'investigation débrouille des jeux d'images et de mots rebelles à la critique classique, elle intéresse la littérature comparée en rapportant des textes apparemment hétérogènes à leur fonds éternel d'humanité.

Presque à l'exact opposé, notons les interprétations marxistes, pour lesquelles la littérature n'est que l'épiphénomène d'une situation économique et sociale. S'ils n'avaient fait que nous rappeler le lien étroit entre l'écrivain et son milieu, en dépit des tours d'ivoire et des professions d'idéalisme désincarné, l'étude du marxisme n'eût pas été inutile. Nous savons mainte-nant — le baroque l'a montré — rattacher la littérature à un contexte collectif. Nous savons aussi que, liée au progrès des techniques, la vitesse, passé un certain seuil, a déterminé, à partir de 1830 environ, une nouvelle vision du monde [2].

Dans tous les cas, la littérature comparée maintiendra son caractère humaniste et se gardera de subordonner systématiquement son objet à de purs mécanismes cérébraux, à l'inconscient ou à la matière. Toutes les tendances évoquées dans cette section reposent sur la croyance en une nature humaine primordiale, quoique diversifiée, dont la littérature est une manifestation, au lieu de remonter des écrivains et des textes à un Homme hypothétique et contestable. Comme il s'agit de conviction intime et de tempérament plus que de démonstration, il serait absurde de censurer la méthode déductive plus que la méthode inductive.

Devient-on comparatiste, dans le sens du présent chapitre, à force de regarder au-delà de son clocher, ou est-ce la foi en un humanisme éternel qui reste le premier moteur? Chacun suivra sa pente. Il ne s'agit nullement en tout cas, tel un lecteur ignorant et naïf, de sentir les textes sans vouloir les comprendre. L'histoire littéraire enseigne à épouser successivement les mentalités du passé, à nuancer indéfiniment l'homme ondoyant et divers. Les méthodes nouvelles visent, au contraire, à dégager certaines constantes, voire certaines lois. La littérature comparée a tout à gagner à leur collabora-tion équilibrée, tout à perdre à leur conflit.

## Esthétique de la traduction

Comme l'œuvre d'art, le texte littéraire devient objet quand l'impression lui a conféré sa forme définitive. Personne ne prétendra, cependant, qu'un livre existe de la même façon qu'un tableau. Unique par définition (nos procédés de reproduction n'y changent rien), celui-ci, en quelque sorte, reste figé dans sa matière, indépendamment de la perception d'éventuels spectateurs, même s'ils le voient, ou croient le voir, autrement qu'il n'est. Enfouissez au contraire un texte dans une armoire. Lorsqu'on l'en tirera plusieurs siècles après, il se sera profondément altéré, non seulement par suite d'interprétations nouvelles, mais par l'évolution du langage et des modes de penser et de sentir; et, s'il n'a cessé d'appartenir au domaine public, par les paraphrases, imitations et traductions qui en ont été faites.

Entre Shakespeare lu par un Anglais du XX$^e$ siècle, et le même Shakespeare lu en anglais par Voltaire, il n'y a pas de différence essentielle. Ni l'un ni l'autre ne sont Shakespeare. Dans les deux cas, il s'agit de traduire un système linguistique, idéologique et esthétique en termes intelligibles, afin d'entrer dans un univers étranger, voire étrange, et de communier avec lui. Toute littérature, donc, est interprétation, au sens musical du terme, et, dans interprétation, il y a interprète. Elle traduit d'abord le réel, la vie, la nature, comme le font les autres arts, puis le public la traduit à son tour, indéfiniment. C'est pourquoi, parmi les innombrables formes de décalage entre une œuvre et son lecteur, la littérature comparée s'attache à celle-ci. Flagrant lorsqu'il touche à deux langues différentes, et matérialisé alors par une « traduction » en bonne et due forme, ce décalage n'en est pas moins réel et digne d'étude lorsqu'il est le simple effet du temps écoulé à l'intérieur d'une même littérature. Expliquer Rabelais, au sens universitaire du mot, Montaigne, Racine ou La Bruyère, et, en un autre sens, Mallarmé ou Claudel, c'est encore traduire.

La traduction permet d'envisager l'écrivain, la langue et le public sous un angle nouveau : le traducteur, partagé entre la soumission au texte et son tempérament, entre la critique et la création; le public, dont les exigences doivent être ménagées plus que d'ordinaire, car, mises à part les traductions clandestines exécutées à titre d'exercice de style ou de témoignage d'amour pour une œuvre étrangère, la traduction correspond toujours à un violent besoin de publicité, se proclame sans vergogne commerciale et cosmopolite. En séparant la rédaction de l'invention, surtout, elle isole automatiquement des parties que le plus exercé des écrivains démêle avec peine dans sa propre langue. Devant sa première version anglaise, le débutant éprouve d'authentiques angoisses mallarméennes.

Creusant l'abîme au moment de le franchir, lucide et confus en même temps, extérieur et intérieur à sa tâche, le traducteur constitue une sorte de laboratoire privilégié, où, plus purement que chez l'écrivain original, difficile à pénétrer malgré brouillons et aveux, se distille et s'analyse le mystérieux élixir de la littérature.

### Dépouillement et interprétation

Un premier travail consiste à inventorier, décrire, classer toutes les traductions imprimées connues, travail immense et fastidieux, mais capital. Dans sa simplicité, il pose déjà un problème : faut-il s'en tenir aux traductions déclarées et patentées? Que faire des plagiats sournois et des adaptations avouées, mais libres? Où commence la frontière?

Supposons ce point tranché. Au nom de l'art absolu, certains nieront toute relation significative entre le nombre et la variété des traductions d'une œuvre, la portée et la valeur intrinsèques de cette œuvre. Être comparatiste, c'est précisément faire cas des traductions parmi les critères qui décident de la nature et de la valeur d'une œuvre.

Avant de composer sa liste, le compilateur doit savoir où il va. Une liste encyclopédique annuelle, comme celle de l'Unesco dont on rêverait pour les siècles passés, semble idéale à première vue, puisque tout s'y trouve. En effet, mais comme la pépite dans le filon. Le principal est de l'en extraire.

Dans la pratique, nos bibliographies sont surtout binaires, d'intérêt inégal suivant l'importance des langues traitées. Une liste des traductions de l'espagnol en tchèque aidera les Tchèques à lire les textes espagnols, révélera peut-être des échanges entre les deux nations, mais le profit risque d'être minime, tandis que le simple recueil des traductions du japonais dans les langues occidentales revêt une tout autre portée et constitue un panorama critique.

Pour imposer un ordre intelligible aux titres une fois recueillis, diverses combinaisons se présentent : liste binaire, triangulaire, à circuits multiples (en rayonnant autour d'un texte unique, ou d'une seule langue, si elle a été peu traduite); par période, par genre, par auteur, parfois par traducteur. Très tôt, se posera la question du chef-d'œuvre, du grand classique, des « grandes » et « petites » littératures.

Fût-elle longue de milliers de titres, cette collection ne sera encore qu'une collection. Comment y mettra-t-on de l'esprit? Lorsque les dénombrements sont immenses, grâce aux lois statistiques, le comparatiste, modeste émule du lexicographe, peut dans un proche avenir espérer le secours des machines. Dans quelques cas, la conclusion saute aux yeux des moins avertis : le succès continu, en France, des *Bucoliques* de Virgile, jusqu'à Paul Valéry, opposé aux vicissitudes d'Homère; le bouleversement du marché du roman russe après l'ouvrage de Vogüé coïncidant à peu près avec l'accord international sur le *copyright;* l'interruption des traductions de l'Arioste après le romantisme.

Plus souvent, la liste ne livre ses secrets qu'après une longue analyse, dont la méthode est l'un des titres scientifiques de la littérature comparée. La date, le lieu, le mode de publication; le tirage, les ventes, les prix; le nombre et la qualité des lecteurs, tout compte, autant que la valeur technique de la traduction ou la personne du traducteur. Rien de plus malaisé que de tenir la balance entre la quantité et la qualité, la richesse et la finesse. Ces tâches exigent plus que de l'ordre et de la patience, mais mobilisent toutes les qualités du chercheur et du critique. Pourtant, si les recensements bibliographiques purs sont assez nombreux, le petit nombre d'interprétations globales semble trahir méfiance ou désaffection. Il faut rendre son lustre à ce type de travaux.

## Un nouveau critère : l'infidélité significative

Comme on l'a montré plus haut, force est d'admettre que la fidélité scientifique n'a rien à voir avec le mérite littéraire [3]. A tort, nous appliquons à l'esthétique la notion de progrès technique. Si les « belles infidèles » de jadis avaient souvent contre elles l'ignorance ou la maladresse de leurs auteurs, celles d'aujourd'hui n'ont plus que rarement l'excuse de la beauté. Naïves ou savantes, laides ou belles, bonnes ou mauvaises, les traductions appartiennent à la littérature qui les accueille et s'intègrent à son patrimoine. Jugeons-les donc par le besoin qui les a fait naître, l'enthousiasme qui les a reçues, par leur popularité, leur rayonnement et leur influence. Il n'est pas interdit au traducteur, Dieu merci! de bien connaître la langue, mais le respect maladif du texte comme objet sacré le voue à l'échec ou à une demi-stérilité. Le mobile de son action est rarement de tracer un portrait gratuit, mais de renouveler, par ce prétexte, idées, images, personnages ou mots. Parfois, le simple goût du dépaysement l'a poussé. Traduire pour traduire est affaire de linguistes.

Une traduction est si peu faite pour être comparée à l'original que son auteur se soucie peu d'en fournir le texte, sinon pour se défendre à l'occasion. Comme au concert, le lecteur a mieux à faire qu'à vérifier la musique sur la partition, pourvu qu'il éprouve du plaisir, d'autant plus que l'original, en certaines langues anciennes ou orientales, nous est interdit. Nous entrons dans un univers autonome où Florio remplace Montaigne, Amyot Plutarque, Galland les *Mille et Une Nuits,* Schlegel Shakespeare, Nerval Goethe, Valery Larbaud James Joyce et Scott-Moncrief Marcel Proust. Écartons la facile tentation de ternir le prestige de ces géniales doublures et demandons-nous plutôt le comment et le pourquoi de si curieux phénomènes.

L'idée de littérature comparée et celle de traduction objective se sont développées parallèlement depuis l'Écossais Tytler à la fin du XVIII<sup>e</sup> siècle. Ces changements sont liés à une révolution dans la conception du mot écrit, qui, de chose publique détachée de son auteur, que l'on se passe à volonté, dont on use sans vergogne, dont la valeur est dans l'usage, non dans la source, devint confession, message, cri jailli des entrailles, cœur mis à nu, chair pantelante de l'artiste, Verbe enfin. On comprend, quand il s'agit de traduire des paroles aussi intimement unies à l'écrivain, qu'aucune transposition ne saurait être assez scrupuleuse. Le comparatiste, une fois encore, se heurte au problème des rapports entre la traduction, l'imitation et la création. Boileau est fait d'Horace, Proust de Ruskin.

Puisqu'il faut bien étudier la traduction elle-même, on se gardera de la noter comme une copie d'examen. On la rattachera à son contexte historique, idéologique et stylistique, soit que l'étude se borne à une seule œuvre (Baudelaire ou Mallarmé pour Poe, Rilke pour Valéry), que l'on suive une œuvre dans le temps, ce qui est l'une des meilleures méthodes (les traductions de *La Divine Comédie,* de *Don Quichotte,* de *Hamlet*), soit enfin que le traducteur serve de terme de référence (Desfontaines, Prévost, Letourneur). Intéressante est la chronique des avatars d'un mot important : romantique, fantastique, picaresque, imagination. Nous rejoignons la terminologie littéraire comparée et l'histoire des idées. Très significatif, encore, de voir comment certains mouvements (préciosité, *Sturm und Drang,* symbolisme) ont été traduits. Ce que l'on prenait pour une forme de la sensibilité ou un mode de pensée se réduit parfois à un tour de plume.

A côté du texte, l'on n'oubliera pas les peintres et les compositeurs qui s'en sont inspirés et qui ont pu en diffuser le sujet d'autant plus facilement que le langage des arts ignore les frontières : combien fredonnent le grand air du toréador dans *Carmen* qui jamais n'ont lu ni ne liront la nouvelle de Mérimée, et au plus ignare des touristes, l'attitude mélancolique de *La Petite Sirène,* au port de Copenhague, apporte le message d'Andersen. Grâce à ces truchements muets ou mélodieux, l'esprit de certaines œuvres sera parfois mieux rendu que par la traduction : les eaux-fortes de Chassériau (1844) l'emportent sans doute en fidélité sur les versions françaises d'*Othello* publiées jusqu'alors.

## Traduction et alchimie du verbe

Venons-en maintenant aux traductions faites par de grands écrivains pour leur propre usage, dans leur jeunesse souvent, sans intention de publication, à titre de formation professionnelle, pour ainsi dire. La Bruyère, Gray, Chénier, Vigny, Goethe, Shelley, Baudelaire, Rilke, Gide, Valéry, tous appartiennent à une race particulière, celle des poètes, au sens large du terme, curieux de la vie du langage chez autrui. Mallarmé mis à part, le seul qui ait poussé l'analyse des phénomènes sur des atomes de sens et de son dans un air si raréfié qu'il atteint parfois le vide absolu du Verbe pur, ils cherchent tous à mieux saisir le passage du néant au cri, et du cri à la phrase, passage qui, dans leur propre esprit, s'opère trop souvent au sein des décevantes ténèbres du génie.

Placé, selon Valéry, entre son beau idéal, encore informulé, et le néant, le poète est une sorte de traducteur. La poésie ne saurait passer simplement pour une prose sublimée. Elle est à la prose ce que la danse est à la marche, le chant à la parole, c'est-à-dire rythme et beauté. Traduite en prose, la poésie disparaît. Ces remarques éclairent le travail du comparatiste. Liée à l'inconscient lointain de l'enfance, aux associations intimes les plus arbitraires, une langue quelconque, pour celui qui la parle et l'écrit, joue le même rôle que l'inspiration pour le poète : elle demeure radicalement incommunicable.

Mais, en fait, nous nous comprenons, entre hommes d'un même groupe du moins, grâce à l'usage et à l'usure des mots. Cet accord collectif tacite, normalement inconscient, la plus banale des traductions le remet en cause.

C'est ainsi que des textes que les indigènes jugent insipides et incolores et ne remarquent même plus, enchantent le lecteur étranger, d'autant plus que le traducteur, pour les rendre dans un idiome rebelle, force parfois sa langue à d'insolites exploits. L'on en vient à découvrir avec ravissement des nouveautés étrangères que l'on avait chez soi sans les voir : Du Bellay a besoin de l'Italie, Voltaire de Shakespeare, Lessing de Diderot, T. S. Eliot de Dante.

Qu'ils décalquent gauchement ou transplantent avec art, tous les écrivains sentent qu'une imitation des textes de leur propre langue tourne au pastiche ou au plagiat, tandis que la traduction d'une langue étrangère a valeur de discipline et d'exploration. La tâche du comparatiste consiste à montrer que la traduction n'est pas seulement multiplication en surface du nombre des lecteurs, mais école d'invention et de découverte.

## La traduction automatique

En substituant la machine au patient labeur de l'artisan, la traduction automatique semble disjoindre à jamais l'utile et le beau, et même les rendre incompatibles. Elle nous donne pourtant des leçons.

Commencée avec l'humble but de fabriquer de grossières transcriptions de textes techniques exploitables par les spécialistes, la traduction automatique en vient à éclairer la notion de style, et même de style littéraire, dans la mesure où tous les problèmes se tiennent. Joignant leurs efforts à l'expérience toute neuve des techniciens de la traduction orale simultanée, travaillant de leur côté *in vivo,* les informaticiens, aidés par les linguistes, repensent les mécanismes de l'expression verbale. La comparaison entre les langues, jusqu'alors purement instinctive, historique ou philosophique, suivant le cas, se rapproche d'une science grâce à la description et à l'analyse méthodiques, réduisant identités et différences jusqu'au point où le parallèle terme à terme devient concevable, la machine étant toujours là pour confirmer par des traductions idiomatiques la justesse de la théorie.

Pour apaiser les gardiens du trésor littéraire, laissons provisoirement à la machine les textes purement utiles. Mais les progrès réalisés en vingt ans ont été tels que des tâches plus subtiles pourraient bien un jour lui être confiées. Aux yeux du comparatiste, l'échange des valeurs poétiques et esthétiques d'une nation à l'autre, la communication entre les cultures par le langage, revêtent une si grande importance que le secours de la machine à traduire est loin d'être à dédaigner.

# STRUCTURES PERMANENTES ET VARIANTES PARTICULIÈRES

L'écrivain conçu comme un fabricant de textes (au sens étymologique du mot « poète ») ne peut produire n'importe quoi n'importe comment; même l'anarchie a son style (voyez *Dada*). Dès qu'il entreprend d'écrire, il trouve des structures préexistantes, conventions poétiques, genres, exigences de sa sensibilité et de sa perception, normes imposées par le public ou la tradition, catégories grammaticales et ressources stylistiques.

En évitant de donner à ces termes une valeur historique, l'écrivain « classique » (ou apollinien) accepte spontanément ces cadres tout faits, peut même en recevoir une impulsion, s'efforce d'y adapter son génie propre. Inversement, le « romantique » (ou dionysiaque) les juge comme d'insupportables carcans, lutte pour les briser, au besoin en crée d'autres, mais à sa fantaisie, travaille à les adapter à son génie.

L'influence prépondérante de l'héritage gréco-latin en Europe et dans une partie du monde (avec ses substituts temporaires, l'italien au XVIᵉ siècle, le français au XVIIᵉ et au XVIIIᵉ) maintint longtemps en vigueur des structures que les classiques français ont voulu confondre avec les lois éternelles et universelles de l'esprit humain. L'inspiration populaire, héritée du Moyen Age ou recherchée dans les folklores locaux, l'accès progressif des parlers vulgaires à la « grande » littérature ont peu à peu démantelé ce bel édifice. Vers la fin du XVIIIᵉ siècle, en partie sous l'influence des littératures d'origine germanique, le mouvement s'est accéléré.

A l'émiettement des belles-lettres en de multiples littératures nationales, la littérature comparée opposa son esprit de synthèse internationale, qui remplace une rhétorique et une poétique simplement cosmopolite. Mais elle doit aussi rechercher l'unité compromise dans l'étude des structures inhérentes à l'individu ou à la collectivité. L'infinie diversité des phénomènes littéraires n'exclut pas certains principes permanents nécessaires à leur compréhension.

Pour la méthode, on s'inspirera des sciences biologiques et des études sur l'art. Le structuralisme commence par une description systématique, observe, puis définit des thèmes, situations, formes, styles et tours. Leur classement révèle des ressemblances entre des hommes, des lieux, des époques parfois très éloignés les uns des autres, ou bien met en évidence des filiations et une évolution, dont l'analyse relève alors de la méthode historique traditionnelle.

Vague dans sa formulation abstraite (par exemple : le point de vue du narrateur à la première personne), la structure n'a d'intérêt qu'incarnée. En elle se rencontrent et se combinent l'originalité individuelle, l'esprit collectif, le style de l'époque. Encore perfectible, cette notion aidera de plus en plus le comparatiste à compléter la gamme de ses recherches.

# NOTES

1. Nous entendons « poétique comparée » en un sens plus étroit qu'Alvaro Manuel Machado et Daniel-Henri Pageaux qui dans leur manuel *Literatura portuguesa, Literatura comparada e Teoria da Literatura* (Lisbonne, Ediçoes 70, 1981) regroupent sous ce titre « fortune littéraire et problèmes de la réception », « sources et influences », « motifs, thèmes et mythes ».

2. Claude Pichois, *Littérature et Progrès. — Vitesse et Vision du monde,* Neuchâtel, La Baconnière, 1973.

3. Sur les problèmes de la traduction littéraire, voir J. Holmes et J. Lambert : *Literature and Translation.* Louvain, Acco, 1978. Pour le problème particulier de la traduction de Tieck en français, consulter le livre de José Lambert, *Ludwig Tieck dans les lettres françaises. — Aspects d'une résistance au romantisme allemand,* Didier, 1976.

# VERS UNE DÉFINITION

Qu'est-ce que la littérature comparée? demandions-nous. Sommes-nous mieux en mesure de répondre maintenant à cette question? Les dossiers successifs que nous avons ouvert ont pu donner l'impression de multiplicité et de vertige. Pour résister à une tentation picrocholine qui s'exerce, il faut bien l'avouer, sur le comparatiste, nous voudrions resserrer la littérature comparée autour de son objet et de sa méthode.

Son objet paraît multiple comme le monde, et perpétuellement fuyant. De quoi traite la littérature comparée? Des relations littéraires entre deux, trois, quatre domaines culturels, entre toutes les littératures du globe? Sans nulle contestation, tel est aujourd'hui son fief naturel.

Est-ce bien tout? Par droit d'usage ou de conquête, pour combler des lacunes dans la recherche et l'enseignement, par le cheminement spontané de sa dialectique, elle traite aussi d'histoire des idées, de psychologie comparée, de sociologie littéraire, d'esthétique, de littérature générale. Une bibliographie comme celle d'Otto Klapp reflète cette ambiguïté. De l'introduction intitulée *Généralités,* la plupart des comparatistes revendiqueraient volontiers la moitié *(Genres et Formes, Sociologie de la littérature, Thèmes et Motifs, Littérature régionale, Traductions, Influences)* et trouveraient insuffisantes les quelques pages de la rubrique *Comparatisme* consacrées à la seule théorie. Il existe donc toute une gamme d'études entre l'interprétation « étroite » (étroite par la simplicité de la définition, non par l'ampleur du domaine exploré, car l'étude des relations littéraires internationales n'est rien moins qu'étroite!) et l'interprétation « large ».

A défaut d'un champ de recherches, la littérature comparée possède-t-elle le monopole d'une méthode? Méthode historique, génétique, sociologique, statistique, stylistique, comparative, elle use de chacune selon ses besoins. A tout prendre, la méthode comparative devrait être son fort. Or c'est aussi celle qui s'applique le plus mal aux relations littéraires internationales, sauf lorsqu'il s'agit de traduction. En négligeant de parfaire cet instrument, les

149

comparatistes ont entretenu l'équivoque sur leur étiquette et finalement trahi l'esprit d'une spécialité qui promettait d'être beaucoup plus qu'une simple branche de la critique littéraire. Nous restons persuadés que la comparaison bien conduite doit retrouver ses droits en littérature comparée. Cette affirmation peut paraître tautologique. Elle l'est moins si l'on songe à l'anathème ancien lancé contre les parallèles. Nous affecterons à la comparaison une fonction heuristique dont les modalités sont à revoir et à adapter pour chaque cas.

Au commencement était l'esprit de l'écrivain créateur, mais il ne se manifeste que par les textes qui ont aussi besoin du lecteur pour atteindre la plénitude d'être. L'idée qui a servi de point de départ à Hans-Robert Jauss est qu'une œuvre n'existe pas seulement en tant qu'écrit consigné dans un texte. Elle est l'ensemble de sa réception; il ne faut pas dépouiller la littérature de la dimension de l'effet produit *(Wirkung)* par une œuvre, et du sens que lui attribue le public : « Dans la triade formée par l'auteur, l'œuvre et le public, celui-ci n'est pas un simple élément passif qui ne ferait que réagir en chaîne; il développe à son tour une énergie qui contribue à faire l'histoire. »

On peut encore considérer le texte, non comme un acte vivant, mais comme un monument dressé, parfois abandonné, *hic et nunc,* sorte d'objet unique et clos, qui, par son style, comparé au style d'objets analogues, se transforme en document, si bien que ce Tout devient Partie, que l'Un se fond dans le Multiple, que l'Absolu admet le Relatif. Comme les hommes, chaque texte est unique, incomparable, irremplaçable, ce qui n'abolit ni les familles, ni les communautés, ni les races.

Puisqu'il faut une définition, nous proposerons celle-ci, qui a l'avantage pédagogique de rassembler les différents aspects décrits jusqu'ici dans ce livre :

*La littérature comparée est l'art méthodique, par la recherche de liens d'analogie, de parenté et d'influence, de rapprocher la littérature des autres domaines de l'expression ou de la connaissance, ou bien les faits et les textes littéraires entre eux, distants ou non dans le temps ou dans l'espace, pourvu qu'ils appartiennent à plusieurs langues ou plusieurs cultures, fissent-elles partie d'une même tradition, afin de mieux les décrire, les comprendre et les goûter.*

Chacun n'a plus qu'à retrancher de cette définition ce qui lui paraît déplacé ou superflu pour aboutir à son propre portrait. Par exemple, la suppression du membre de phrase « pourvu qu'ils appartiennent... plusieurs cultures », définirait une position extrême du comparatisme américain (R. Wellek) pour laquelle la littérature comparée s'exerce aussi bien à l'intérieur d'une littérature nationale, alors que les Européens font du passage de la frontière linguistique ou culturelle une condition *sine qua non*.

Mais, en définitive, la seule justification de la littérature comparée ne serait-elle pas de permettre l'étude de la littérature dans sa totalité?

L'expérience prouve que les comparatistes les plus résolus à se cantonner dans tel ou tel secteur, ont souvent cédé à ce qu'ils appelaient des « tentations », en fait à l'appel impérieux d'une logique interne. Inversement, les spécialistes d'une seule littérature nationale inscrivent aujourd'hui au programme de leurs colloques des sujets qui eussent été autrefois renvoyés au comparatiste professionnel. Est-ce à dire que la littérature comparée, peu à peu diluée dans la masse des études littéraires de toutes sortes, ne représente qu'une étape dialectique et soit condamnée à disparaître après avoir joué son rôle? Ce n'est pas impossible en théorie, mais nous croyons plutôt à la pérennité du comparatiste comme « spécialiste » des généralités.

Pour que se réalise cet anéantissement par assimilation progressive, il faudrait que la littérature comparée fût immuable. Mais, comme l'a fait observer Popper, une discipline scientifique est un conglomérat, limité et reconstruit, de problèmes et de solutions provisoires. Tout indique dans la littérature comparée une fonction, au sens mathématique du terme, qui subsiste derrière le jeu fluctuant des variables qui la composent. En apparence caduque et transitoire aujourd'hui, lorsque demain seront remplies les conditions qui la rendraient superflue, elle aura déjà opéré la métamorphose nécessaire à sa survie.

Faisant maintenant table rase des multiples *distinguo* requis par une définition savante, nous pouvons nous en tenir à deux principes :

1. La langue dans laquelle une littérature est écrite ou l'unité spirituelle de la collectivité dont elle est l'expression (liée à des frontières politiques, à un passé national, à une religion, à un peuple, à une race, etc.) découpent naturellement la littérature en cellules restreintes. Se plaçant au-dessus de ces restrictions, le comparatiste s'efforcera de ne jamais étudier ces cellules isolément.

2. La littérature est l'une des manifestations spécifiques de l'activité spirituelle de l'homme, au même titre que l'art, la religion, l'action politique ou sociale, etc. On peut donc l'étudier comme fonction fondamentale sans considération de temps ou de lieu.

Cela posé, nous pouvons offrir une définition plus lapidaire qui puisse figurer dans un répertoire :

*Littérature comparée : description analytique, comparaison méthodique et différentielle, interprétation synthétique des phénomènes littéraires interlinguistiques ou interculturels, par l'histoire, la critique et la philosophie, afin de mieux comprendre la Littérature comme fonction spécifique de l'esprit humain.*

Il resterait à définir le comparatiste.

Comment peut-on être comparatiste? Certaines conditions sont requises, que la Nature réunit parfois d'elle-même. La connaissance passive, et si possible active, de plus d'une langue étrangère en est une *sine qua non*. Notre liste bibliographique démontre la nécessité absolue de l'anglais. L'allemand n'est guère moins indispensable pour l'usage des dictionnaires et encyclopédies, aussi bien que des travaux sur la réception, l'esthétique et la création littéraire.

Les ouvrages de critique sont rarement traduits. Le nombre des traductions en langue française des textes originaux, même des plus fameux, très important au XIXᵉ siècle, s'est considérablement appauvri. Les traductions anciennes, lorsqu'elles ne sont pas introuvables, demeurent fort médiocres. On gagne souvent à passer par une traduction en une tierce langue, l'anglais surtout. Mais si l'étude des textes sur traduction se justifie parfaitement dans les travaux sur l'histoire des idées, par exemple, elle devient téméraire, voire absurde, lorsque la « poésie » l'emporte sur l'abstraction.

Point de comparatiste qui ne soit donc aussi linguiste, principe assez facile à appliquer au chercheur, beaucoup moins à l'étudiant, timide, voire timoré, dès que le niveau de sa connaissance technique de la langue ne va plus de pair avec ses ambitions proprement littéraires. Tant que la pratique approfondie de plus d'une langue, vivante ou morte, n'est pas entrée dans nos mœurs universitaires, l'enseignement de la littérature comparée ne doit pas craindre de rompre avec la pédagogie traditionnelle.

Les nations dotées d'une « grande » littérature sont les plus mal placées, toutes leurs forces tendant à se concentrer sur elles-mêmes. Dans les « petites » nations, au contraire, qui doublent leur parler natal d'une langue de culture internationale (l'italien a perdu ce titre, après l'avoir détenu; le russe ne l'a pas encore acquis), l'élite intellectuelle pratique le comparatisme avec moins d'efforts. Un bilinguisme congénital, des études accomplies à l'étranger, une famille cosmopolite, autant d'excellents atouts.

Mais il ne suffit pas d'être polyglotte, philologue ou globe-trotter pour devenir *ipso facto* comparatiste. A côté de ceux que prédestinent leurs connaissances linguistiques, n'oublions pas ceux qu'attire une vocation et qui se sont astreints à l'étude de langues précisément à cause d'elle. C'est souvent moins un prurit de curiosité que le douloureux sentiment d'une mutilation qui incite à forcer le mystère des littératures étrangères.

Les traits de cette indispensable, irrésistible *vocation* sont parfois plus moraux qu'intellectuels. On a souri de l'éthique, voire de la mystique des comparatistes.

Né autour de 1800 d'un cosmopolitisme idéologique et social; bercé, dans le courant du siècle, de généreux sentiments et d'illusions humanitaires sur le rapprochement fraternel des peuples; fier, à l'âge de Posnett, d'appartenir à la grande famille internationale des vrais savants; communiant enfin dans la foi qui inspira successivement la S.D.N. et l'O.N.U.; cousin de l'Unesco et du Conseil Culturel de l'Europe, notre comparatiste s'est rarement tenu à l'écart des rêves de solidarité politique et culturelle qui nous tourmentent, à juste titre, depuis cent cinquante ans.

Ironiquement rapprochée de l'idéal analogue des sportifs, la littérature comparée, noble ou naïve, sincère ou calculée, reste, par sa charte morale implicite, l'antidote bienvenu du byzantinisme étriqué, de la morgue académique, de l'esprit de clocher et du chauvinisme intellectuel. Toute culture littéraire nationale, certes, est déjà une étape vers cette aptitude à la compréhension. On peut l'élargir encore. Comme le diplomate, le comparatiste éprouve ce désabusement serein, cette curiosité tolérante, cette tendresse critique à l'égard de tout ce qui n'est pas lui, sans aucune distinction, tous sentiments que confèrent les voyages, fût-ce à l'intérieur d'une bibliothèque, le commerce avec l'univers et l'amour des hommes autant que des livres.

Bien qu'il existe chez les « jeunes » nations avides de sécession, et même de révolte, culturelle, une disposition « primaire » qui se retrouve dans les petits pays en quête d'âme locale, le meilleur terroir reste celui des voyageurs cosmopolites, des exilés et des réfugiés. Aussi les conflits et les émigrations, volontaires ou forcées, marquent-ils toujours un progrès des études comparatistes, sinon du bonheur des peuples, depuis la Grande Grèce jusqu'aux événements de la dernière guerre, en passant par la Révocation de l'Édit de Nantes.

Tandis que le « creuset » américain favorise l'essor de la littérature comparée, les citoyens des vieilles nations européennes, insulaires ou provinciaux de nature, souffrent davantage de renoncer à leurs habitudes et ne renversent qu'à regret les barrières qui les séparent. Aussi les hommes des marches, Lorrains ou Alsaciens, les héritiers de plusieurs familles spirituelles, comme les Suisses, ont-ils les premiers tiré parti de cette supériorité naturelle pour ouvrir la voie à d'autres moins favorisés.

En France, le comparatisme s'est encore heurté à une forme dérivée de la Querelle des Anciens et des Modernes. Pendant un temps il affecta de se désintéresser du Moyen Age et de l'Antiquité. On l'accusa donc de rompre avec les origines gréco-latines et de négliger l'un des âges d'or de la culture internationale. Cette erreur réparée, grâce, en particulier, au développement des études de thématologie, les comparatistes d'aujourd'hui ont pleine conscience de la continuité de la tradition. « Moderne » qualifie désormais l'esprit de leurs travaux, non pas la période étudiée.

Grande serait l'erreur de juger de la littérature comparée par les inévitables défauts pratiques de son enseignement. Qu'il occupe ou non une chaire spécialisée, porte ou non l'étiquette officielle, l'homme dont nous parlons remplit une fonction de *liaison* indispensable, dont l'enseignement n'est qu'un aspect conventionnel. La simple besogne de chercher, classer, distribuer des documents relatifs à plus d'une discipline, n'est pas ici une tâche subalterne, mais le fondement même. Les Hollandais l'ont bien compris à Utrecht, les Américains sous une autre forme à Indiana. Il serait bon que d'autres instituts analogues soient créés dans d'autres pays au service de la recherche littéraire générale.

Il reste encore à lier les langues modernes entre elles, puis les Modernes avec les Anciens, à se tenir au courant de la philosophie, des beaux-arts, de l'histoire et de la politique, à se douer de mobilité dans le temps et dans l'espace. Standardiste ou diplomate, maître Jacques ou agent de liaison, autant de métaphores plus ou moins flatteuses qui traduisent cette fonction. Comme le garçon de café du *Prométhée* de Gide, le comparatiste vit dans la relation et par la relation, et, volontiers anonyme, finit par s'y dissoudre. Comment peut-on être, et être comparatiste? Voilà l'ultime question. Soyons donc d'abord le spécialiste fermement enraciné dans un terroir national; le reste viendra par surcroît. La tour de Montaigne enfonce de solides assises au cœur du vignoble bordelais, mais, du fond de sa librairie, ce voyageur, rentré chez lui, commerçait avec l'humanité entière.

# ÉLÉMENTS DE BIBLIOGRAPHIE

La bibliographie comparatiste est immense, puisqu'elle est par définition internationale et pluridisciplinaire. Nous avons cherché à indiquer les instruments de travail fondamentaux. Pour les études proprement dites, nous avons dû nous résigner à ne proposer que des exemples.

## 1. Bibliographie des bibliographies

Toute recherche bibliographique s'appuiera sur les ouvrages de L.-N. MALCLÈS, clairs et précis : pour les professeurs et chercheurs, *Les Sources du travail bibliogr.* (Genève, 3 vol.; ne retenir que les t. I, 1950 et II, 1952); pour les étudiants expérimentés, *Cours de bibliogr.* (Genève, 1954); pour tous, *Manuel de bibliogr.* (3e éd., Paris, 1976) et *La Bibliographie* (« Que sais-je? », no 708, 4e éd., 1976). On utilisera aussi Ph. GASKELL, *A New Introduction to Bibliography* (Oxford, 1972). Th. BESTERMAN a publié un monumental répertoire de toutes les bibliogr. existantes : *A World Bibliogr. of Bibliographies* (Genève, 5 vol., 4e éd., 1965-1966, à jour jusqu'en 1963) complété par un fichier de la Bibliothèque nationale.

## Bibliographies récapitulatives

**Comparatistes.** — L'ancêtre est l'*Essai bibliogr.* de L. P. BETZ (Strasbourg, 1900), complété d'abord par A. L. JELLINEK (*Bibliogr. der vergleich. Literaturgeschichte*, Berlin, 1903), puis réédité et augmenté par F. BALDENSPERGER (Strasbourg, 1904). Il est encore très utile pour toute rétrospective touchant le XIXe siècle.

Aujourd'hui notre Bible est la *Bibliography of Comparative Literature* de F. BALDENSPERGER et W. P. FRIEDERICH (Chapel Hill, 1950). Monument de 700 pages, cet outil exige un assez long apprentissage, surtout dans les chapitres consacrés aux influences, dont les rubriques sont groupées selon l'*émetteur,* mais éparpillées pour les *récepteurs.* Pour savoir ce que Balzac doit à l'étranger, par exemple, il faut consulter tour à tour chaque émetteur national. Les *Généralités* manquent de subdivisions. Les sections slaves et orientales sont plus que sommaires. En revanche, de nombreux travaux synthétiques simplement nationaux ont été inclus. Beaucoup d'ouvrages sont cités de seconde main, dont le contenu ne correspond ni au titre ni à la rubrique. Malgré ces faiblesses, l'ouvrage est irremplaçable, et pose les fondements de toute bibliographie ultérieure.

Depuis 1952, le *Yearbook of General and Comp. Lit.* (Chapel Hill jusqu'en 1960; Indiana depuis) compléta d'abord le manuel primitif selon la même typographie et les mêmes rubriques, mais sans aucun système, mêlant les titres oubliés, les suppléments étendus et les publications nouvelles. A partir de 1961 (vol. X), la bibliographie devint vraiment périodique, chaque volume couvrant l'année précédente. En même temps fut adopté un classement beaucoup plus simple, selon un seul ordre alphabétique de matières, avec répétitions et renvois. A partir du n° 20 (1971) il n'y a plus de bibliographie générale; seulement des bibliographies spéciales, organisées par sujets. Sur la théorie de la L. C., voir *Yearbook*, VIII (1959), 27-28, excellente bibliographie de H. H. REMAK.

Non spécifiquement comparatistes. — Pour la France, le *Manuel* de LANSON (dernière éd. utile, 1931, arrêtant le dépouillement à 1920), fournit, siècle par siècle, du XVIᵉ au XIXᵉ, de bons chapitres sur les traductions, les voyageurs, la France et l'étranger. Jeanne GIRAUD, qui le prolonge (*Manuel de bibliogr. litt. pour les XVIᵉ, XVIIᵉ et XVIIIᵉ siècles français, 1920-1935,* Paris, 1939; *1936-1945,* Paris, 1956; *1946-1955,* Paris, 1970), insère des rubriques *Thèmes et Motifs, Rapports intellectuels avec l'étranger, Grands courants* et, dans les 2ᵉ et 3ᵉ suppléments, signe de progression de la Littérature comparée dans l'opinion, une section *Comparatisme* et une autre, *Histoire des idées.* — Voir aussi certains chapitres d'A. CIORANESCO, *Bibliogr. de la litt. fr., XVIᵉ s.* (Paris, 1959), *XVIIᵉ s.* (Paris, 1965-1966, 3 vol.), *XVIIIᵉ s.* (Paris, 1969, 3 vol.); et surtout les chapitres *Background Materials* et *Foreign Influences and Relations* de la collection à la fois sélective et critique, *A Critical Bibliogr. of French Lit.,* créée et dirigée par D. C. CABEEN puis par R. BROOKS (Syracuse U.P., Moyen Age, 1947; XVIᵉ s., 1956; XVIIᵉ s., 1961, Suppl., 1983; XVIIIᵉ s., 1951; XXᵉ s., 1980, 3 vol. dus à D. ALDEN et R. BROOKS). Rien de vraiment spécifique dans les autres bibliogr. fr. usuelles, sauf de rares et minces rubriques chez H. THIEME, *Bibliogr. de la litt. fr. de 1800 à 1930,* dans le vol. III (Paris, 1933).

— Pour la Grande-Bretagne, rubriques comparatistes dans la *Cambridge Bibliogr. of English Lit.* (Cambridge, 1940, 4 vol.; 1 vol. de suppl., à jour en 1955, *ibid.,* 1957 et dans la *New Cambridge Bibliography of English Literature,* 1972-1974, 4 vol.).

— Pour l'Allemagne, peuvent rendre des services R. ARNOLD, *Allegemeine Bücherkunde* (Stras. 1910; 3ᵉ éd., Berlin, 1931), J. KORNER, *Handbuch des deutschen Schrifttums* (3ᵉ éd., Berne, 1949) et W. KOSCH, *Deutsches Literaturlexikon* (2ᵉ éd., Berne, 1949-1958).

— Pour l'Espagne, divers chapitres de José S. DIAZ, *Bibliogr. de la lit. hispánica* (Madrid, 1953-1960), vol. I et III, et nombreuses pages dispersées dans Homero SERIS, *Manual de bibliogr. de la lit. española* (Syracuse, USA, 1948-1954, en cours de publication).

— Pour l'Italie, excellents panoramas historiques par pays et essais bibliographiques correspondants dans *Letterature comparate,* qui forme le IVᵉ volume de *Problemi ed orientamenti critici di lingua e di lett. italiana,* édité par A. MOMIGLIANO (Milan, 1948). Quelques indications utiles dans C. CORDIÉ, *Bibliogr. speciale della lett. italiana* (Milan, 1948).

## Bibliographies périodiques

J. H. FISHER en fait une étude générale dans *PMLA*, LXVI (1951), 138-156 (p. 150-151 pour les bibliographies de Littérature comparée), tandis que R. P. ROSEN-BERG donne une liste des bibliographies comparatistes publiées aux États-Unis dans *Comp. Lit.* II (1950), 189-190. Les problèmes sont évoqués par M. BATAILLON, *Pour une bibliogr. intern. de LC* dans *RLC*, XXX (1956), 136-144.

Proprement comparatistes. — A part un essai sans lendemain de C. S. NORTHUP (dans *Modern Language Notes*, 1905 et 1906), la plus ancienne est celle de la *RLC* (trimestrielle depuis 1921), devenue beaucoup plus complète et systématique pendant une courte période (1949-1959). Ces dix années ont été recueillies, mais non refondues, sous forme de fascicules publiés tous les deux ans (Paris, Didier). La *RLC* a cessé la publication de toute bibliographie en 1960. Ajoutons le *Yearbook* depuis 1961 et les fiches bibliographiques *(Comparatistische Bibliografie)* publiées par l'Institut d'Utrecht (environ 400 par an, sur ouvrages en toutes langues parus aux Pays-Bas et en Afrique du Sud, et sur ouvrages en néerlandais et afrikander parus en tous lieux). Le *Registre (Regesten)* des acquisitions du même Institut, tenant lieu de comptes rendus périodiques, a cessé en 1962. Pour la Belgique, la revue *Spiegel der Letteren* remplit le même office.

Générales. — Très remarquable est la bibliogr. annuelle de la Modern Language Association of America (la première en 1956, couvrant 1955); c'est une section des *PLMA*. On consultera les sections consacrées à la Littérature générale, à l'Esthétique, à la Théorie de la littérature, aux Thèmes et motifs (ces rubriques sont reprises d'un point de vue national dans le chapitre English Literature, mais non dans les autres littératures nationales). Les relations entre auteurs sont sous le nom de chaque auteur, les autres influences sous le pays influencé. La rubrique Comparatism se limite à la théorie. Les panoramas sélectifs et critiques de *Year's Work in Modern Language Studies* (Cambridge, annuel depuis 1938) font le point, par domaine national et par siècle, des travaux publiés chaque année dans le monde.

Nationales. — France : R. RANCŒUR, *Bibliogr. litt.* (1953-1961; fascicules annuels regroupant quatre livraisons sans les refondre), devenue *Bibliogr. de la litt. fr. mod.* en 1962 (les livraisons parues dans la *Revue d'hist. litt. de la France* sont désormais refondues et complétées. La dernière *Bibliogr.* annuelle, 1980, a été publiée en 1981). — O. KLAPP, *Bibliogr. der französischen Literaturwissenschaft*, Francfort/Main, depuis 1960. Nombreuses rubriques comparatistes dans ces deux séries. Ajoutons, annuels depuis 1940, pour le XIXe s., *French VI Bibliogr.* (Stechert and Hafner, NY, jusqu'en 1954; French Institute, NY, ensuite); pour le XXe s., *French VII Bibliogr.* (*id.* jusqu'en 1948; *id.* ensuite). — Allemagne : H. W. EPPELSHEIMER, *Bibliogr. der deutschen Literaturwissenchaft*, Francfort/Main, 6 vol. parus couvrant 1945-1964 (prototype de *O. Klapp*). — Grande-Bretagne : *Annual Bibliogr. of English Language and Lit.*, Cambridge (utile dès le 2e vol., 1961).

Sur les relations entre deux littératures nationales. — France-Allemagne : *Deutschland-Frankreich* (Stuttgart, vol. I, 1954; II, 1957; III, 1963, ce dernier sans bibliogr.). Tous ouvrages en all. sur la Fr., en fr. sur l'All. depuis 1953. Période antérieure couverte sous le titre *Franco-German Studies*, dans *Romanic Review* (1945 et 1946) d'abord, puis dans *Bull. of Bibliogr. and dramatic Index* (Boston, 1912-1953). — France-Italie : *Bibliogr. italo-française*, t. I (1948-1958), 1re partie

(1948-1954), Maison du Livre italien, Paris, 1960. — France-Espagne : *Bibliogr. franco-ibérique* (tous ouvr. fr. sur l'Espagne), dans *Bull. hispanique,* depuis 1947. — France-États-Unis : *Anglo-French and Franco-American Studies,* annuel dans *Romanic Review* (1938-1948), puis dans *French-American Review* (1949 et 1950), puis dans *Bull. de l'Inst. fr. de Washington* (1951-1954). — Grande-Bretagne-Italie : Bibliogr. annuelle des travaux dans *Italian Studies* (depuis 1937). — États-Unis-Italie : Dans *Italica* (depuis 1924). — Grande-Bretagne-Allemagne : *Anglo-German Lit. Bibliogr.,* annuel dans *Journal of English and Germanic Philology,* depuis 1936. Pour l'Espagne, rubriques comp. dans *Revista di filología esp.* (depuis 1914), et *Revista hispánica moderna* (depuis 1934). — Pour la Scandinavie, *Archiv for nordisk filologi* (depuis 1880).

Sur les grandes périodes de l'histoire littéraire internationale. — Bibliogr. critique annuelle dans certaines revues; pour le Moyen Age, *Speculum;* la Littérature arthurienne, *Modern Language Quarterly;* la Renaissance, *Studies in Philology* (depuis 1939) et surtout *Bibliographie internationale de l'Humanisme et de la Renaissance* (Genève, depuis 1966); le Romantisme, *English Literary History* (1936-1948), puis *Philological Quarterly;* en vol., *The Romantic Movement, a Selective and Critical Bibliography,* D. V. Erdman éd. (Garland, New York et Londres); *l'*Ère Victorienne, *Modern Philology.*

Pour les études Baroquistes, excellente bibliogr. couvrant 1888-1946, par R. WELLEK, dans *Journal of Aesthetics and Art Criticism,* V (1946), 77-109, continuée par G. ORSINI, *ibid.,* XIII (1955), 313.

Sur le théâtre. — *Revue de la Société d'hist. du théâtre (passim,* mais rubrique proprement comp. depuis 1949).

Sur la traduction. — L'Unesco publie un répertoire de toutes les trad. parues dans le monde (*Index translationum* (un vol. annuel depuis 1949) qui reprend une série par fascicules couvrant 1932-1939). De même *Chartotheca translationum,* éd. H. W. BENTZ, Francfort/Main (depuis 1956, sur fiches). La revue *Babel* donne une excellente bibliogr. critique de tous ouvr. sur la trad. (y compris les dictionnaires) depuis 1955; le *Yearbook* une liste annuelle des trad. en angl. de toutes les œuvres de litt. étrangère (depuis 1960); le *Repertorio bibliogr. della trad.,* des trad. de l'italien dans les langues européennes (2e éd., Rome, 1960).

Sur la stylistique. — H. HATZFELD, *Critical Bibliogr. of the New Stylistics* (1953; trad. fr. par Y. LE HIR, Paris, 1962).

Relations entre la littérature et les autres formes d'expression. — Histoire comp. de la philosophie, des sciences et des civilisations dans *Isis* (depuis 1913). Rapports entre la litt. et les arts, dans *Journal of Aesthetics and Art Criticism* (depuis 1941), à compléter par la section *Literature and the Arts* de la *Modern Language Association.* Religion et litt. dans *Revue d'histoire ecclésiastique* (depuis 1910).

## 2. Périodiques comparatistes

Il y eut d'abord deux tentatives éphémères. Puis les *Acta comparationis litterarum universarum* hongrois parurent de 1877 à 1888, et la revue de Max KOCH, *Zeitschrift für vergleich. Literaturgeschichte* se maintint de 1886 à 1910.

En 1921, Fernand BALDENSPERGER et Paul VAN TIEGHEM fondaient la *Revue de Littérature comparée*, la plus ancienne revue comparatiste vivante. Plus récemment naquirent *Comparative Literature* (Oregon, depuis 1949), *Comparative Literature Studies* (Maryland, depuis 1964) et *Arcadia* (Berlin, 1966).

A ces revues trimestrielles s'ajoutent, annuellement, le *Yearbook* (en dehors de sa partie bibliographique), le *Journal of Comparative Literature* (Jadavpur University, Calcutta, depuis 1961) et la revue japonaise *Hikaku Bungaku* (depuis 1958).

Plus spécial est *Zagadnienia Rodjazow Literackch* (Problèmes des genres littéraires) publié par l'université de Lodz, en Pologne, depuis 1958.

Dans le passé, il y eut *Comp. Lit. Studies* (Liverpool, 1942-1946); *Helicon* (La Haye, 1938-1944), consacré aux problèmes généraux de la litt.; *Érasme* (1946-1947) sur les relations franco-néerlandaises, et le *Bulletin of the International Committee of Historical Sciences* (1929-1943; repris en 1953, mais seulement pour l'histoire). Les *Cahiers de LC* eurent un numéro à Budapest en 1948.

Si *Comp. Lit. Newsletter* (deux séries sous le même titre, 1940-1947 et 1945-1951) ne fut qu'un bulletin de liaison, d'autres publications, de niveaux scientifiques divers, appartiennent à la famille comparatiste : *Europe* (revue française, depuis 1923; remarquables numéros spéciaux); *Journal of the History of Ideas* (depuis 1940); la *Revue des Lettres modernes* (depuis 1954); *Diogène*, revue des sciences humaines publiée par l'Unesco depuis 1952; *Babel, revue intern. de la traduction* (depuis 1955); *La Traduction automatique* (depuis 1960).

A tendances comparatistes, nous trouvons *Symposium* (Syracuse, USA, depuis 1947); *Antarès* (revue franco-allemande, 1952-1959); *An English Miscellany* (annuel depuis 1950, sous le patronage du British Council à Rome); *Rivista di letteratura moderne e comparate* depuis 1955; *Nottingham French Studies* (depuis 1962); *Australian Lit. Studies* (depuis 1963); *Revue de philologie* (Belgrade, depuis 1963); *Cahiers Pologne-Allemagne* (depuis 1961).

*Books Abroad* aux États-Unis (depuis 1926), *Critique* en France (depuis 1946), *Erasmus* en Allemagne (depuis 1947) publient des comptes rendus d'ouvrages parus dans le monde entier.

Enfin, quelques revues de « culture comparée » ont un plus large dessein : *Hikaku Bunka* (Japon), *Comprendre* (revue de la Soc. europ. de culture à Venise, depuis 1950), *Revue de culture européenne* (depuis 1951).

A une date plus récente, il y a eu en France quelques tentatives intéressantes : les *Cahiers d'histoire littéraire comparée*, publiés depuis 1976; les *Cahiers de littérature générale et comparée*, publiés depuis 1977; *Récifs* (Recherches et études comparatistes ibéro-françaises, puis ibéro-francophones de la Sorbonne nouvelle), depuis 1979.

*L'Information littéraire* a fait place à des états présents sur les travaux de littérature comparée par A.-M. ROUSSEAU pour la période 1949-1969 (nov.-déc. 1969) et par D.-H. PAGEAUX pour la période 1970-1979 (sept.-oct. 1980). On y trouve aussi, chaque année, une bibliographie à l'usage des étudiants d'agrégation.

## 3. Les précis de littérature comparée

### Manuels

En France, le manuel de Paul VAN TIEGHEM, *La Littérature comparée* (Paris, 1931; rééd. 1961) est dépassé. En revanche, le « Que sais-je » (n° 499) de Marius-François

GUYARD (1ʳᵉ éd., 1951) a été mis à jour, avec la collaboration de R. LAUVERJAT, pour sa 6ᵉ éd. (1978). *La Littérature comparée* de Cl. PICHOIS et A.-M. ROUSSEAU (1967) a marqué un tournant et a été traduit en quatre langues. On se reportera, l'édition française étant épuisée, aux versions allemande (trad. Peter A. Bloch, *Vergleichende Literaturwissenschaft. Eine Einführung in die Geschichte, die Methoden und Probleme der Komparatistik*, Düsseldorf, 1971) et espagnole (trad. Germán Colón, *La Literatura comparada*, Madrid, 1969), qui la complétaient dans chacun de ces domaines . Le livre de Simon JEUNE, *Littérature générale et Littérature comparée* (Paris, 1968), constitue une initiation, d'accès facile.

Le livre célèbre de René WELLEK et Austin WARREN, *Theory of Literature* (1ʳᵉ éd. New York, 1942, constamment rééd. depuis), a été traduit en français par J.-P. Audigier et J. Gattégno sous le titre *La Théorie littéraire* (Paris, 1971). Ce n'est pas un manuel de littérature comparée, mais plutôt un manuel d'études littéraires générales dans lequel la littérature comparée a sa place. Aux États-Unis ont également paru *Comp. Lit. Method and Perspective,* recueil d'articles divers édité par N. STALLKNECHT et H. FRENZ (Carbondale, 1961), *Introduction to the Comparative Study of Literature* de Jan BRANDT CORSTIUS (New York, 1968), *The Challenge of Comp. Lit.* de W. P. FRIEDERICH (Chapel Hill, 1970), *Comparative Literary Studies : an Introduction* de S. S. PRAWER (New York, 1973), *Introduction to Comparative Literature* de François JOST (Indianapolis, 1974), *Comparative Literature as Academic Discipline* de R.C. CLEMENS (New York, 1978).

En langue allemande, après l'*Allgemeine Literaturwissenschaft* de Max WEHRLI (Berne, 1951), sont venus de Ulrich WEISSTEIN, *Einführung in die Vergleichende Literaturwissenschaft* (Stuttgart, 1968), de H. RÜDIGER, G. BAUER, E. KOPPEN et M. GSTEIGER, *Zur Theorie der Vergleichenden Literaturwissenschaft* (Berlin, 1971), de Hugo DYSERINCK, *Komparatistik. Eine Einführung* (Bonn, 1977), de Manfred SCHMELING, *Vergleichende Literaturwissenschaft, Theorie und Praxis* (Wiesbaden, 1981).

En Italie, *La Lett. comparata* d'A. PORTA (Milan, 1964). En Espagne, A. CIORANESCO, *Principios de lit. comp.* (Ténérife, 1964). En portugais, *Literatura Portuguesa, Literatura comparada e Teoria da Literatura* de A. M. MACHADO et D.-H. PAGEAUX (Ediçoes 70, 1981).

Les manuels d'A. OCVIRK (Ljubljana, 1936) et I. HERGESIC en yougoslave (le 1ᵉʳ avec résumé en fr.); d'E. N. TIGERSTEDT en suédois (Stockholm, 1959, avec résumé en angl.); de J. ABE (Tokyo, 1932-1933) et T. KOBAYASHI (*ibid.*, 1950) en japonais, attestent aussi la vitalité de la litt. comp.

## Ouvrages de réflexion

Au-dessus des manuels on placera les livres d'ÉTIEMBLE, toujours stimulants pour une réflexion sur la littérature comparée et ouvrant des horizons toujours plus vastes : *Comparaison n'est pas raison* (1963), *Essais de littérature (vraiment) générale* (1974, 3ᵉ éd. 1975), *Quelques Essais de littérature universelle* (1982).

AUERBACH (E.), *Mimesis; dargestellte Wirklichkeit in der abendländischer Literature,* Berne, 1948. Trad. fr. *Mimésis. — La Représentation de la réalité dans la littérature occidentale,* Paris, 1968.

BROOKS (Cleanth), *The Well Wrought Urn. Studies in the Structure of Poetry,* N. Y., 1947.

BROWN (C. S.), *Music and Literature,* Athens, États-Unis, 1948.

ESCARPIT (R.), *Sociologie de la littérature,* Paris, 1958.

GUTTENBERG (A. C.), *La Manifestation de l'Occident,* Montréal, 1952.
HATZFELD (H.), *Literature through Art,* Oxford, 1951.
KAYSER (W.), *Das sprachliche Kunstwerk,* Berne, 1949.
LUKÁCS (G.), *Schriften zur Literatursoziologie,* Neuwied, 2e éd., 1962.
MUNRO (Th.), *The Arts and their Interrelations... an Outline of Comparative Aesthetics,* New York, 1950.
SPITZER (Léo), *A Method of Interpreting Literature,* Northampton, USA, 1949.
STAIGER (E.), *Grundbegriffen der Poetik,* Zurich, 1946.
WELLEK (R.), *A History of Modern Criticism, 1750-1950,* Londres, 1955-1966, 4 vol.

## Problèmes d'histoire littéraire et de périodisation

Remarquables à leur date et encore très utiles sont *Periods of European literature,* éd. G. SAINTSBURY (Edimbourg, 1898-1907, 11 vol.) et J. T. MERZ, *History of European Thought in the XIXth c. (ibid.,* 1903-1914, 4 vol.).

Outre l'*Histoire litt. de l'Europe et de l'Amérique,* de Paul VAN TIEGHEM (3e éd., Paris, 1951), limitée aux genres, on aura intérêt à consulter l'*Outline of Comp. Lit.* de W. P. FRIEDERICH et D. MALONE (Chapel Hill, 1954), panorama déjà classique des litt. européennes comparées. On le complétera par l'*Outline of Comp. Slavic Literatures,* de D. CIZEVSKY (1er vol. de *Survey of Slavic Civilization,* Boston, 1952).

Pour l'étude des mouvements, quelques précis fort bien faits ont été publiés par les P.U.F. : *Qu'est-ce que le romantisme?* (1971) et *Qu'est-ce que le symbolisme?* (1973) de Henri PEYRE, *Le Naturalisme* d'Yves Chevrel (1982). Il faut y ajouter de grandes études comme celles de E.-R. CURTIUS, *Europäische Literatur und lateinisches Mittelalter* (Berne, 1948; trad. fr., 1956), de G. HIGHET, *The Classical Tradition* (Oxford, 1949), et sous la direction de Hans EICHNER, *« Romantic »* and its *Cognates/the European History of a Word* (Toronto, 1972; à compléter par l'article de H. EICHNER, « The Rise of Modern Science and the Genesis of Romanticism » dans *PMLA,* jan. 1982).

Sous le patronage de l'AILC paraît à Budapest une collection monumentale, mais encore inachevée, d'« Histoire comparée des littératures de langues européennes » : sont déjà publiés : *Expressionism as an International Literary Phenomenon* (éd. U. WEISSTEIN, 1973), *The Symbolist Movement in the Literature of European Languages* (éd. A. BALAKIAN, 1982), *Le Tournant du siècle des Lumières, 1760-1820* (éd. G. VAJDA, 1982).

Pour l'histoire des idées, les livres de Paul HAZARD sont réstés des classiques : *La Crise de la conscience européenne* (Paris, 1935, 3 vol.), *La Pensée européenne de Montesquieu à Lessing* (Paris, 1946, 2 vol.). A partir de quelques exemples majeurs (Aristote, Machiavel, Nobbes, Rousseau) P. BRUNEL a essayé une autre méthode dans *L'État et le Souverain* (Paris, 1978).

Bon exposé des problèmes généraux posés par l'histoire comparée des littératures dans :

BLOCK (H. M.), *The Teaching of World Lit.* (Chapel Hill, 1960).
BRANDT CORSTIUS (Jan), *Writing History of World Lit., Yearbook,* XII (1963), 5-15.
MILCH (W.), *Europäische Literaturgeschichte. Ein Arbeitsprogramm* (Wiesbaden, 1949).

Citons à part deux tentatives de synthèse qui ont fait école :

BRANDES (G.), *Hovedstromninger i det 19de aarhundredes lit. (Les grands courants de la litt. du XIXe s.),* Copenhague, 1872-1890, 6 vol. (trad. all. 1872-1879).

BABITS (M.), *Geschichte der europ. Lit. im 19 u. 20 Jh.* (Berne, 1947), trad. all. d'un ouvrage paru en hongrois à Budapest en 1935.

## 4. Encyclopédies. Dictionnaires. Répertoires

Ils sont légion, font souvent double emploi les uns avec les autres, et demeurent fort inégaux par leur valeur scientifique. Notre sélection se limite aux plus utiles :

### Dictionnaires et encyclopédies des littératures mondiales

Indispensables sont les vol. de la série LAFFONT-BOMPIANI, *Dict. des œuvres de tous les temps et de tous les pays* (Paris, 1952-1954, 5 vol.), rééd. chez Robert Laffont dans la coll. « Bouquins »; *Dict. des auteurs* (*ibid.,* 1957, 2 vol.); *Dict. des personnages litt.* (*ibid.,* 1960), ce dernier unique en son genre; tous richement illustrés. Mais ceux qui lisent l'italien gagneront à consulter, pour les œuvres, le *Dizionario letterario Bompiani,* éd. C. CAPESSO (Milan, 1947-1957, 12 vol.) beaucoup plus complet.

Parmi les Dictionnaires de littérature universelle récemment publiés, certains admettent termes et notions à côté des œuvres et auteurs. Les plus complets sont E. FRAUWALLNER, *Die Weltliteratur* (Vienne, 1951-1954, 3 vol.) et G. VON WILPERT, *Lexikon der Weltlit.,* Stuttgart, 1963. Consulter aussi, en diverses langues :

CASSELL'S *Encyclopaedia of World Lit.,* New York, 1954.

HORNSTEIN (L.), *The Reader's Companion to World Lit.,* New York, 1956.

OBERHOLZER (O.), *Kleines Lexikon der Weltlit.,* Berne, 1946.

KINDERMANN-DIETRICH (H.), *Lexikon der Weltlit.,* 2ᵉ éd., Vienne, 1950.

KAYSER (W.), *Kleines literarisches Lexikon,* 2ᵉ éd., Berne, 1953.

PONGS (H.), *Das kleines Lexikon der Weltlit.,* 2ᵉ éd., Stuttgart, 1956.

PERDIGÃO (H.), *Dicionário universal de literatur,* 2ᵉ éd., Porto, 1940.

Présentée par zones géographico-linguistiques, l'*Histoire des littératures* de l'Encyclopédie de la Pléiade (Paris, 1955-1958), réalisée sous la direction de Raymond QUENEAU, rendra encore de grands services.

Pour l'époque contemporaine, voir :

*Lexikon der Weltlit. im 20. Jahrhundert,* édité par le *Forschungsintitut für europäische Gegenwartkunde* de Vienne, 2ᵉ éd., Fribourg-Brisgau, 1960, 2 vol.

*Dizionario universale della letteratura contemporanea,* Milan, Mondadori, 1961, 4 vol.

BÉDÉ (Jean-Albert) et EDGERTON (William B.), *Columbia Dictionary of Modern European Literature,* 1980.

Pour l'histoire des idées, voir :

WIENER (Philip P.), éd., *Dictionary of the History of Ideas,* New York, 4 vol. + index, 1968-1974.

Enfin l'*Encyclopædia Universalis* (16 vol. + suppléments annuels) présente de nombreux articles intéressant le comparatiste — dont l'excellent article d'ÉTIEMBLE sur la littérature comparée.

Pour chacune des grandes litt., il existe de bons Dictionnaires des lettres nationales :

GRENTE (Mgr) éd., *Dictionnaire des lettres françaises* (Paris, 1951-1972), 7 vol. du Moyen Age à la fin du XIXᵉ siècle.

HARVEY (Sir P.), *Oxford Companion to French Lit.* (nombreuses éd. Sans équivalent en français.)

HARVEY (Sir P.), *Oxford Companion to English Lit.* (nombreuses éd.).

KOSCH (W.), *Deutsches Literaturlexikon,* 2e éd., Berne, 1949-1958, 4 vol.

MERKER (P.), et STAMMLER (W.), *Reallexikon der deutschen Literaturgeschichte,* 1re éd., 1925, 2e éd. revue par W. MOHR et W. KOHLSCHMIDT, Berlin, depuis 1958.

RENDA (U.), *Dizionario storico della lett. italiana,* 3e éd., Turin, 1951.

BLEIBERG (G.) et MARIAS (J.), *Dicc. de lit. española,* 2e éd., Madrid, 1949.

DO PRADO COELHO (J.), *Dicionario das lit. portuguesa, galega e brasileira,* Porto, 1960.

HARKINS (W. E.), *Dict. of Russian Lit.,* New York, 1956.

HART (James D.), *The Oxford Companion to American Lit.,* Oxford, 1953.

Biographie universelle. — Sujet très vaste; nous nous bornons à signaler trois instruments étendus, mais anciens :

MICHAUD (L. G), *Biogr. univ. ancienne et moderne,* Paris, 1811-1862, 85 vol.; 2e éd., Paris et Leipzig, 1854-1865, 45 vol.

HOEFER (F.), *Nlle biogr. générale,* Paris, 1856-1866, 46 vol.

ROSE (Hugh J.), *A New Gen. Biogr. Dict.,* Londres, 1857, 12 vol.

Le *Grand Dictionnaire universel du XIXe s.* de P. LAROUSSE rend d'excellents services.

Plus sommaires, mais plus modernes, sont A. M. HYAMSON, *A Dict. of Univ. Biogr.* (2e éd., Londres, 1951) et P. GRIMAL, *Dict. des biographies* (Paris, 1958, 2 vol.). Plus restreint le *Biographical Dict. of Foreign Lit.* de la coll. Everyman (Londres, 1933). La publication des fascicules du *Nouveau Dict. des biogr. fr. et étrangères,* de D. LABARRE DE RAILLICOURT, a commencé en 1961.

Indispensables sont : pour les artistes, E. BÉNÉZIT, *Dict. critique et docum. des peintres, sculpteurs... de tous les temps et de tous les pays* (Nlle éd., Paris, 1976, 10 vol.) et U. THIEME et F. BECKER, *Allgemeines Lexikon der bildenden Künstler* (Leipzig, 1907-1950, 37 vol.). Pour les musiciens, GROVE (revu par Eric BLOM), *Dict. of Music and Musicians* (Londres, 1954, 9 vol.) et F. J. FÉTIS, *Biogr. univ. des musiciens* (Paris, 1866-1868, 8 vol. et 2 vol. de suppl., Paris, 1878-1880). Pour les savants, J. C. POGGENDORF, *Biogr.-liter. Handwörterbuch zur Geschichte der exacten Wissenschaften* (Leipzig, 1863-1956, 13 vol.).

Chronologie. — Excellent est le *Répertoire chrono. des litt. mod. (1455-1900),* sous la direction de Paul VAN TIEGHEM (Paris, 1935). On le complétera par :

PETERS (Arno), *Hist. mondiale synchronoptique* (version fr. sous la dir. de R. MINDER, Bâle, 1962. Des origines à 1962).

KELLER (H. R.), *The Dict. of Dates* (New York, 1934, 2 vol.).

SPEMANN (A.), *Vergleich. Zeittafel der Weltlit.* (Stuttgart, 1951). Couvre 1150-1939.

BRETT JAMES (A.), *The Triple Stream. Four Cent. of English, French and German Lit. (1531-1930),* Cambridge, 1953.

DELORME (J.), *Chronologie des civilisations* (Paris, 1949).

*Annals of English Lit.* (2e éd., Oxford, 1961). Limité à la litt. angl. Couvre 1475-1950.

Terminologie littéraire. — L'absence d'un dictionnaire à la fois historique, critique et comparé a conduit l'AILC à mettre en chantier cette entreprise considérable, placée sous la responsabilité de Robert Escarpit. La publication complète était envisagée pour 1970. Elle n'a toujours pas eu lieu. A défaut, voir tant bien que mal :

SHIPLEY (J. T.), *Dict. of World Lit., Criticism, Forms, Technique* (New York, 1943; 2ᵉ éd., 1953).

SAINZ DE ROBLES (F. C.), *Ensayo de un dicc. de la lit.* (vol. I, *Términos y conceptos lit.*), Madrid, 1949.

YELLAND (H. L.), *A Handbook of Lit. Terms* (Londres, 1950).

DUFFY (C.), *A Dict. of Lit. Terms* (Denver, 1952).

ABRAMS (M. H.), *A Glossary of Lit. Terms* (New York, 3ᵉ éd., 1971).

PEI (M.), *Liberal Arts Dict.* (New York, 1952; en fr., angl. et esp.).

PREMINGER (Alex), *Encycl. of Poetry and Poetics* (Princeton, 1965).

Le *Dict. de poétique et rhétorique* d'H. MORIER (Paris, 1961), original, mais ardu, ne sera consulté qu'après initiation.

## 5. Grands travaux

### Les collections

La collection la plus considérable de loin reste la *Bibliothèque de la Revue de littérature comparée*, devenue *Études de littérature étrangère et comparée* (plus de 200 titres en tout). Les universités Harvard (depuis 1910), Columbia et North Carolina (depuis 1950) ont chacune leur *Studies in Comp. Lit.* d'inégale ampleur.

Signalons encore : *Forschungsprobleme der vergleich. Literaturgeschichte* (éd. K. WAIS, Tübingen, depuis 1951); les *Züricher Beiträge zür vergleich. Literaturgeschichte* (depuis 1952); à Utrecht, les *Studia litteraria rheno-traiectina* (depuis 1950) et les *Utrechtse Publikaties voor Algemene Literatuurwetenschap* (Études de litt. générale; fascicules publiés depuis 1962). A Florence, l'Institut français patronne des *Essais bibliographiques* consacrés à la fortune en Italie des grands auteurs français modernes. Le Japon possède deux collections depuis 1954. Les *Archives intern. de l'histoire des idées* sont nées à Amsterdam en 1963.

On souhaiterait que les collections comparatistes se multiplient. D'excellent augure est la publication d'un premier volume, consacré à Alejo Carpentier (1983) dans la collection « Recifs » fondée à Paris par D.-H. PAGEAUX.

Il y a aussi de grandes collections d'actes : ceux des congrès organisés par la Fédération internationale des langues et littératures modernes (FILLM), ceux des congrès organisés par l'Association internationale de littérature comparée (AILC), ceux des congrès organisés par la Société française de littérature comparée (SFLC) devenue Société française de littérature générale et comparée (SFLGC). Il serait trop long d'en donner ici le détail.

### Les thèses

Leur publication a été rendue plus difficile au cours des dernières années, et certaines restent ou dactylographiées ou imprimées en offset par l'atelier de reproduction de Lille III. Parmi les thèses éditées en langue française après 1960 nous citerons à titre d'exemples celles d'Édouard GAÈDE, *Nietzsche et Valéry. — Essai sur la comédie de l'esprit* (Paris, 1962), de Jean-René DERRÉ, *Lamennais, ses Amis et le Mouvement des idées à l'époque romantique* (Paris, 1962), de Claude PICHOIS,

L'Image de Jean-Paul Richter dans les lettres françaises (Paris, 1963), de Henri-François IMBERT, Les Métamorphoses de la liberté ou Stendhal devant la Restauration et le Risorgimento (Paris, 1967), de Michel CADOT, L'Image de la Russie dans la vie intellectuelle française.(1839-1856) (Paris, 1967), d'Yves GIRAUD, La Fable de Daphné (Genève, 1968), de Noémi HEPP, Homère en France au XVII<sup>e</sup> siècle (Paris, 1968), de Jean WEISGERBER, Faulkner et Dostoïevski, confluences et influences (Bruxelles, 1968), de Gilbert GADOFFRE, Claudel et l'univers chinois (Paris, 1968), d'André KARATSON, Le Symbolisme en Hongrie (Paris, 1969), de Pierre BRUNEL, Claudel et Shakespeare (Paris, 1971), de Jean BOISSEL, Gobineau, l'Orient et l'Iran (Paris, 1973), de Jacques BODY, Giraudoux et l'Allemagne (Paris, 1975), de Jean GILLET, Le « Paradis perdu » dans les lettres françaises de Voltaire à Chateaubriand (Paris, 1975), de Jacques LACANT, Marivaux en Allemagne I. L'accueil (Paris, 1975), d'André-Michel ROUSSEAU, L'Angleterre et Voltaire 1718-1789 (Oxford, 1976), de José LAMBERT, Ludwig Tieck dans les lettres françaises (Louvain, 1976), de Julien HERVIER, Deux Individus contre l'Histoire : Drieu La Rochelle, Ernst Jünger (Paris, 1978), de Jacques MOUNIER, La Fortune des écrits de Jean-Jacques Rousseau dans les pays de langue allemande de 1782 à 1813 (Paris, 1980), de Philippe CHARDIN, Le Roman de la conscience malheureuse, Genève, 1982.

## 6. Grandes orientations

### Voyageurs. Images d'un pays

Mieux que : D<sup>r</sup> JOLY, Note pour un essai de bibliogr. hist. univ. des voyages litt., artistiques, etc. (Paris, 1925), consulter E. G. COX, A Reference Guide to the Lit. of Travel (Seattle, 1935-1938, 2 vol. Tous récits de voyages en angl. ou trad. en angl. jusqu'en 1800).

Pour les récits de voyage en français, importante section dans le catalogue de la Bibliothèque Cardinale, avec dépouillement des tomes du Tour du monde. Sur les Huguenots en Europe, cf. D. AGNEW, French Protestant Exiles (Londres, 1886, 3 vol.) et C. WEISS, Hist. des réfugiés protest. de France (Paris, 1853, 2 vol.).

Afrique du Sud : R. M. COKE, South Africa as seen by the French (1610-1850), a Bibliogr. (Le Cap, 1957).

Allemagne : V. HANTZSCH, Deutsche Reisende des 16. Jh., Leipzig, 1895; cf. Pays-Bas.

Amérique latine : C. BERMUDEZ PLATA, Catálogo de pasajeros a Indias durante los siglos XVI, XVII y XVIII (Séville, 2 vol. parus, 1942-1946).

Belgique : Cl. PICHOIS, L'Image de la Belgique dans lès lettres fr. de 1830 à 1870, Paris, 1957.

Bulgarie : M. LEO, La Bulgarie et son peuple, tels que les ont vus les voyageurs anglo-saxons, 1586-1878, Sofia, 1949.

Écosse : F. MICHEL, Les Écossais en Fr.; et les Fr. en Écosse, Paris, 1862, 2 vol.; M. BAIN, Les Voyageurs fr. en Écosse, 1770-1830, Paris, 1931.

Égypte : J.-M. CARRÉ, Voyageurs et écrivains fr. en Égypte, Le Caire, 1956, 2 vol.

États-Unis : O. HANDLIN, This was America, Cambridge, Mass., 1949; F. MONAGHAN, French Travellers in the U.S.A., 1765-1932, a Bibliogr., New York, 1933; M. BERGER, The British Travellers in America, 1836-1860, New York, 1943; A. NEVIS, America through British Eyes, 1789-1946, New York, 1948; A. J. TORRIELLI,

*Italians' Opinions of America as revealed by It. Travellers, 1850-1900*, Cambridge, Mass., 1941; cf. Italie.

**Espagne** : R. FOULCHÉ-DELBOSC, *Bibliogr. des voyages en Esp. et en Portugal*, Paris, 1896; A. FARINELLI, *Viajes por España y Portugal desde la Edad Media hasta el siglo XX*, Rome, 1942; H. THOMAE, *Französis. Reisebeschreibungen über Spanien im 17. Jh.*, Bonn, 1961.

**Europe Centrale** : N. IORGA, *Les Voy. fr. dans l'Orient européen*, Paris, 1928; N. IORGA, *Une vingtaine de voy. dans l'Orient européen, ibid.*, 1928.

**France** : R. C. SCOTT, *American Travellers in Fr. 1830-1860*, Yale, 1940; C. BASTIDE, *Angl. en Fr. au XVIII^e s.*, Paris, 1912; C.E. MAXWELL, *The Engl. traveller in Fr., 1698-1715*, Londres, 1932; R. BOUTET DE MONVEL, *Les Angl. à Paris de 1800 à 1850*, Paris, 1911; J. MATHOREZ, *Les Étrangers en Fr. sous l'Ancien Régime;* t. I (seul paru) : *Orientaux et extra-Européens*, Paris, 1919; cf. Afrique du Sud, Belgique, Écosse, Égypte, Espagne, États-Unis, Europe centrale, Grande-Bretagne, Grèce, Hongrie, Inde, Irlande, Italie, Maroc, Mexique, Pays-Bas, Portugal, Russie, Sicile, Suisse, Yougoslavie.

**Grande-Bretagne** : H. BALLAM, *The Visitor's Book : Engl. and the Engl. as Others have seen Them, 1500-1950*, Londres, 1950; R. BAYNE-POWEL, *Travellers in XVIIIth c. Engl.*, Londres, 1951; J. VALETTE, *Écrivains et Artistes étrangers en Angl.*, Paris, 1946; F. M. WILSON, *Strange Islands : Britain through Foreign Eyes, 1395-1940*, Londres, 1955; W. L. SACHSE, *The Colonial American in Britain*, Madison, 1956; W. D. ROBSON-SCOTT, *German Travellers in Engl., 1440-1800*, Oxford, 1953; E. JONES, *Les Voy. fr. en Angl. de 1815 à 1830*, Paris, 1930; R. E. PLAMER, *French Travellers in England, 1600-1900*, Londres, 1960; F. C. ROE, *French Travellers in Britain, 1800-1926*, Londres, 1928; J. W. STOYE, *Engl. Travellers Abroad, 1604-1667*, Londres, 1952; R. W. FRANTZ, *The Engl. Traveller and the Movement of Ideas, 1660-1732*, Univ. of Nebraska, 1934; cf. Bulgarie, États-Unis, France, Italie, Portugal, Russie, Suisse.

**Grèce** : P. MORPHOPOULOS, *L'Image de la Grèce chez les voy. fr. du XVI^e au début du XVIII^e s.*, Baltimore, 1947; E. MALAKIS, *French Travellers in Greece, 1770-1820*, Philadelphie, 1925.

**Hongrie** : G. BIRKAS, *Francia utazok Magyarorsyagon* (Voy. fr. en Hongrie, Szeged, 1948, avec résumé en fr.).

**Inde** : Z. BEMBOAT, *Les Voy. fr. aux Indes au XVII^e et au XVIII^e s.*, Paris, 1933.

**Irlande** : C. MAXWELL, *The Stranger in Ireland from the Reign of Elizabeth to the Great Famine, 1580-1842*, Londres, 1954; R. HAYES, *Biogr. Dict. of Irishmen in France*, Dublin, 1945.

**Italie** : J. DUMESNIL, *Voy. fr. en Italie depuis le XVI^e s. jusqu'à nos jours*, Paris, 1865; G. B. PARKS, *The Engl. Traveller to Italy*, vol. I (Moyen Age à 1525), Rome, 1954; L. SCHUDT, *Italienreise im 17. u. 18. Jh.*, Vienne, 1959; S. S. LUDOVICI, *Bibliogr. dei viaggiatori stranieri in Italia*, dans *Annales institutorum*, vol. VII-XII, Rome, 1936-1939; G. PODESTA, *I viaggiatori stranieri e l'Italia*, Milan, 1963; P. AMAT DI S. FILIPPO, *Biografia dei viagg. ital. colla bibliogr. delle loro opere*, 2^e éd. Rome, 1882; M. CANTARELLA, *Italian Writers in Exile, a Bibliogr.* dans *Books Abroad* (1938); suppl. dans *Belfagor* (1949); G. PREZZOLINI, *Come gli Americani scoprirono l'Italia, 1750-1850*, Milan, 1933.

**Japon** : D. KEENE, *The Japanese Discovery of Europe, 1720-1798*, New York, 1954.

**Maroc** : R. LEBEL, *Les Voy. fr. au Maroc*, Paris, 1936.

Mexique : A. GENIN, *Les Fr. au Mexique du XVIᵉ s. à nos jours,* Paris, 1935.

Pays-Bas : H. VAN DER TUIN, *Voy. fr. aux Pays-Bas dans la 1ʳᵉ moitié du XIXᵉ s.* dans *Revue d'hist. de la philos.* (oct. 1935); C. V. BOCK, *Deutsche erfahren Holland, 1725-1925,* La Haye, 1956.

Portugal : G. LE GENTIL, *Les Fr. en Portugal, O Instituto,* t. 76, 1928; R. FRANCIS-QUE-MICHEL, *Les Port. en Fr. et les Fr. en Port.,* Paris, 1882; R. MACAULAY, *They Went to Portugal* (Anglais, du XIIᵉ au XIXᵉ s.), Londres, 1946; cf. Espagne.

Russie : M. S. ANDERSON, *Britain's Discovery of Russia, 1553-1815,* Londres, 1958; B. TSITRONE, *Les Voy. fr. en Russie au XIXᵉ s.* Thèse dactyl. Montpellier, 1961.

Sicile : H. TUZET, *La Sicile au XVIIIᵉ s., vue par les voy. étrangers,* Strasbourg, 1955; H. TUZET, *Voy. fr. en Sicile à l'époque romantique, 1818-1848,* Paris, 1945.

Suisse : C. BECK, *La Suisse vue par les grands écrivains et les voy. célèbres,* Paris, 1914; G. R. DE BEER, *Travellers in Switzerland,* Londres, 1949; C. GOS, *Voy. illustres en Suisse,* Paris, 1937; Ch. GUYOT, *Voy. romantiques en pays neuchâtelois,* Neuchâtel, 1932; C.-E. ENGEL, *La Litt. alpestre en Fr. et en Angl. aux XVIIIᵉ et XIXᵉ s.,* Chambéry, 1930; W. SCHMID, *La Suisse romantique vue par les voy., les écrivains et les peintres,* Lausanne, 1952.

Yougoslavie : M. SAMIC, *Les voy. fr. en Bosnie à la fin du XVIIIᵉ s. et au début du XIXᵉ,* Paris, 1961.

En conclusion de cette section, citons *Connaissance de l'étranger, Mélanges offerts à la mémoire de J.-M. Carré,* Paris, 1965, et l'ouvrage riche d'informations et de réflexion de Rainer WUTHENOW, *Die erfahrene Welt* (Francfort/Main, 1980).

N'oublions pas les utopies : voir le livre de Raymond TROUSSON, *Voyages aux pays de nulle part. — Histoire littéraire de la pensée utopique* (Bruxelles, 2ᵉ éd., 1979).

## Réception et influences

Parmi les ouvrages théoriques récents, sont particulièrement marquants : Harold BLOOM, *The Anxiety of Influence. — A Theory of Poetry* (Oxford, 1973; rééd. 1978); Hans-Robert JAUSS, *Pour une esthétique de la réception* (traduit de l'allemand, Paris, 1978); et voir sur les problèmes de la réception le nᵒ 39 de la revue *Poétique* (1979).

## L'étude des genres

Il faudrait ici multiplier les exemples. Pour s'en tenir à la littérature romanesque, on peut citer : T. TODOROV, *Introduction à la littérature fantastique* (Paris, 1970); M. ZÉRAFFA, *La Révolution romanesque* (Paris, 1972); Marthe ROBERT, *Roman des origines et Origines du roman* (Paris, 1972); Didier SOUILLER, *Le Roman picaresque* (Paris, 1980); Jean-Yves TADIÉ, *Le Roman d'aventures* (Paris, 1982). Déjà ancienne, la bibliographie de J. SOUVAGE, dans *A Introduction to the Study of the Novel* (Gand, 1965), peut rendre des services.

Pour le théâtre voir Ph. HARTNOLL, *The Oxford Companion to the Theatre* (2ᵉ éd., Oxford, 1957) et surtout *Enciclopedia dello spettacolo* (Rome, 1954 sq., 9 vol.).

Autour d'Antonin Artaud, essai d'étude comparatiste par P. BRUNEL dans *Théâtre et cruauté, ou Dionysos profané* (Paris, 1982).

## Thèmes, mythes, motifs

Pour la litt. univ., Elisabeth FRENZEL, *Stoffe der Weltlit.* (2e éd. Stuttgart, 1963).

La coll. *Stoff- u. Motivgeschichte* (Berlin, éd. P. MERKER et G. LÜDTKE) traite d'un thème donné dans la litt. univ. Ont paru *Jeanne d'Arc* et *Tristan et Yseult* (1963). Pour la litt. all. seule, voir K. BAUERHORST, *Bibliogr. der Stoff- u. Motivgeschichte der deutsche Lit.* (Berlin, 1932), complété par F. A. SCHMITT, même titre (Berlin, 1959). Pour la litt. fr., J. CALVET, *Les Types univ. dans la litt. fr.* (Paris, 1964, 2 vol.).

La réflexion sur ces problèmes a été principalement conduite par Raymond TROUSSON, *Un Problème de littérature comparée : les études de thèmes* (Paris, 1965), repris et modifié dans *Thèmes et mythes. — Questions de méthode* (Bruxelles, 1981). Le précieux livre de Pierre ALBOUY, *Mythes et Mythologies dans la littérature française* (1969, rééd. 1980) intéresse aussi le comparatiste.

Parmi les études, nous citerons, outre les volumes de Charles DÉDÉYAN (*Le Thème de Faust dans la littérature européenne*, 6 vol., 1961-1972), ceux d'André DABEZIES (*Visages de Faust au xxe siècle*, Paris, 1967; *Le Mythe de Faust*, 1972); de R. TROUSSON, *Le Thème de Prométhée dans la littérature européenne* (Genève, 1964, rééd. 1980); de P. BRUNEL (*Le Mythe d'Électre*, 1971, rééd. *Pour Électre*, 1982; *Le Mythe de la métamorphose*, 1974; *L'Évocation des morts et la descente aux Enfers*, 1975); de Ross CHAMBERS, *La Comédie au château* (Paris, 1971); de Jean TULARD (*Le Mythe de Napoléon*, Paris, 1971); de Claude PICHOIS (*Littérature et Progrès. — Vitesse et Vision du monde*, Neuchâtel, 1973); de Simone FRAISSE, *Le Mythe d'Antigone* (Paris, 1974); de Colette ASTIER, *Le Mythe d'Œdipe* (Paris, 1974); de Jean PERROT, *Mythe et Littérature sous le signe des jumeaux* (Paris, 1976); de Jean ROUSSET, *Le Mythe de Don Juan* (Paris, 1978); de Robert COUFFIGNAL, *La Paraphrase de la Genèse* (Paris, 1970), *L'Épreuve d'Abraham* (Toulouse, 1976), *La Lutte avec l'ange* (1977), *Le Drame de l'Eden* (1980); de D. MIMOSO-RUIZ, *Médée antique et moderne. — Aspects rituels et socio-politiques d'un mythe* (Strasbourg, 1982).

La publication des Actes du XIVe Congrès de la SFLGC (1977) en 1981 sous le titre *Mythes, Images, Représentations* prouve que ces études sont en pleine expansion.


## Problèmes théoriques de la traduction littéraire

Ils sont au centre du comparatisme actuel. Parmi les études plus ou moins récentes, on lira, en fr., Valery LARBAUD, *Sous l'invocation de saint Jérôme* (Paris, 1946); E. CARY, *La Trad. dans le monde mod.* (Genève, 1956); G. MOUNIN, *Les Belles Infidèles* (Paris, 1955), *Les Problèmes théoriques de la trad.* (Paris, 1963, rééd. 1976), *La Machine à traduire* (Aix, 1964); Jean-René LADMIRAL, *La Traduction* (Paris, 1962); Efim ETKIND, *Un Art en crise. — Essai de poétique de la traduction poétique* (1982); en anglais, TH. SAVORY, *The Art of Translation* (Londres, 1957); E. JACOBSEN, *Translation : a Traditional Craft* (Copenhague, 1948) et surtout George STEINER, *After Babel* (Londres, 1976; trad. fr. *Après Babel*, Paris, 1978) et Gideon TOURY, *In Search of a Theory of Translation* (Tel Aviv, 1980); en espagnol, O. BLIXEN, *La Traduc. lit. y sus problemas* (Montevideo, 1954). Plusieurs vol. de *Mélanges* traitent de ces questions : G. PANNETON, *Traductions* (Montréal, 1952), E. H. ZEYDEL, *On Romanticism and the Art of Trans.* (Princeton, 1956); *La Traduction littéraire, Cah. de litt. comp.*, no 4, 1977; *Colloque sur la traduction poétique*, préface d'ÉTIEMBLE

(Paris, 1978), *Literature and Translation,* ed. by J. S. HOLMES, José LAMBERT, R. VAN DEN BROECK (Louvain, 1978).

A consulter aussi *On Translation* (recueil éd. par R. A. BROWER, Harvard, 1959, avec une remarquable bibliogr. critique des ouvrages sur la trad. de Cicéron à nos jours); *Aspects of Translation* (éd. A. D. BOOTH, Londres, 1958); *La trad. etc.* (*Cahiers de l'Assoc. intern. des Études fr.,* n° 8, juin 1956).

Pour comprendre la révolution en cours, on lira encore : J. VINAY, *Stylistique comparée de l'angl. et du fr.,* Paris, 1958; A. MALBLANC, *Stylistique comparée de l'all. et du fr.,* Paris, 1961; G. BARTH, *La Fréquence et la Valeur des parties du discours en fr., en angl. et en esp.,* Paris, 1962.

## Théorie de la littérature

Outre la bibliogr. de l'ouvrage de WARREN et WELLEK déjà cité, bonne bibliogr. dans W. KAYSER, *Das sprachliche Kunstwerk* (Berne, 1951).

Parmi les ouvrages théoriques importants, nous retiendrons : André JOLLES, *Einfache Formen* (Tübingen, 1930), trad. fr. *Formes simples* (Paris, 1972); Northrop FRYE, *Anatomy of Criticism* (Princeton, 1957), trad. fr. *Anatomie de la critique* (Paris, 1969); Roman JAKOBSON, *Questions de poétique* (Paris, 1973).

Il est un domaine, celui des études de relations binaires et des bibliographies de traductions, dont les éléments avaient été recensés dans la première version de ce livre (CL. PICHOIS et A.-M. ROUSSEAU, 1967), selon un désir d'exhaustivité. Depuis lors, de nombreuses thèses et études font de ce désir un rêve. Nous nous bornons donc à quelques titres qui ont valeur d'exemples, d'abord de relations, puis de traductions.

France-Espagne : la remarquable *Bibliogr. hispano-fr. (1477-1700)* de R. FOULCHÉ-DELBOSC (New York, 1912-1914, 3 vol.); complétée par L.F. STRONG, *Bibliogr. of Franco-Spanish Lit. Relations* (New York, 1930; va des origines au XIX$^e$ s.) et J.C. FRANCA (dans son *Hist. de la lengua y lit. castillana,* t. XIV, Madrid, 1934); sur la période 1800-1850, cf. L.-F. HOFFMANN, *Romantique Espagne* (Princeton, 1961). — France-Pologne : J. LORENTOWICZ, *La Pologne en France,* Paris, 1935-1941, 3 vol. (modèle du genre). — Grande-Bretagne-Allemagne : L. M. PRICE, *Engl. Lit. in Germany,* Berkeley, 1929-1953, 3 vol. (trad. all., Berne, 1961); A. SCHLOSSER, *Die engl. Lit. im Deutschland, 1895-1934,* Iéna, 1937; B.Q. MORGAN, *German Lit. in British Magazines, 1750-1860,* Madison, 1949; P.A. SHELLEY et A.O. LEWIS, éd., *Anglo-American and Anglo-German Crosscurrents,* Chapel Hill, 1962, 2 vol. — France-Allemagne : H. FROMM, *Bibliogr. deut. Uebersetz. aus dem Französ., 1700-1948,* Bade, 1950-1953, 6 vol. Suppl. 1945-1954, Hambourg, 1957. Monumental modèle du genre. — Sur un point particulier, la France donne l'exemple de la perfection avec le *Répertoire bibliogr. des trad. et adapt. fr. du théâtre étranger du XV$^e$ s. à nos jours, conservés dans les bibliothèques et archives de Paris,* par M. HORN-MONVAL (8 vol., Paris, C.N.R.S., 1958-1967).

# TABLE DES MATIÈRES

Achevé d'imprimer sur les presses de Berger-Levrault à Nancy en Mai 1983
779899-5-1983
Imprimé en France
Nᵒ Armand Colin : 8516 — dépôt légal : mai 1983